新潮文庫

額田女王

井上 靖著

新潮社版

2079

額《ぬか》田《たの》女《おお》王《きみ》

白い雉《きじ》

一

大化六年（西暦六五〇年）二月、穴戸《あなと》（のちの長門《ながと》・山口県）の国司が朝廷に白い雉《きじ》を献上して来た。去る正月九日に穴戸の麻山《おのやま》というところで捉《とら》えたが、余り珍しいので献上に及んだということであった。朝廷では、この白い雉の出現がいかなることを意味するか、この方面のことに明るい者たちに訊《き》いてみることにした。半島の百済《くだら》国から質《ひとじち》としてこの国に来ている王子豊璋《ほうしょう》は、

「調べてみましたところ、後漢の明帝《みようだい》の永平十一年に、白い雉がところどころに居たという記述がございます」

と答えた。それ以外のことは言わなかった。これでは瑞祥《ずいしょう》であるか、その反対であ

るか判《わか》らなかったが、平生でも余分なことはいっさい口にしない豊璋らしい用心深さであった。豊璋は質としてすでにこの国で、十数年の歳月を送っていた。

代わって下問を受けた僧侶《そうりょ》たちは、相談した上で答えた。

「白い雉などというものは、未だ見たことも、聞いたこともございません。天下の罪人たちを赦《ゆる》して、民の心を悦《よろこ》ばすべきでございましょう」

これも、満足できる答ではなかった。瑞祥なら罪人を赦してもよかったが、そうでなかったら却《かえ》って禍《わざわい》を招くもとになるであろうと思われた。

そこで、朝廷では十師《じっし》の一人として、高僧の誉れ高い道登《どうとう》に訊《たず》ねた。道登は高句麗《こうくり》に留学し、帰国後元興寺《がんごうじ》に住している朝廷の信任厚い僧侶である。

「昔、高句麗では伽藍《がらん》を造る場合、必ず瑞祥ある地を選んでおります。たとえば白い鹿《しか》が歩いているのを見て、そこに寺を造り、白鹿薗寺《びゃくろくおんじ》と名付けております。また白い雀《すずめ》が寺の耕作地に姿を見せますと、国人は吉祥だとしております。また唐土に遣わされた使者が、三つの足指を持った烏《からす》を持ち帰ったことがあります。これをも瑞祥であるとしました。まして、この度は白い雉の出現でございます。どうして瑞祥でないことがございましょう」

次に国博士《くにのはかせ》の僧旻《みん》の意見を訊いた。大化の改新以後、高向史玄理《たかむくのふびとげんり》と並んで最高の知識人と目されている人物である。

「このたびのことはまことに吉祥であって、めったにあることではございません。王者が天下にあまねく恩沢を施す時、白い雉が現れるということを聞いております。また、王者の祭祀《さいし》が正しく行われ、国に食も衣も満ち足りている時、白い雉が現れるとも聞きます。また王者の恵みが聖人の道に適《かな》う時、現れるとも聞きます」

僧旻はそれでも足りなく、周の成王《じょうおう》の時の故事や、晋《しん》の武帝の時のそれを引いて、詳しく説明し、

「これは吉祥でございます。天下の罪人を赦すべきでありましょう」

と奏した。そこで朝廷では直ちに白い雉を皇城の園に放し、白雉《はくち》と改元、大赦を行うことに決定、その発表を二月十五日に百官参列のもとに、正月元日の儀式同様に執り行うことにした。

時代は、皇極《こうぎょく》四年（六四五年）の政変より五年経《た》っていた。中大兄皇子《なかのおおえのみこ》が中臣鎌足《なかとみのかまたり》と謀《はか》って、専横眼に余るものあった蘇我入鹿《そがのいるか》を大極殿《だいごくでん》に斬《き》ったのはついこの間のことのように思われるが、いつかその時から五年の歳月が過ぎ去っている。

入鹿の父蝦夷《えみし》が自殺したのは、入鹿が誅《ちゅう》された翌日のことであって、権勢ならびな

かった蘇我氏一族は蝦夷の死に依《よ》って、ここに全く亡《ほろ》んだと言ってよかった。僅《わず》か二日にわたっての出来事であった。

政変後直ちに皇族中の長老の一人である軽皇子《かるのみこ》が即位した。孝徳天皇である。皇極天皇は政変第一の殊勲者である中大兄皇子に位を譲ろうとしたが、中大兄は鎌足と謀って、自らは皇太子の地位に就き、軽皇子を推したのであった。中大兄皇子が政治の改革に自由に腕を揮《ふる》うために皇太子の地位を選んだことは、誰の眼にも明らかであった。そして新たに左大臣に阿倍臣倉梯麻呂《あべのおみくらはしまろ》、右大臣に蘇我倉山田臣石川麻呂《そがのくらのやまだのおみいしかわのまろ》が任命され、中臣鎌足は内臣《うちつおみ》、僧旻と高向史玄理とが国博士に収まった。そしてこの新政府の首脳部の手で、いわゆる大化の改新の新しい法令や制度は次々に打ち出されて行ったのである。

政変より今日までの五年間、時代は大きく揺れ動いていた。一つの新しい法令が出る度に、国中が大きく揺れた。中央の有力な豪族たちも揺れれば、地方の族長、百姓たちも揺れた。中央の豪族の一族の中で国司に任命された者は、続々と地方にくだって行った。国司に任ぜられることが、自分たちにとって有利なことであるか、その反対であるか、誰にも見当が付かなかった。地方に派せられた役人は役人で、耕地の面積を調査したり、戸籍を造ったりすることに忙しかった。このことがいかなることを意味し、いかなる結果を以《もっ》て現れるかは、当の役人にも、地方の族長たちにも、百姓たちにも見当が付かなかった。何か知らないが、時代は大きく変わろうとしており、そのために、自分たちが命じられたことをやらなければならぬ立場に立っていることだけが判った。いい時代が来ると考えている者もあれば、悪い時代が来ると考えている者もあった。

こうしたことは仏教の社会においても同様であった。僧侶を統制するために十師が任命され、寺院を統制するために寺司《てらのつかさ》、寺主《てらしゅ》、法頭《ほうず》といったものが任命された。一体、どのような時代が来るであろうかということは、僧侶たちにも判らなかった。皇族、豪族たちはこれまで葬式にあたって墳丘や大石室を営んだが、そうした盛大な葬儀の風習は禁ぜられた。殉死や祓除《はらえ》も禁ぜられた。殉死や祓除が禁ぜられるのはいいとして、葬儀の営み方にまで干渉するのは行き過ぎではないかというのが、一般の人たちの考え方であった。墓にも六つの等級ができた。

墓にも等級がつけられるくらいだから、冠位の制も十九階に改められた。役人たちはみな指定された布や色でできた新しい冠を用いなければならなかった。階級がたくさんできて、身分の上下がいやにはっきりした。

こうして時代が急速に変わりつつある中に、幾つかの大きい事件があった。一つは政変のあった大化元年の末に、都が飛鳥《あすか》から難波《なにわ》に移ったことである。政変で世の中がひっくり返っている最中に遷都《せんと》が行われたのであるが、これに対する批判は到るところで、当然なこととして行われた。何も、この際宮殿も営まれていない難波に引き移る必要はないではないかという声が一般のものであった。中大兄皇子と鎌足は新しい政治は新しい都で行われねばならぬと考え、人心を一新するための強行措置であったが、この遷都に附随して起こる混乱は相当大きいものであった。

それからこの遷都騒ぎの起こる前に、謀反《むほん》の企てがあるということで、政変後皇太子の地位を退いて、吉野にはいっていた古人大兄皇子《ふるひとのおおえのみこ》が斬られた。中大兄皇子の異母兄に当たる方である。この事件はいろいろと取沙汰《とりざた》された。古人大兄皇子が蘇我氏の残党にそそのかされたのだと言う者もあれば、いや新政府のやり方を快しとしない者たちにかつがれたのだと言う者もあった。また一部には、古人大兄皇子は何の罪なくして葬《ほうむ》り去られたのだという風説も流れた。

が、この古人大兄皇子の事件は、やがて次にやって来た難波への遷都騒ぎでどこかへ行ってしまった。古人大兄皇子の事件は、多くの役人たちにとっては何の関係もない遠いところの出来事であったが、遷都の方は直接自分たちに関係を持っていた。住み慣れた家を処分し、新しい都に引き移って行かなければならなかった。

それから第三の大きい出来事は、新都難波において政府首脳部内に起こった事件であった。難波に都を遷《うつ》してから三年、漸《ようや》く難波が都としての体制を持ち始めた大化五年（六四九年）に起こった事件であった。この年の三月に阿倍左大臣倉梯麻呂が病歿《びょうぼつ》したが、それから間もなく、右大臣石川麻呂の身辺にただならぬ暗い影が漂い始めた。石川麻呂が中大兄皇子を暗殺しようと計画しているという密告者があったからである。密告者は石川麻呂の弟の蘇我日向《そがのひむか》であった。

石川麻呂は危害が身に及ぶことを感じると、難波を出て、長男の興志《こごし》が居る飛鳥の山田寺《やまだでら》に入った。そして翌日、討手の軍の到着する前に妻子八人の者と自刃《じじん》して相果てた。この事件は、一族の者二十三人が殺され、十五人が流刑に処せられて落着した。

かくして難波朝廷は左右大臣を相次いで失い、それに代わって、巨勢臣徳太《こせのおみとこだ》が左大臣に、大伴連長徳《おおとものむらじながとこ》が右大臣に任命された。

石川麻呂の事件は、世間に大きい衝撃を与えた。倉梯麻呂の方は明らかに病死であったので問題はない筈《はず》だったが、続いて石川麻呂の事件が起こったので、その間に何らかの関連があるように噂《うわさ》する者もあった。また二人の死の間には関連はないが、倉梯麻呂の死に依って左大臣に空席ができたので、序《つい》でのことに右大臣の方も空席にしてしまう方が、万事につけて都合がよかったのだと、陰にこもった言い方をする者もあった。また、いや、そうではない。倉梯麻呂、石川麻呂共に、新政府に対して反感を持っていた。その証拠には二人とも新冠を冠するのを潔《いさぎよ》しとしないで、古冠を冠《かぶ》っていたではないか。いつか新政府に対して弓を引こうという考えは二人共通のものであったのだ。そうしたことは誰にも判っていたが、中大兄皇子も鎌足もうっかり手をくだすことはできなかったのである。それが倉梯麻呂の突然の死に依って、事情は一変し、忽《たちま》ちにして石川麻呂は葬り去られるに到ったのである。こういう説をなす者もあった。

併《しか》し、実際のところ、この事件の真相は誰にも判らなかった。倉梯麻呂と石川麻呂の二人が朝廷において古冠に執して新冠を冠らなかったことは事実であった。大化の改新に依って、左右大臣の地位は下がり、大幅にそれが持つ権限は削りとられていたので、そうしたことにおいて、二人が新政府のやり方に対して釈然としないところがあったとしても不思議はなかった。

それからまた、中大兄皇子の妃蘇我造媛《そがのみやつこひめ》は石川麻呂の女《むすめ》である。中大兄にとっては、石川麻呂は妃の父親である。こうした点から見ると、中大兄はよほどのことがない限り、石川麻呂に兵を差し向けることはないだろうと思われた。こうした考えに立つと、石川麻呂に叛心《はんしん》があったと見なければならなかった。それは兎《と》も角《かく》として、中大兄皇子もこの事件に依って傷つかないわけではなかった。妃蘇我造媛が父の死を悲しむあまり、二人の皇女と生まれた許《ばか》りの皇子を残して他界するという事件が追いかけて起こったからである。

何と言っても、この石川麻呂の事件は嫌《いや》な事件であった。が、嫌なことはこれ許りではなかった。それは事件が片付いてしまったあとで、石川麻呂には叛心がなかったことが判明したということで、密告者蘇我日向が大宰府《だざいふ》に遷されてしまったことである。このように発表されると、誰もそのことを信ずる以外仕方がなかったが、何か割り切れぬものがあとに残ったのも事実である。

いずれにしても、事件の結果だけから見ると、大化の改新後残存していた僅《わず》かの旧勢力は、これに依って全く新政府内から姿を消してしまったわけで、殊《こと》に石川麻呂の死と日向の左遷に依って、蘇我氏はついに、最後の細い根までも摘みとられてしまった結果になったのである。

石川麻呂の事件があったあとになって、巷《ちまた》にはもう一つの風説が流れた。それは政変以前に蘇我入鹿の手によって、聖徳太子の御子である山背大兄王《やましろのおおえのみこ》が葬られた事件があったが、それにも中大兄皇子が関係を持っているといったうがった噂であった。この事件は、これまで誰にも簡単に考えられていた。入鹿は蘇我氏の血をひく古人大兄皇子を太子にするために、当時最も有力な太子の候補者であった山背大兄王を除く必要があったのであり、そして入鹿はそれを実行に移し、斑鳩《いかるが》に山背大兄王を襲う暴挙に出たのである。

ところが、この事件の裏に中大兄皇子が居て、入鹿をそそのかさないまでも、それを未然に防ぐ措置はとらず、山背大兄王を見殺しにしてしまったのだという風評が、事件後数年経ったいまになって流れ出したのである。誰もこの噂をまともに受け取る者はいなかったが、風評として、あちこちで囁《ささや》かれた。中大兄皇子は入鹿の手で山背大兄王を葬り、その事件から生まれた蘇我氏一族への世の反感をうまく利用して、ついに蘇我氏を誅して、政変を敢行したというのである。

どこかにうがち過ぎたところがあったが、聞く者に、一応そういうこともないものでもないという思いを懐《いだ》かせた。真相は誰にも判らなかった。山背大兄王も、蘇我父子も、古人大兄皇子も、事件の渦中《かちゆう》にあった者は、いずれも非業《ひごう》の最期《さいご》を遂げて、今は亡《な》かった。

こうした噂が流れるようになったのは、石川麻呂の事件の直後からで、中大兄皇子に対する世人の見方が、急に従来とは異なったものになったことを示していた。中大兄と鎌足の新政に対して反感を持つ者がまき散らした噂であったが、これが消えないで流れて行くだけの落ち着かないものを、時代は持っていたのである。

朝廷に白い雉が献じられて来たのは、こうしたいろいろな風説や臆測《おくそく》が流れている時で、石川麻呂の事件より丁度一年経っていた。

二月十五日に、白い雉が現れた祝賀の儀式が厳かに行われた。春とは言え、二、三日前から気温は落ちて、身を切るような冷たい風が都大路を吹き抜けている日であった。

この日定刻の午前十時より一刻《とき》ほど前に、皇城の門外には兵たちと左右大臣以下百官《もものつかさ》が四列に並んでいた。左大臣の巨勢臣徳太《こせのおみとこだ》と右大臣の大伴連長徳《おおとものむらじながとこ》の二人は、皇城内で天皇の側に侍《はべ》って、白い雉の到着を迎えるものと許り《ばか》思っていたが、この日はそれが許されなかった。二人は一緒に皇城内にはいろうとして、門のところで屈強な門衛に停《とど》められた。暫《しばら》くお待ち戴《いただ》きましょう。さすがに言葉は鄭重《ていちょう》であったが、有無を言わさぬ強い響きが感じられた。二人とも左右大臣を拝してから幾許《いくばく》も経っていなかったので、あるいはこういう儀式にはこのようなことがあるのかも知れないと思った。

定刻になると、天皇の侍臣である粟田臣飯虫《あわたのおみいいむし》等に守られて白い雉をのせた輿《こし》がやって来た。どこから来たか判《わか》らなかったが、長い隊列のずっと背後の方から、輿はかなりの時間をかけて進んで来た。巨勢大臣《こせのおおおみ》は雉の輿を先導するものと許り思って、輿が自分の前にやって来た時、足を踏み出そうとしたが、

「おあとにお付き下さるよう」

輿を守っている侍臣の一人に言われた。それで左右大臣の二人は輿に従って、輿のあとから紫門をはいらねばならなかった。二人のあとには百官が続いた。百済《くだら》の王子の豊璋《ほうしょう》、高句麗《こうくり》から来ている侍医毛治《もうじ》、新羅《しらぎ》の侍学士《じがくし》等の姿も見えた。

白い雉の輿は紫門と御殿の間に置かれてある広い中庭の中央まで行くと、そこに停まった。そこで飯虫等は一礼して輿から離れ、代わって皇別氏族の三国公麻呂《みくにのきみまろ》、猪名《いなの》公高見《きみたかみ》、三輪君甕穂《みわのきみみかほ》、紀臣乎麻呂岐太《きのおみおまろきだ》の四人が輿に近付いて、輿を御殿の前に運んだ。

さっきの侍臣がやって来ると、

「どうぞ」

と、巨勢大臣と大伴大臣に言った。二人の大臣に初めて仕事が割り当てられたのである。二人は輿の前に進み出て、輿の前の方に手を掛けた。輿の後部にはすでに三国公麻呂等が控えていた。

輿は玉座の前に運ばれた。孝徳天皇は中大兄皇子を招いて、一緒に輿の内部を覗《のぞ》い

た。天皇は白い雉を珍しそうに見ていたが、中大兄の眼の当て方は機械的で、やがてそこから離れると、玉座に向かって恭《うやうや》しく頭を下げ、それから自分の席に戻《もど》った。巨勢大臣は、前から決められてあった自分の役割に移った。祝賀の言葉を述べるのである。この祝賀の詞は、二日前に鎌足から文書として与えられたものであった。

——公卿《こうけい》百官に代わってお祝いの言葉を申し上げます。主上にはきよらかな徳を以《もっ》て天下をしろしめされ、その瑞祥《ずいしょう》として、このほど白い雉が西の方《かた》に現れました。おめでたい限りでございます。主上には千代《ちよ》万代《よろずよ》まで大八嶋《おおやしま》をお治め戴いて、われら公卿百官、もろもろの百姓たちは、ただひとえに忠誠をつくして御恩徳に報ゆることを念願する許りであります。

巨勢大臣は祝詞を奏上し終わると、玉座に再拝して、自分の席に戻った。

続いて詔勅がくだった。——高徳の天子が世に出ると白い雉が現れると聞いている。周の成王《じょうおう》の世と漢の明帝《みょうだい》の時、白い雉は現れた。自分にはその資格がないのに、白い雉が現れたのは、ひとえに自分を援《たす》けてくれる公卿《まえつきみ》、臣《おみ》、連《むらじ》、伴造《とものみやつこ》、国造《くにのみやつこ》等の忠誠によるものであると信ずる。この吉祥を受け、一層神祇《じんぎ》を敬《うやま》い、身を潔《きよ》くして、天下の繁栄を冀《こいねが》うものである。

更に詔《みことのり》があって、白い雉の出現を祝って、大赦が行われ、年号は白雉《はくち》と改められることになった。そして、白い雉を献じて来た穴戸《あなと》の国司の草壁連醜経《くさかべのむらじしこぶ》は褒賞《ほうしょう》として位が上げられ、禄《ろく》も加えられた。

儀式は比較的短い時間で終わった。午後、公卿百官のために皇居内で祝賀の宴が開かれた。一人一人、中庭の一隅《いちぐう》に置かれた雉の輿のところに行って、それを覗き、頭を下げ、宴席に戻った。朝から烈《はげ》しかった風は、この時刻になってもいっこう衰えなかったので、宴席に侍っている者は申し合わせたように鼻の頭を赤くし、唇《くちびる》を紫色にし、絶えず身を細かく震わせていた。

中一日置いて、白い雉は中庭に放され、中庭に面している部屋でそれを観賞するための集まりが開かれた。この日は高官数人をのぞいては、あとは皇族許りであった。天皇は風邪気味で出席できず、中大兄皇子が一番の上座に坐っていた。

中大兄は中庭を歩いている白い雉に眼を遣《や》っていた。歩くだけで飛べなくなっている雉は、中大兄にはさして美しくは見えなかった。雉は時折、脚を停め、胸を反《そ》らすようにして、あたりを見廻している。そうしたところは落ち着きがなく、絶えず何ものかを警戒し、おどおどしている感じであった。

曾《かつ》て山背大兄王もあのような恰好《かっこう》で歩いていたと思った。山背大兄王だけでなく、古人大兄皇子もあのようにして歩いていたと思った。が、中大兄は自分が山背大兄と古人大兄のことを考えていたことに気付くと、急いで、そこから思いを他に移そうとした。二人のことを考えることは嫌《いや》だった。

その時、孝徳妃間人皇后《はしひとのきさき》が侍女を連れて廊下伝いに姿を現した。それに気付くと、一座には微《かす》かな波紋が伝わった。庭先きに降りていた者はそこで頭を下げ、縁側に立っていた者は、そこで身を屈《かが》めた。

「ほんとに白い雉ね」

間人皇后は言った。細い澄んだ声である。皇后は中大兄の妹で、二十五歳の中大兄と四つ違いであるから、二十一歳である。間人皇后はすぐ兄皇子の居ることに気付いた風で、廊下から座敷の中に足を運んで来た。

「わたしには今日のお招きがありませんでした」

間人皇后は低い声で言った。第三者には中大兄に言っているようには見えなかった。華奢《きやしや》な身体を持った美しい皇后はいつもこのような言い方をした。決して中大兄の方へは顔を向けず、あらぬ方に視線を投げていたので、第三者には、皇后がひとりごとでも言っているように見えた。

「余り美しい雉でもない」

「国の瑞祥と言われる珍しい雉でございましょう」

「そう、瑞祥かも知れない」

「あなたは何もお信じになりませんのね」

それから、

「御自分の力以外」

「自分の力を信じなくて、何ができる？」

間人皇后はやがて兄である中大兄の方へは一瞥《いちべつ》もくれないで静かに席を立った。何人かの侍女たちが、それぞれ立ち上がって、渦《うず》でも巻くように動き出し、器用に皇后のうしろにつくと、そのままその一団は廊下を去って行った。間人皇后の兄思いは有名であった。父舒明《じょめい》天皇を喪《うしな》ったのは十二歳で、それ以来中大兄皇子を父代わりとして慕っていて、何事も中大兄でなければ収まらなかった。大化元年に十六歳にして、当時五十歳の孝徳天皇の妃になったが、これも兄皇子がそれを望むならということで皇女の決意するところとなったと巷間《こうかん》に伝えられていた。

鎌足は、縁近いところに坐って、白い雉の動きをゆっくりと眼で追っていた。瑞祥、瑞祥、——瑞祥が歩き廻っていると思った。中大兄皇子のように、その雉の動きを、落ち着かないものにも、不安げなものにも感じていなかった。鎌足には白い雉は充分美しく見えた。

白い雉の出現を祝う儀式を企画したのは鎌足であった。そして、その儀式は、鎌足が望むように厳かに行われた。一部に厳かすぎるというような声もあったが、鎌足の考えでは、いかに厳かでも、厳かすぎるということはなかった。新しい時代は始まっているが、それはもう永遠に続くのだという考えを豪族たちにも、民たちにも植えつけねばならなかった。どのようにあがいても、もう政変以前の古い時代には戻らないのだということを、老いにも若きにも、男にも女にも知らしめなければならなかった。大赦が行われたことも、年号が改められたことも、ある程度の役割は果たしたと思う。また左右大臣たちを紫門の外に立たせたことも、雉の輿を運ばせたこともよかったと思う。中央の豪族たちや地方の氏族たちが政治に喙《くちばし》を入れたり、権力を振り廻したり、私庫を肥やしたりした時代はすでに終わってしまったのである。

鎌足は白い雉の動きを見守りながら、自分が何年かぶりで落ち着いて坐っているのを感じた。政変以後何年か慌《あわただ》しく過して来たが、今日初めてこうして休息に似た時間を持つことができた気持だった。まだ時代は決して安定しているとは言えず、新しく為《な》さなければならぬことはたくさんあったが、それにしても白い雉の出現に依《よ》って、ひとつの区切りができ、いま自分はここにこうして坐っているのである。この数年間のうちに、すべての鬱陶《うっとう》しいものは取り払われている。若《も》しここに古人大兄皇子の姿があったとしたら、自分はこのように落ち着いて坐っていることはできぬであろう。何となく新政に邪魔だった倉梯麻呂《くらはしまろ》も居なければ、石川麻呂も居ないのである。鎌足は中大兄皇子の方へ顔を向けた。自分がこの地上で、ただ一人の聡明《そうめい》なひととして選んだ若い皇子の身辺には、今やいかなる暗い影も見られない。除くべきものはすべて除き、取り払うべきものはすべて取り払ってしまったのである。中大兄皇子は、新しい政《まつりごと》を布《し》き、これまでになかった国らしい国を造るために、この世に生まれて来られたのである。そして、それをお援《たす》けするために、自分は皇子より十年ほど早く、この世に生をうけたのである。

鎌足はふと、有間皇子《ありまのみこ》と大海人皇子《おおあまのみこ》が連れ立って、白い雉の方に歩いて行くのを見た。有間皇子は現天皇と倉梯麻呂の女《むすめ》の小足媛《おたらしひめ》との間に生まれた皇子で、中大兄皇子とは従兄弟《いとこ》の関係にあるが、十一歳の春を迎えた許《ばか》りである。まだ少年期へ一歩踏み込んだ許りで、その顔の表情にも、その体にも稚《おさな》さは脱《ぬ》けていない。併《しか》し、悧発《りはつ》さにかけては、同じ年頃《としごろ》の皇族の中では群を抜いているという噂《うわさ》が立っている。

大海人皇子は中大兄の弟で、十九歳であるが、体格は堂々とし、もうどこから見ても、現政府首脳の一人としての貫禄《かんろく》を身につけている。中大兄皇子の一番の協力者であり、相談相手である。鎌足は今までは別にして、これからは、若し自分の身に変事があったとしても、大海人皇子が居る限り、中大兄が執政において、道を大きく踏み違えるようなことはないだろうと思った。中大兄皇子も二言目には弟の皇子の名を口にして事を謀《はか》っているが、大海人皇子の兄の皇子に対する尊敬と言うか、傾倒と言うか、そうしたものも並みひと通りのものではない。

鎌足は大海人皇子と有間皇子の二人が白い雉を追うように、雛のあとについて歩いているのを見ていたが、二人の皇子を一緒に並べて見た時、それまでは考えたこともなかった冷《ひ》んやりした思いを持った。

――雉だからいいが、ほかのものだったら困る。

そう鎌足は思った。将来、中大兄皇子が現天皇のあとを承《う》けて即位するであろうことは、既定の事実と言っていいが、そういう日を迎えた時、皇太子の席を続《めぐ》っての、大海人皇子と有間皇子の関係はなかなか厄介《やっかい》な問題であろうと思われた。併し、問題はひとり大海人皇子の場合許りでない。現在まだ十一歳であるからいいようなものの、十年先きを考えると、有間皇子が中大兄皇子と並んで白い雉を追ったとしても、さして不思議はないではないか。

併し、そうした鎌足の遠い将来に対する取り越し苦労をよそに、青年と少年の、八歳違いの二人の従兄弟皇子は、鎌足の思いも寄らぬ会話を交わしていた。

「噂に聞く額田《ぬかた》とはあの女か」

「そう」

「歌がうまいんだな」

「そう」

「あれだけ美しい女は見たことがない。間人皇后も美しいが、さっきあの女があとに随《したが》って来るのを見ると、后の美しさなど問題でない」

「手もきれいだ」

「今頃からませたことを言ってはいかん」

大海人皇子が足で雉の尾を踏んだので、雉はけたたましい羽音を立てた。

二

白い雉《きじ》が献じられた年の春に半島の新羅《しらぎ》の使者がやって来て貢物《みつぎもの》を献じた。半島からは、高句麗《こうくり》も百済《くだら》も朝貢して来ていたが、この年は両国からの使節の派遣はなかった。

新宮の造営は着々進んでいた。これまでの皇居は、往古半島との交通繁《しげ》かった頃《ころ》の官庁の建物を改造した仮のもので、遷都《せんと》と同時に新たに王宮造営の工事は始められたのであるが、それが本格的に進捗《しんちょく》し始めたのは一年ほど前からである。新宮造営のために古い丘墓がよそに移されたり、壊されたりしたことが多かったので、この年、朝廷ではそうした墓の持主たちに被害の程度に応じて品物を賜わった。

翌白雉《はくち》二年の春に、前年から取りかかっていた丈六《じょうろく》の刺繡《ししゅう》の仏ができ上がり、盛大な法要が行われた。また六月には百済、新羅から貢物の使者がやって来た。が、新羅の朝貢使については問題があった。筑紫《つくし》に泊まった新羅の使節たちはいずれも唐の国の服を着ていた。朝廷ではこちらの許可もなしに勝手に服装を変えたことを怒って、彼等を追い返した。この時巨勢大臣《こせのおおおみ》は奏して、

「新羅を今のうちに懲《こ》らしめなければ、あとで後悔する時がまいりましょう。黙っていると、唐の威令に服して、わが国を軽んじてしまいます。新羅を懲らしめるのはわけのないことであります。難波津《なにわづ》から筑紫の海まで、要処要処に軍船を配した上で、新羅を召して、その罪をお問いになるのがよろしゅうございましょう」

と言った。唐へ靡《なび》こうとしている新羅を放置しておくことは感心しないことではあったが、と言って、巨勢大臣の言葉を即座に採用するわけにも行かなかった。夥《おびただ》しい

数の軍船を造らねばならなかったし、その費用を捻出《ねんしゅつ》することも難しかった。無理をすれば軍備を調えられないこともないかも知れなかったが、そのために派生する国内の問題の方が怖かった。新政を布《し》いてからまだ数年しか経《た》っていなかった。

そのことに巨勢大臣も無知ではなかったが、こうしたことは廟堂《びょうどう》に於《おい》て言わないより言った方がいいことを、彼は知っていたのである。誰が聞いても愉快なことではなかった。中大兄皇子《なかのおおえのみこ》も鎌足《かまたり》も黙って聞き流した。咎《とが》めだてするには当たらない発言で、ただ実情に即するには、十年か十五年早いだけのことであった。

何と言っても、この年の大きな事件は、大晦日《おおみそか》になって、半造りの新宮の庭に初めて灯火《みあかし》をともして地鎮の式を営んだことである。その日は新宮と隣り合わせたところにある味経宮《あじふのみや》に二千百余の僧尼《そうに》を集めて一切経《いっさいきょう》を読ませ、夜は新宮の庭に二千七百余の灯火をともして、土側経《どそくきょう》や安宅神呪経《あんたくじんじゅきょう》を読ませた。

王宮の建物は落成にはまだ遠く、この夜、天皇は大郡《おおごおり》の仮御殿からここに幸《みゆき》し、翌日、元日の儀式を終わると、すぐ再び車駕《しゃが》は大郡宮に還《かえ》ったが、新政になってからの最も派手な行事であった。新宮は難波長柄豊碕宮《なにわのながらのとよさきのみや》と名付けられた。

当夜、行幸を迎えるに先き立って、中大兄皇子は左右大臣、鎌足等を引きつれ、夥しい数の灯火のともされている新宮の庭を歩いた。新宮は高台の上に築かれてあり、難波の街々を一望のもとに見降ろすことができた。街は暗かったが、街の向こうに拡がっている海は月光に照らされて明るかった。海は片側から街々を抱くようにして、その一端は新宮の台地の裾《すそ》にまで迫っていた。浪の音は聞こえなかったが、風の加減では、それは新宮の台地まで届くものと思われた。いまは浪の音でなく、読経《どきよう》の声が遠くなったり、近くなったりして聞こえている。

新宮の台地から街々は暗く見えていたが、街々は眠っているわけではなかった。街々の男女は申し合わせたように家を出て、辻々《つじつじ》に集まったり、路地路地を走ったりしていた。老若男女みな異様な昂奮《こうふん》に包まれ、童子たちは童子たちで、すっかり眠ることを忘れていた。誰も彼もこのように美しいものを見たことはなかった。新宮の台地は無数の火で包まれ、そこだけが夜空を焦《こ》がしている。併《しか》し、男女はどこでも走り廻れるわけではなかった。人の子一人居ない道が台地に向かって折れ曲がって続いており、所々に兵たちが立っていた。車駕が通過して行く道である。そこだけに遠い浪の音が聞こえていた。

街の男女は、この華やかな行事が自分たちにとって、何を意味するか、よくは判《わか》らなかった。ただ新しい時代が、いま漸《ようや》く一つの形をとって来ようとしていることだけが感じられた。巨勢大臣が奏上したと言う新羅を討つ方策は、どこからともなく巷々《ちまたちまた》にも流れていたが、なるほど異国を討つことも絵空事《えそらごと》ではあるまいと思われた。やがてこの難波の都には自分たちの想像もできぬような豪壮な宮殿が建てられ、自分たちが想像もできぬような兵力と財力が、若《も》し必要とあれば自在に発動されて行くに違いないと思われた。軍船が難波津から筑紫の海まで次々に断たれることなく並び浮かぶことも、決して根も葉もない話ではないであろう。

やがて定刻になると、新宮の台地では行幸を迎えた。灯火と灯火の間を、何集団かになって、何百人かの人たちが歩み進んだ。所々に女たちの集団も配されてあった。どの集団も華やかだが、ひっそりとしたものを持っていた。そうした人々の流れが台地を突切って、ゆるい斜面を味経宮の方へ流れて行ってしまうと、あとには灯火だけが燃えている異様な空虚な夜が置かれた。そしてかなりの時間が経って、夜が更《ふ》けて行くと、また人々の群れは味経宮の方から逆に台地へと流れ出して来た。こんどは人声も聞こえ、跫音《あしおと》も聞こえた。何人かずつの小集団は灯火と灯火の間をいずこへともなく歩み去って行った。が、決してその集団はあとを断たなかった。一組が去ると、また一組が現れた。この頃になると、灯火の中には消えるものが出て来た。消えた灯火はそのままにされていたので、闇《やみ》は少しずつその領域をひろめて行った。

大海人皇子《おおあまのみこ》は、さっきから台地の上を歩いていた。正しい言い方をすれば歩き廻っていたのである。駈《か》けるわけにも行かなかったので、大股《おおまた》に足早やに歩いていたのであるが、時々、大海人は足を停めた。そして視線をあちこちに廻して、自分の求めるものの所在をつきとめねばならなかった。すると、自分が求めている者は必ずどこかの灯火の光の中に、すっくりと姿を現した。遠い場所の時もあれば、案外近い場所の時もあった。相手は一夜明けて漸く十八歳になる筈《はず》であったが、中年の女の持つ落着きを持っていた。

あそこに居たのか！　大海人はその方へ歩いて行く。相手はすぐ闇の中に姿を匿《かく》す。始末が悪いのは、相手が闇の中に姿を匿すと、次にどこへ姿を現すか見当が付かないことであった。闇許《ばか》りを縫ってどこかへ行ってしまい、そして思いがけない灯火の傍《かたわら》に姿を現すのである。大海人はその方へ歩いて行く。

大海人は自分が相手の女からからかわれているような気持になっていた。からかっているのでなくては、そのような消え方や現れ方ができるものではなかった。併し、小憎らしいことに毫末《ごうまつ》もからかっているような態度は示していないのである。灯火の傍に立つ時の女の姿は、いかにもそこまでそぞろ歩きして、漸く明るいところに出たので、ひと息入れている、といったような恰好《かっこう》である。時には街を見降ろしたり、遠くに月光で光って見えている海でも眺《なが》め渡しているように見える。月を仰いでいる時もある。

大海人が息を詰めるようにして立っていると、女もいつまでも立っている。大海人が一歩踏み出すと、その気配を敏感に感じでもするように、女も亦《また》足を踏み出す。すっぽりと闇の中にはいる。耳を澄ましても女の跫音は聞こえない。

折角、いい機会なのに、捉《とら》えることができぬとは残念だな、と大海人皇子は思った。確かにまたとない機会であった。大海人皇子が相手の女を初めて見たのは、白い雉が宮殿の中庭で皇族たちだけに披露《ひろう》された日であった。間人皇后《はしひとのきさき》に侍して来た数人の侍女たちの中に、その女の姿を見たのである。それからまる二年経っていた。天皇に仕えている女官の一人なので、めったに顔を合わせることもできないが、それにしても、声一つかけられないとは奇妙なことであった。人を介して、相手の心を揺すぶってもみたが、反応というものはいっさいなかった。この二年間に、大海人皇子が相手について知り得たことと言えば、相手の名前だけであった。額田女王《ぬかたのおおきみ》！

いや、もう一つだけある。女官と言っても、額田は神事に奉仕することを任務としている女官であって、歌才に恵まれ、時には天皇の命によって、天皇に代わって歌を詠《よ》むこともあるということであった。

大海人皇子は、一夜明ければ二十一歳である。中大兄皇子の弟として、押しも押されもせぬ新政首脳陣の一人である。若し自分が望むなら、大抵のことはさして支障なく叶《かな》えられる筈であった。それなのに、どういうものか、額田女王という女一人を、どうすることもできなかった。それと言うのも、相手に得体の知れぬところがあったからである。神事に奉仕するというようなところも大海人には苦手であったし、詔《みことのり》に依《よ》って、天皇の心の内部にはいり込んで、天皇に代わって歌を作るというようなところも、また苦手であった。

大海人皇子には、そもそも額田という特殊な女性の精神の構造が見当付かなかった。自分の気持を歌の形で表現するのさえ容易でないのに、他人の心にはいり込んで、他人になり代わって歌を作るというにおいては、何か自分などの手に負えぬもののあるのが感じられた。しかも天皇になり代わって歌を詠む時は、単に人間としての天皇の心の内部にはいる許りでなく、いつも神の声を聞き、神の言葉を天皇の言葉として表現するのだと言われている。そういう点から考えれば、神の声を聞くことができる特殊な霊力を持っている女に他ならぬ。謂《い》ってみれば神と人間の仲介者で、天皇の代弁者でもあるのである。額田女王はどうもそういう特殊な女らしいのである。

大海人皇子も、巫女《みこ》とか御言《みこと》霊持《も》ちとか言われている女に対しては、幼い時から特別な向かい方をしていた。得体の知れぬ不気味な存在ではあり、なるべく触らぬ方が無難であるという思いを払拭《ふっしょく》できなかった。併し、厄介《やっかい》なことに、その触らぬ方が安全だと思っていた女の一人に心を惹《ひ》かれてしまったのである。

一度、鎌足に、神事に仕える女官というものはいかなる女であるか、訊《き》いたことがあった。

「女官がどうかいたしましたか」

鎌足はきらりと眼を光らせて、胡散臭《うさんくさ》そうに訊き返して来た。こうした質問をするには最も避くべき人物であったが、つい口を滑らせてしまったのである。

「どうもしない。ただ訊いてみただけである」

「お訊きになるからには、お訊きになる必要あってのことでございましょう」

「格別、そう必要あってのことではない」

「必要おありなら調べてお答えいたしますが、格別必要おありにならぬなら、この質問はお取り下げにして戴《いただ》きましょう。鎌足も存じませぬ。が、神事に仕える以上、神のお声が聞こえる女でありましょうし、当然清浄な体と心を持った女でございましょう。そうでなくなったら、たちどころに霊力は失《う》せること必定《ひつじょう》」

「霊力が消えたら、どうなる？」

「普通の女でございましょう」

普通の女になるなら、普通の女にしてしまえばいい。そう大海人は思ったが、併し、普通の女にしてしまうまでは普通の女ではなかった。依然として、霊力を具《そな》えた特殊な女であった。どうして声を掛けたらいいか、どうして話し合いの機会を摑《つか》んだらいいか、大海人皇子には見当が付かなかった。

鎌足以外に巨勢大臣と、こんどは直接に額田女王について話してみたことがあった。

「宮廷第一の美女は誰か」

大海人皇子が訊くと、

「宮廷第一の美女が誰か存じませぬが、新羅には凄《すご》い美女がたくさん居ります」

巨勢大臣は言った。

「新羅を征しました暁は、美女がどっと流れ込んで参ります。何と申しましても天下の美女は新羅に集まっております。早く新羅を討ちませぬと、その美女が一人残らず唐へ連れ去られてしまいましょう」

それに構わず、

「額田という女官が美貌《びぼう》の噂《うわさ》高いと聞いているが」

と、大海人皇子が言うと、

「ああ、あれは新羅風の美女でございます。が、遺憾《いかん》なことに巫女でございます。あれは、美女ではございますが、美女の中にはいれません」

「どうしてはいれぬ？」

「いや、あれは特別の女でございます。うっかり女だなどと思ったら大変でございます。思っただけで神罰はくだりましょう」

併し、もう随分長く思っていると、大海人皇子は思った。にも拘《かかわ》らず、いっこうに神罰はくだっていない。

このような二年を過した挙句《あげく》、漸くにして今宵《こよい》、大海人皇子にとって、一つの機会がやって来たのであった。味経宮《あじふのみや》を出て、どこかの宿へ帰ろうとしている額田女王を、大海人皇子は捉えようとしていた。

大海人皇子は暗い中に立ったまま、そこから動かなかった。灯火の光の中に出ると相手にこちらの動静を知られてしまうので、それを避けたのである。そしていったん姿を暗闇の中に消してしまった額田女王が、次にどこに姿を現すか、その時を待っていた。

併し、相手はいっこうに姿を現さなかった。こちらの心を読み取ってでもしまったように、向こうは向こうで暗闇の中に姿を匿したままでいる。こういうところが神事に仕える女の特殊なところであろうか。

大海人皇子は、さっきから何回も繰り返した失敗を、もう繰り返す気持はなかった。たとえ相手が永遠に姿を現さなくても、自分から灯火の光の中にはいって行く気はなかった。大海人皇子は長い間耐えていた。灯火が次々に消え、闇の領域が次第に拡がって行くにつれ、星の冷たい輝きがはっきりして来る。黒い夜空に降るように星がちりばめられている。もう新宮の台地を突切って行く人たちはなかった。味経宮から引き揚げるべき者は尽《ことごと》く引き揚げてしまい、もはやどこからも人の跫音や話し声は聞こえて来なかった。

大海人皇子は、若《も》しかしたら、いまこの台地の闇の中に居るのは自分一人かも知れないと思った。額田女王が既にこの台地から脱け出してしまっているとしても、少しも不思議ではなかった。寧《むし》ろその方が自然な推測であるかも知れなかった。こんな寒い暗い台地に、女がいつまでもひとりで徘徊《はいかい》していると考える方が、よほど奇妙であった。

併し、そういう思いに揺すぶられながらも、大海人皇子はなおもそこに立っていた。風が出始めたのか、台地の斜面を埋めている松の林が鳴っている。それに耳を傾けていると、その松の林の鳴る音に混じって、さっきまでは聞こえなかった浪の音も聞こえている。

と、ふいに、大海人皇子は身を固くした。近くに沓音《くつおと》を聞いたように思ったからである。確かに沓音に違いなかった。ひたひたと地面を叩《たた》いている。その沓音は更に近くなって来たが、ふいに停まった。

大海人皇子は息をひそめていた。相手も息をひそめて、そこに立っている気配である。急に闇は色彩を持ったなまめかしいものに感じられた。大海人皇子は右足を一歩踏み出して、両手で宙を掻《か》き分けた。長い間慕い求めていたものを、正確に自分の胸の中に収めてしまいたかった。闇の中に居ることが、大海人皇子を大胆にしていた。が、手応《てごた》えはなかった。更に一歩踏み出して、思いきって、

「額田！」

と、低い声で呼んでみた。初めて口に出して言った相手の名であった。この場合もなんの応答もなかった。

「額田！」

もう一度口に出してから、大海人皇子は微《かす》かな不安を覚えた。

大海人皇子は一歩あとに退いた。ふいに殺気のようなものを感じた。鋭く烈《はげ》しいものが闇の底を流れている。皇子は更に一歩退いて、佩刀《はいとう》に手を掛け、前方の闇を窺《うかが》っ

た。もうこの時は、大海人皇子の心からは、額田女王のことは跡形もなく消えていた。いま自分の前に居るものは、そのようなものであろう筈はなかった。それとは似ても似つかぬものである。不気味な緊張があたりの闇を支配している。

来い！　大海人皇子は全身を神経の固まりにして、自分が身を翻《ひるがえ》す瞬間を待っていた。闇の厚い層の中に毛ほどの動きでも感じられたら、その瞬間、皇子の片膝《かたひざ》は地面に、片手は刀を握ったまま水平に限りなく大きく闇を閃《ひらめ》き裂く筈であった。闇は裂かれ、捲《まく》られ、粉々になってあたりに散乱する。倒れているのは相手であるか、でなかったら自分である。

どれだけの時間が流れたか。ふいに緊張は破れ、殺気は消え、闇は大きく動いた。沓音が聞こえた。相手はくるりと背でも見せた感じで、地面を踏む沓の音を立てながら、自分から遠ざかって行こうとしている。

大海人皇子は異常な緊張から身を自由にし、大きく息を吐いた。一体何者であろうか。たとえ短い時間であるにせよ、相手は自分に対して害心を持ったのである。それは疑うことのできぬ事実であった。大海人皇子は沓音を聞いていた。それはひたひたと地面を叩くように、しのびやかに、併し、もうこちらに知られても構わぬという大胆さで遠ざかって行きつつあった。

皇子はあとを追わなかった。なぜ相手はこちらに害心を持ったのであろうか。併し、自分が何者であるか知られる筈はないと思った。ただ二回、額田！　と短い言葉を口から出しただけである。それにまた、こちらが何人であるか知られたにしろ、それならばなおのこと、敵意を持たれるということは解《げ》せぬことと言わねばならなかった。

大海人皇子が相手を追わなかったのは、地鎮の祭儀が修せられた夜、女を追い求めて、深夜新宮の台地を徘徊するということは、誰に知られても感心すべきことではなかったからである。わざわざそうした自分を相手に披《ひ》露《ろう》する必要もなかったし、また理由の判《わか》らぬ闘争のために、身を危険に曝《さら》す愚を敢《あえ》てする気にもならなかった。

大海人皇子はなお暫《しばら》く闇の中に立っていた。闇はさっきより一層深々としたものに感じられた。灯火は一つ残らず消えてしまい、風の音と浪の音が、新しく台地を洗い始めている。大海人皇子は味経宮《あじふのみや》に引き返すために歩き出した。皇子も亦《また》沓音を立てて歩いた。今となっては沓音を立てるのを憚《はばか》る必要はなかった。追い求めて来たものは見失い、不気味な闘争者とは別れてしまったのである。

台地の端《は》しまでは歩くのに骨折ったが、そこに辿《たど》り着くと、斜面の雑木の間から味経宮の館々《やかたやかた》の灯が見えた。館の灯許《ばか》りではなかった。赤々と燃え上がっている火も見えている。不寝番の兵たちが屯《たむろ》している焚火《たきび》なのであろう。

大海人皇子は遠い明りを頼りに、斜面の道を降り始めた。額田女土に手を触れると、たちどころに神罰がくだると巨勢大臣は言ったが、まさにその通りだと思った。手を触れるどころか、付け廻しただけで、忽《たちま》ちにして殺気は自分を押し包んでしまったのである。

それにしても、と大海人皇子は思った。闇の中で自分を窺った相手は誰であろうか。何のためにあのような態度をとったのか。あのような敵意を持つ者があろうとは思われなかったいでのことか。自分と知って、あのような敵意を持つ者があろうとは思われなかったので、自分と知らないで為《な》したこと、と考えねばならなかった。闇の中で突然声を掛けられたので、咄嗟《とっさ》にあのような態度をとったのかも知れなかったが、それにしても新宮の台地に於《おい》ての事件であった。他の日ならいざ知らず、今夜の祭儀に列する者以外、誰一人この地域にははいっていない筈であった。台地を廻《めぐ》って、要処要処には兵が配され、怪しいものは鼠《ねずみ》一匹はいれぬことになっている。

大海人皇子はふいに立ち停まって、傍《かたわら》の雑木の樹幹に手を置いた。ざらざらした荒い手触りだった。嫌《いや》な想像だった。若しかしたら、今夜新宮の台地で、額田女王を追っていた者は、自分だけではなかったかも知れないと思った。あの自分を襲おうとした者も、闇の中で額田女王を捉えようとしていたかも知れないではないか。

そうなると、額田！　と声を掛けたことが、一つの意味を持って来る。自分が額田！　と声を掛けたことに依《よ》って、相手は自分に敵を感じたかも知れないのだ。一体、相手は誰であるか。額田女王に思いを掛けている男は誰であるか。すると、次々に顔が浮かんで来た。一人や二人ではなかった。若いという男の顔は、尽く額田女王の求愛者らしい表情を持って思い出されて来た。若い男許りではなかった。中年の男から老人まで、思い出すどの顔も、油断ならぬ漁色家に見えた。鎌足だって、巨勢大臣だって怪しいものだと思った。

大海人皇子はまた歩き出した。ひどく足場が悪くなっている。さっき台地へ上がる時歩いた道は、もっと広かった筈である。

よし、それならば、一刻も早く、是が非でも、額田女王を自分の腕の中に収めてしまわねばならぬ。まごまごしていると、取り返しのつかぬことになってしまうだろう。

――併し、大海人皇子はまた足を停めた。こんども亦《また》荒い樹幹の肌《はだ》に手を置いた。相手が自分と同じように額田女王を追い求めていたとするのは、一つの仮定にすぎない。そういうことは有るかも知れないが、無いかも知れないのである。相手がこちらが何人であるかを知って、あの時殺意を懐《いだ》いたとすれば、それは容易ならぬことであった。自分の生命があるよりもない方をよしとする人間が、この世に居るということになる。

大海人皇子がこのようなことに思いを廻らしたのは、この夜が初めてであった。あの時、自分が隙《すき》を見せないで、反対に相手を倒そうとしたので、相手は、敵《かな》わないと知って身を引いて行ったのかも知れぬ。若し、こちらが相手の殺意を見てとらなかったら、相手は襲いかかって来ていたかも知れないのである。それならば相手は誰か。大海人皇子はあたりを見廻すようにした。今まで、このことに気付かなかった方がどうかしているといった気持だった。自分の生命が有るより無い方が有利であるとする立場に立つ人間の顔が次々に浮かんで来た。五人や六人ではなかった。際限なく、次々に立ち現れて来た。

大海人皇子はもうすぐ二十一歳になろうとする大月隠《おおつごもり》の夜、初めて見ると言える見方で、自分の周囲を見たのであった。

額田女王は台地の端《はず》れの闇の中に立っていた。体は氷のように冷え込んでいたが、殆《ほとん》どそれを感じていなかった。新しい皇城の地鎮の祭儀の行われた夜の厳かさを、高い調べで詠《うた》いたかった。今宵、この地に神は宿り給うたのである。永遠にこの地を守るために、またやがて造築される新しい宮殿を守るために、もろもろの神々は天からくだり、この地に宿り給うたのである。額田女王はそれを神の心で詠いたかった。神の心で詠うためには、神の声を聞かねばならなかった。額田女王は神の心を聞くために、この台地に上って来たのである。

味経宮で夥《おびただ》しい数の僧尼《そうに》が経文を誦《ず》し、その声が賑々《にぎにぎ》しく聞こえている最中、それとは全く別に、天の一角からもろもろの神々はここにくだり給うたのである。味経宮で法要が修せられ、人々がそこに集まっている時、灯火《みあかし》だけがともり、人の子一人居ないこの台地に、神々は一体また一体というように、次々とくだり給うたのである。

額田女王は法要の行われている最中から、この台地に上りたかったが、法要が終わるまでそこから離れることはできなかった。法要がすむと、額田女王はただ一人でこの台地へ上って来たのである。額田女王はいつもなら、自分がその気になれば神の声を聞くことができた。そしてそれが自然に歌詞となって、口をついて澱《よど》みなく出て来るのであったが、今宵はそうは行かなかった。神の声が聞けなかった。鬱陶《うっとう》しい邪魔ものがあった。

額田女王は味経宮を脱け出してから、間もなく二人の男に追われていることに気付いていた。相手が一人ならどのようにもまいてしまうこともできたが、あいにく二人だった。一人をまくと、もう一人が現れた。その一人をまくと、他の一人が現れた。二人ともひどく執拗《しつよう》だった。相手がいかなる身分の男性か、額田女王には判らなかった。思いきって、灯火の明りの中に身を曝《さら》してもみたが、そうしている時は、相手は決して近寄って来なかった。二人とも、申し合わせたように、闇の中で自分を捉《とら》えようとしていた。

　相手の二人がいかなる身分か判らないとは言え、額田女王には、そのうちの一人だけには大体見当が付いていた。大海人皇子ではないかと思った。と言うのは、新宮の地鎮の祭儀の夜、会って話したいことがあるので、その心づもりをしているようにという大海人皇子からの伝言が、人を介して伝えられていたからである。

　これ許《ばか》りでなく、この一年間、大海人皇子からは烈《はげ》しい求愛を受けている。人を介して申し出を受けたことは一回や二回ではない。それに対して、額田女王は何の応答も返していなかった。幼い時から神の声を聞く特殊な女として育てられて来ている自分が、どうして人間の声に耳を傾けていいであろう。神の声を聞いたり、人間の声を聞いたり、そんな器用な使いわけはできないのである。

　神の声を聞くか、人間の声を聞くか、その孰《いず》れかを選ぶとすれば、言うまでもなく神の声を聞く方を採《と》るだろう。一度神の声を聞いてしまった者には、人間の声などさして興味も関心も持てないのである。自分が作る歌は、すべて神の声である。この国の悦《よろこ》びや悲しみ、この国に生きる人たちの悦びや悲しみ、それを神の御心にはいって詠い上げるのである。いつも、それは滔々《とうとう》たる大河の流れの調べを持っていなければならなかった。この国や国人の運命に通じているからである。

額田女王は二人の求愛者をまいてしまうと、台地の端しの闇の中で、神の声を聞く作業にはいっていた。大海人皇子が想像もできぬ想念が、漸《よう》くいま若く美しい巫女《みこ》を捉えようとしていた。

三

白雉《はくち》三年正月から昼夜兼行で新宮の造営は続けられ、それまで大郡宮《おおごおりのみや》にあった朝廷が、漸く形だけを為した新宮に移ったのは三月九日であった。何も急いで半造りの宮に移らなくてもと噂《うわさ》されたが、それはそれだけの理由あってのことと思われた。天皇の仏教への帰依《きえ》は大変なもので、大郡の御殿から新宮への移転も、一部の僧侶《そうりよ》の勘案あってのことと思われた。

翌四月十五日にはまだ槌音《つちおと》が高く響いている新宮に、法師恵隠《えおん》を招いて無量寿経《むりようじゆきよう》を講じさせ、法師恵資《えし》が問者《もんじや》の役を勤め、一千の僧侶が聴講した。この論議は二十日まで五日間にわたって、夜となく昼となく続けられた。論議の終わる頃《ころ》から雨が降り始め、長くひでりが続いていた時なので、この降雨は誰にも悦《よろこ》ばれたが、どういうものか、いつまで経《た》っても降り歇《や》まず、家を壊し、田畑を押し流すまでの長雨となり、人や牛馬の溺《おぼ》れ死ぬ者が多かった。巷間《こうかん》では、新宮について、また新宮への移転について、いろいろと取沙汰《とりざた》された。

新宮の造営が全く成ったのは九月であった。その豪壮華麗さは見る者の眼を奪った。縦横に石畳の道は走り、その石畳の道を挟んで殿舎は立ち並び、廻廊は廻らされ、石の階段は配され、所々に勾欄《こうらん》を持った大きな石の広場が置かれてあった。

新宮の槌音が歇んだ頃から、新しく街造りが始められた。新宮を取り巻くようにして、次々に官吏の邸宅が建てられた。ところどころに広い空地が残されていたが、そこには後日、寺院が建てられるということであった。

新宮が台地の上に大きな姿を見せ始めた頃から、丘の周辺の巷々《ちまたちまた》も日一日賑《にぎ》やかになりつつあった。港には異国船をも混じえた夥《おびただ》しい数の船がひしめき合い、波止場附近には倉庫が立ち並び、民家が軒を列《つら》ね、雑多な職業の男女が朝から晩までそこら一帯の地を動き廻っていた。

こうした新しい都ができ上がる一方、その間に新しい政令も次々に布《し》かれていた。一番目立ったことは戸籍が造られたことであった。一戸一戸毎《ごと》に法律上の責任者として家長が置かれ、五戸集まると、そこには更に長が置かれた。そして五十戸を以《もっ》て里《さと》となし、里には一人の長が定められて、いっさいを取りしきった。耕作地の調査も国の隅々《すみずみ》まで行われた。大化の改変直後、班田《はんでん》の制は布かれていたが、更にその正確と徹底が期され、凡《およ》そ田は広さ三十歩を段とし、十段を町とした。そして段ごとに稲一《ひと》束《つか》半、町ごとに十五束の租が徴せられることになった。

新宮の造営成った年の十二月の大月隠《おおつごもり》の夜は、前年と同じように天下の僧尼は新しい内裏《だいり》に集まって法要を営み、夥しい数の灯火《みあかし》がともされた。巷々の男女には、丘上の灯火の祭典は前年の比でなく美しく荘厳に見えた。男女は丘の上の灯火の最後の一つが消えるまで、路上に出て、それに見惚《みほ》れ、讃歎《さんたん》し、吐息をつき、自分たちの暮し向きの話や、異国の貢《みつぎ》の使者の噂をし、それからいつか身を切るような寒風が吹き出していることに気付くと、それぞれの粗末な家にはいり、いかなることをもたらすか判《わか》らぬ新しい年を迎えるために眠った。

こうした白雉三年であったが、この一年間に、額田女王《ぬかたのおおきみ》にはその生涯《しょうがい》の運命を大きく曲がらせる一つの事件があった。

車駕《しゃが》が、半造りの新宮に幸《みゆき》することに決まった二月のことであった。額田女王は帝に先き立って新宮に移り、その当座は次々に営まれる祭事に忙しく日を送っていたが、それが一段落ついた頃、大海人皇子《おおあまのみこ》から招きを受けた。使者に立って来たのは、大海人の側近に侍している中年の女官であった。

「四天王寺《してんのうじ》の境内《けいだい》の梅林がみごとな花をつけましたので、皇子《みこ》さまはそれをお見せしたいと申しておられます。この月の最後の日、夕刻五時より観梅の宴を張ります。御都合がよろしかったらお越し下さるようにとのことでございます」

表情というものを全く失った能面のような顔を持っている女は言った。四天王寺の境内と言っても、四天王寺の伽藍《がらん》はまだでき上がっていず、工人たちは新宮の造営の方に廻されていて、伽藍は工半ばで打ち棄《す》てられてある筈《はず》であった。伽藍もできていないくらいであるから、庭園が形を成していようとは思われなかった。それにしても観梅の宴を張ろうというのであるから、その近くに自然の梅林でもあるのであろうかと思った。

これまでにも、大海人皇子からは人を介していろいろな誘いを受けていたが、こんどが初めての招きらしい招きであった。どこでこっそり会おうというような求愛の誘いではなかった。

「当日、差し支えございませんでしたら、悦《よろこ》んでお伺いしたいと存じます」

額田女王は言った。いままで大海人皇子の誘いという誘いはすべて断っていたが、こんどのような場合は応じなければならなかった。相手は皇太子中大兄の弟であり、観梅の宴の招きである以上、それをむげに断るのは非礼にわたることに思われた。それに満開の梅も見たかった。郷里大和《やまと》では毎年梅の花を見て育って来ていたが、宮廷に仕えるようになってからは、梅の花を見るような機会には恵まれていない。観梅の宴が催されるような安穏な時代ではなかったし、第一、難波《なにわ》の新都ではよほど郊外に行かぬ限り梅林などにはお目にかかれなかった。

「皇子さまもさぞお悦びでございましょう。当日、お輿《こし》を差し廻しましょう」

女は鄭重《ていちょう》に挨拶《あいさつ》して帰って行った。そこにいかなる企《たくら》みもあろうとは思われなかった。併《しか》し、そうしたことがあってから間もなく、額田は四天王寺の梅林について人に訊《たず》ねてみたが、誰もあの辺りに梅林などがあるということは聞いたことはないと言った。

「あの辺りから一里も二里も遠ざかればいざ知らず、いまは雑木という雑木も切り払われ、木材があちこちに積まれてある草ぼうぼうの工事場で、日暮刻《どき》からは狐狸《こり》の類《たぐい》が出没するという専《もっぱ》らの噂でございます」

誰も同じようなことを言った。

「梅林もないのに、どうして観梅の宴が張れましょう」

そう言う者もあった。

額田女王は、併し、大海人皇子の観梅の宴なるものを信ずることにした。使者に立って来たあのような冷静な物静かな女性が、ぬけぬけと真実《まこと》しやかにありもしないことを言う筈はないと思った。

その観梅の宴を二、三日先きに控えたある日、郷里大和から姉の鏡女王《かがみのおおきみ》が都に上って来た。鏡女王は何年か前から中大兄皇子《なかのおおえのみこ》の愛を享《う》けており、そのことは極く一部の者の間だけに知られていた。

額田女王はこんど姉に会うまで、迂闊《うかつ》なことではあるが、そのことについて知らなかった。と言うのは、額田は幼くして郷里の家を出て、宮中の祭事に関係ある額田郷の額田氏に引き取られて育っていた。そうした特殊な家で生い育ったので、いま祭事に仕えることができるわけであったが、そうした生い立ちのために、姉の鏡女王の身辺については、何も知っていなかった。初めて鏡女王の口からそのことを知って、今更ながら姉の気品ある美しい顔に眼を遣《や》った。幼い時から鏡女王は輝き出るような美《び》貌《ぼう》を以て知られており、輝くような姉、匂《にお》うような妹というような言葉で、姉妹は共にもてはやされたものであった。

それにしても、その輝くような姉の美しさは、いまはもっと別のものを加えていた。

誇り高いとでも言うのか、凛《りん》とした一種の気品が、額田には眩《まぶ》しかった。中大兄皇子の愛を享けていることが、姉をこのように美しくしたのであろうか。

額田は姉の口から、中大兄皇子と姉との間に交わされた歌を披露《ひろう》された。

「皇子《みこ》さまから、このような歌を戴《いただ》いたことがございます」

鏡女王は口に出して言った。

妹《いも》が家も
継ぎて見ましを
大和なる
大島の嶺《ね》に
家もあらましを

あなたの家に度々訪ねて行きたいが、あまりにも遠いので、そうもならない。せめて同じ大和でも、大島の嶺《みね》あたりに家があってくれたらと思う。なかなかいい愛の歌であった。烈《はげ》しい恋情を直接でなく伝えているところは、心憎いとでも言うほかはない。

この中大兄の歌に対して、鏡女王の返し歌は、

秋山の
樹《こ》の下隠《かく》り
逝《ゆ》く水の
吾《われ》こそ益《ま》さめ
御思《みおもひ》よりは

というのであった。秋山の樹の下がくれに流れて行く水がいよいよ水かさを増すように、わたくしのお慕い申す気持も次第に堪え難いものになっております。わたくしをお思いになって下さる御気持にくらべましても、このように言えるかと存じます。これも亦《また》いかにも鏡女王らしい歌であった。虔《つつま》しい表現の中に、烈しい恋情を打ちつけている。

「つい、こうしたことまで御披露に及んでしまいまして」

鏡女王は顔を深く伏せたままで言った。

併し、鏡女王が妹の額田女王を訪ねて来たのは、久しぶりで肉親の妹に会うため許《ばか》りではなかった。

「わたしがこんど都に上って来ましたのは、たいへん申し上げにくいことですが、――」

鏡女王はここで言葉を切ったが、思いきってすぐ続けた。

「中大兄皇子さまが、妹のあなたをお傍《そば》に招きたいので、姉のわたしを都にお招《よ》びにならないのだという風説が、郷里に居るわたしの耳にまではいりました」

額田女王は自分の耳を疑った。

「もう一度、いまおっしゃったことを、お聞かせ戴きとうございます」

すると、

「このような辛《つら》いことを、二度も口におさせになるのですか」

そう怨《えん》ずるように言ってから、

「人の口というものは、どこまでが真実か、当てにならぬものでございます。でも、そのようなことを、わたしに伝えた人は一人や二人ではありませぬ。――だから、どうして下さいとは申しませぬ。誰にも、どうしていいか判らぬことでございます。ただ、実際にそのようなことになりましたら、何という哀《かな》しいことでございましょう」

額田女王は姉の言葉を聞きながら、あらぬ方へ眼を向けていた。晩冬の静かな陽《ひ》が庭先きにこぼれ、築地《ついじ》の傍の小さい植込みが、鳥でもひそんでいるのか、風もないのに、微《かす》かに揺れ動いている。額田女王は息を詰めていた。姉の鏡女王の言ったことには、全く思い当たることはなかった。自分が中大兄皇子に思いをかけられているというような、そんなことがあっていいであろうか。

額田女王はいつか闇《やみ》の中で聞いた一つの沓音《くつおと》のことを思い出していた。自分が左へよけると左へ、右へ避けると右へ、その沓音は聞こえている。いかにもゆったりとした沓音である。大海人皇子の沓音とは全く違っている。大海人皇子のそれは慌《あわただ》しく畳みかけて来る烈しい沓音であるが、もう一つの沓音は、どんな場合でも、悠揚《ゆうよう》迫らぬゆったりした響きを持ち、逃げるなら逃げなさい、そんな風にさえ聞こえる沓さばきである。闇の中で相手がいかなる人物か判らなかったが、併し、いま姉の鏡女王はそれについて恐ろしいことを囁《ささや》こうとしているのであろうか。あの沓さばき以外に、一瞬にして入鹿《いるか》を斬《き》れるものはないのだ、と。

併し、額田は白昼夢から覚めて我に返ると、冷静さを取り戻《もど》した。冷静になると、すべては滑稽《こっけい》極まることに思えた。大海人皇子の自分に対する恋慕が、世間の人の噂の中で、中大兄皇子のそれと間違えて伝えられてしまったのであろう。何人かの妃を持っている中大兄皇子がどうして自分に、しかも現天皇の側近に侍している自分に、思いをかけるようなことがあっていいであろうか。

額田女王は顔を上げた。

「おっしゃること、何もかも、信じられぬこと許《ばか》りでございます。よもやそのようなことが、あろうとは存じませぬ。わたくしは姉上さまを御不幸におとし入れるくらいなら、何のためらいもなく宮中のお勤めを辞することでありましょう。御一緒に郷里大和の、同じ家の同じ部屋で、同じ風の音を聞いて眠ったではございませぬか。深夜同じ鳥の羽音で同じように眼を覚ましたではございませぬか。そうして育った姉と妹が、――」

ここで言葉を切ると、

「大海人皇子さまから再三お招き受けておりますので、それが間違って伝えられたのでありましょう。でも、私は神事に仕えます身、どなたのお招きにも応じられません。これだけははっきりしております」

こう言うと、額田女王は立ち上がった。何かひとりになって考えなければならぬといった思いが、額田にそのような態度を取らせたのであった。

大海人皇子から招きを受けている二月末日の観梅の宴までの二日間を、額田女王はこれまでの生涯《しょうがい》になかった複雑な気持で過した。

姉の鏡女王がもう何年も中大兄皇子の愛を享けているということは、こんど初めて知ったことであり、この一事だけについても考えなければならぬことはたくさんあった。中大兄皇子は何人かの妃を持っていた。姉の鏡女王がひとり皇子の愛情を独占しているわけではない。

鏡女王が郷里大和から都に出て、皇子の傍に移り住みたい気持は当然なことである。中大兄皇子がいくら鏡女王を愛していても、そう度々大和に出向いて行くことはできぬに違いなかった。新政の首脳としての皇子の身辺は、大和にあって鏡女王が想像しているようなものとは全く違う筈《はず》であった。皇子の裁断を仰がねばならぬ政務は、朝から晩まで、皇子を追いかけ廻しているのである。姉は、自分の思慕の方が〝御思《みおもひ》〟より深いと恋情を歌に述べているが、それは恐らく較《くら》べものにならぬほど深いに決まっている。鏡女王は明けても暮れても、皇子への思慕に身を焦《こ》がしているのだが、皇子の方はそういうわけには行かない。もっと烈しく身を焦がさねばならぬものに取り巻かれているのである。外国の使臣にも会わねばならぬし、蝦夷《えぞ》地《ち》の夷人《いじん》の動静にも心を配らねばならぬであろう。そして夜になると、鏡女王に劣らず皇子への思慕に身を焦がしている妃たちの寝所をも訪《と》わねばならぬのである。

鏡女王は皇子の愛を享けていることに依《よ》って、以前とは見違えるほど、誇り高く美しくなっているが、それは大和にあって、ひとり皇子への思慕の中に生きて来たからである。皇子の真実の愛は自分ひとりに注がれていると信じきっていることができたからである。併し、こんど彼女が望むように都に移り住むようなことになりでもしたら、事情は全く異なってしまうだろう。鏡女王の輝くような誇り高い美しさは、どのようなものに変わって行くか判《わか》らない。恐らくいまの鏡女王が思ってもみない悲しいものが、彼女の肩を、眼を、頰《ほお》を、口許《くちもと》を、別のものにしてしまうだろう。他の妃たちが例外なくそうであるように、鏡女王も亦《また》、物哀しさを深く内部に包んだ、冷たく静かな不思議なものを、その面につけるだろう。

そうした姉鏡女王の身の上に思いを馳《は》せていると、いつも全く別のものがふいに心の中に立ちはだかって来る。姉の口から聞いた中大兄皇子が自分を傍に侍《はべ》らせたいという巷間《こうかん》の噂《うわさ》である。鏡女王の言ったことを真実とすると、何人かの人間が彼女に囁《ささや》いたのであるから、そうしたことが人の口の端《は》に上っていると考えねばならぬ。

中大兄皇子が自分に思いをかけている！　明らかに間違いであるが、併し、姉の口から初めてこのことを聞いた瞬間と同じように、いまもこのことを頭にひらめかすと、忽《たちま》ちにして、悪寒《おかん》とも、酩酊感《めいていかん》ともつかぬものが、額田女王を押し包んで来る。

自分は神の声を聞くことを使命としている特殊な女なのだ。汚れも穢《けが》れも寄せつけぬ、寄せつけてはならぬ女なのである。それなのに、中大兄皇子はそうした自分を！

大海人皇子の場合とは違って、中大兄皇子から声がかかれば、自分はそれを拒むことはできないであろう。そうすると、自分はどうなるか。もはや神の声は聞けなくなる。神の声の代わりに、人間の声があらゆる猥雑《わいざつ》なものを伴って、自分に押し寄せて来る。神の声に代わって、人間の声が聞こえて来る。

幼い時から縛りつけられていた神聖な呪縛《じゅばく》は解かれる。神の声は聞こえなくなり、人間の声が聞こえて来る。同感したり、反撥《はんぱつ》したり、悦《よろこ》んだり、悲しんだり、嫉妬《しっと》したり、呪《のろ》ったりする。ああ、普通の女になる……中大兄皇子の腕が、長い間自分を縛っていた呪縛の縄《なわ》を一本一本解いてくれる。

額田女王はふとわれに返る！　自分としたことが、何という卑屈な、誇りない思いに心を任せていたことか。こんどは悪寒だけが額田女王を別人にする。

その日、額田女王は顔も身なりも美しく装った。美しく装うことに、これほど気を使ったことはなかった。大海人皇子のために装ったのではなく、神の声を聞く女として、その誇りのために装ったのである。

額田女王は幼い時、自分に仕えていた媼《おうな》から、美しく装うことに依《よ》って敵の一兵をも近付けなかった異国の若い妃の話を聞いたことがあった。その八十何歳かの老婆《ろうば》は歯の間から音声の漏れるぼそぼそした話し方をしたが、聞いていると、その妃の美しさがありありとこちらの眼に浮かんで来た。額田女王は嫗にせがんでは、何回も同じ話を聞いたものであった。

——金のかんざしも、碧玉《へきぎょく》の頸飾《くびかざ》りも、みな女の武器でございます。眉間《みけん》や口許にぽつんと小さい点を置くあの花鈿《かでん》も、これまた女の武器でございます。女は美しく装うことによって、自分以上の力を持つものでございます。女というものを、神さまはそのようにお造りになっていらっしゃいます。

嫗はいつもこういう言葉で、物語を結んだ。額田はいまその嫗の言葉を思い出していた。果たして美しく装うことに依って、自分も亦《また》異国の妃のように、自分以上の力を持つことができるかどうかは判らなかったが、少なくとも心の誇りだけは失わないですまされるのではないかと思った。

約束の時刻に迎えの輿《こし》が来た。額田の輿のあとに、侍女の輿が続いた。館を出る頃《ころ》から気温は落ちた。既に陽《ひ》はなかったが、青く澄み渡った空が拡がり、微《かす》かに赤味を帯びた細い線条形の雲が、北西の空を埋めていた。

街は半造りであった。道路はできていたが、その道路に沿って並ぶ筈《はず》の官吏の邸宅は、でき上がったり、でき上がらなかったりしていた。人通りは少なかった。春とは言え、まだ冬の寒さではあり、しかも夕暮が来ようとする時刻だったので、よほどの用事がない限り出歩いている者はなかった。

街の中心部を離れると、ところどころに聚落《しゅうらく》様に民家が群れていた。その多くが工人の家であった。近くどこかへ移転しなければならないということで、聚落のたたずまいには一様に落ち着かないものが感じられた。聚落と聚落の間には原野が置かれてあり、到底都の一部であるとは思われなかった。併し、人の通行は街の中心部より却《かえ》って多かった。農夫も、狩人《かりゅうど》らしい者も、兵も、役人も、労務者も、どこから来てどこへ行くのか、疎《まば》らに歩いていた。

四天王寺に近いところで、輿は停められた。数人の兵と一人の役人らしい人物が立っていた。

額田女王は輿から降りた。額田は侍女と別れて、ひとりだけ役人のあとに随《したが》った。役人は鄭重《ていちょう》な物腰で先きに立って案内した。なるほど伽藍《がらん》はまだ建てられていず、板囲いの普請《ふしん》場があちこちに置かれてあるだけである。

そうしたところを歩かされ、やがて築地《ついじ》が廻《めぐ》らされてあるところに出ると、その門の前で停められた。

「お寒うございますから門の内部におはいりになってお待ち戴《いただ》きます」

役人は言うと、すぐ帰って行った。

額田女王は言われるままに築地門の内部に足を踏み入れてみた。築地は廻っていたが、建物はなく、辺り一面を雑草が埋めている許《ばか》りである。

額田女王はかなりの時間、不安な思いを持って、そこに立っていた。うっすらと夕《ゆう》闇《やみ》が立ちこめ始めている。

額田女王は築地門から外に出てみた。その時、馬蹄《ばてい》の音が聞こえた。初め、それはどの方向で聞こえているか判らなかったが、次第にそれが高くなったと思うと、長い築地の端《は》しにふいに騎乗の人の姿が現れた。大海人皇子であった。

額田女王は黙って頭を下げていた。

「今宵《こよい》は館《やかた》には帰さぬ。承知であろうな」

そういう声が聞こえた。大海人皇子は馬の手綱《たづな》を持ったまま立っていた。

額田女王は依然として黙って頭を下げていた。

「いま輿が迎えに来る。それに乗るよう」

額田は、大海人皇子が再び馬に乗ろうとする気配を感じると、顔を上げて、まっ直《す》ぐに大海人皇子の顔を見た。

「観梅の宴はどこに開かれているのでございましょう」

するど、相手はいかにもおかしそうに笑って、

「観梅の宴は取りやめにした」

「御宴はお取りやめになりましても、梅だけは見せて戴けるのでございましょうか」

「梅か」

それから、

「あいにく梅は散ってしまったようだ」

「それは残念なことでございます。梅の花を見るというお招きで出向いて参りましたのに」

それには答えないで、

「今日はいつもより美しく見える」

大海人皇子は言った。自分のために美しく装って来たとでも思ったのかも知れない。それに気付くと、

「梅の花の下に立つつもりで、このように装って参りました。それにいたしましても、観梅の宴がお取りやめになりましたら、失礼させて戴きとうございます」

額田女王は言った。すると、

「なるほど、満開の梅の花の下に立ったら、今日の額田はみごとであろう。そのように装って来たとあらば、そのようにしなければなるまい」

大海人皇子はいきなり体を翻《ひるがえ》して、馬に跨《また》がったと見ると、

「少し遠いが、梅が満開の里がある」

その言葉と一緒に、額田女王は自分の体が、忽《たちま》ちにして地面からすくい上げられるのを感じた。

あとはどういう事態が自分に起こっているか、額田女王には見当が付かなかった。金のかんざしが落ち、頸飾りが顔に垂れ下がった。横抱きにされたまま、動く地面を下に見ているほかはなかった。それがどのくらい続いたか、地面が動かなくなったと思うと、こんどは馬の背に引きずり上げられた。

「らくにしていなさい。怖いことはない」

大海人皇子の声が耳許《みみもと》で聞こえた。らくにせよと言われても、らくにするどころか、生きた気持はなかった。

馬は駈《か》けていた。夕闇が重く垂れ下がっている原野はどこまでも続いていた。額田女王は馬の背に横坐りにされたまま、夢うつつでいた。逃げたくても逃げることはできなかった。手綱を持っている大海人皇子の二本の腕の中に抱え込まれ、どこへ拉《らっ》し

去られて行くか判らなかったが、拉し去られて行きつつあるということだけは確かであった。時々、聚落にはいった。山のような焚火《たきび》をし、それを取り巻いている兵たちの集団があった。一度、何騎かの兵が、大海人皇子を取り囲むようにし、すぐ散って行ったことがあった。そうしたことは、すべてが夢の中のことども、現実のことども判らなかった。

どれだけ時間が経《た》ったか。額田女王は地面に降ろされた。二、三歩歩いて倒れた。大海人皇子の手で救《たす》け起こされた。一面の梅林であった。そこここに幾つかの灯火が焚かれ、灯火の周辺だけに小さく白い花が無数に咲き盛っているのが見えた。

梅林を脱けると、農家風の構えの広い前庭に出た。そこにも灯火が焚かれていた。いつか額田女王は自分が歩いて行く両側に、深く頭を垂れている男女が並んでいるのを見た。土間にはいり、そこから家の内部にはいった。地方の豪族の家らしかった。大海人皇子の姿はいつか消え、額田女王は田舎風の中年の女に導かれて行った。途中で、額田は一度足を停めたが、そのまままた歩き出した。一切のことは夢心地の中で行われていた。今自分がどこに行こうとしているか、額田は考える力を失っていた。

わだつみ

一

額田女王《ぬかたのおおきみ》の体の異常が漸《ようや》く人々の眼につき始めたのは、白雉《はくち》三年の秋の半ばからであった。孝徳天皇の宮廷において、侍女や侍臣たちの間に先ず額田女王に関しての噂《うわさ》がひろまった。初め噂を耳にした者は、

「そんなことはないだろう。何かの間違いではないか」

例外なくそう言った。額田女王の身辺には、それらしいことを思わせる何ものもなかった。併《しか》し、そんなことがあって堪《た》まるかといった者たちも、噂の本人と廻廊の裾《すそ》あたりですれ違ってみると、否《いや》が応でも、その噂が真実であることを認めないわけには行かなかった。確かに腹部には異常があった。小さい生命がその中に宿っているとしか思えなかった。

異常は腹部許《ばか》りではなかった。誰でも擦《す》れ違ったあと背後を振り返らずにはおられなかったその美貌《びぼう》には、少し違ったものが付け加えられていた。頬《けお》はゆたかになり、眼にはそれまでなかった澄んだ落ち着いたものがあった。ゆたかになったのは頬許りではなく、胸乳《むなぢ》の辺りも、それと判《わか》るほどの変化を見せている。

人々は額田と擦れ違うと、思わず伏眼《ふしめ》になって頭を下げるようにした。そうさせる眩《まぶ》しいものを額田女王は持っていた。伏眼にするといやでも自然に異常な腹部が眼にはいって来た。

人々は額田女王の腹部の責任者について噂した。中大兄皇子《なかのおおえのみこ》だと言う者もあれば、大海人皇子《おおあまのみこ》だと言う者もあった。中には孝徳天皇に猜疑《さいぎ》の眼を向ける者もあった。併し、こうした高貴な人たちの名を口にした者も、必ずしもそれを信じているわけではなかった。そうした人たちが、己《おの》が情人を妃の一人として後宮に迎え入れないで、いつまでも宮仕えさせておくということは考えられなかった。他の皇族や若い侍臣たちの名も囁《ささや》かれた。五人や六人ではなかった。若い美貌な貴族たちは、誰彼となく一応俎上《そじょう》にのせられ、あれこれ検討されて、結局はそこから降ろされて、棄《す》てられた。額田女王の情人として考えると、その資格にどこか足りないものが感じられた。

額田女王のこうした噂があちこちで囁かれ始めると、恰《あたか》もそれを察知したかのように、宮中から額田の姿は消えた。老女の誰かが額田に注意して、宮仕えを退《ひ》かせたということであったが、またこれに関しての噂がまことしやかに伝えられた。老女が情人の名を訊《き》くと、額田女王は明るく笑って、

「それはわたしの方でお訊きしたいことなのです。一体、どなたの思いが、わたしの体をこのようにしたのでしょう。でも、こうなってしまったからには、子供を生む以外、ほかに手だてはございませぬ。子供を生んでから、わたくしに思いをかけて下さった方を探すことにいたしましょう」

そう答えたということであった。老女がこんな子供騙《だま》しのような額田の返答を真に受ける筈《はず》はなかったが、それ以上問い詰めたという噂はなかったので、老女はそのまま引込んでしまったのであろう。老女がそのまま引込んでしまったとしても、それはそれなりに、人々には頷《うなず》けた。いささかも不自然には感じられなかった。額田にこのように言われたら、その場における限りは、それを信じて引込む以外仕方なく思われた。額田女王の日常には、実際にそうした情事を予想させるような隙《すき》はどこにもなかった。従って、人々は蔭《かげ》でどうしても実態の摑《つか》めぬ噂に、いたずらにやきもきするだけのことであった。

それはその筈であった。額田女王自身の口から大海人皇子のことを聞いた姉の鏡女

王にしても例外ではなかった。額田自身が大海人皇子から求愛されていると言ったのであるから、額田の腹部の責任者は大海人皇子以外の人ではなかろうと、鏡女王は思った。

「おめでとうございます。皇子《みこ》さまでしたら、大海人皇子さまに似て御立派な御器量をお持ちでしょうし、姫さまでしたら貴女に似て匂《にお》うような――」

鏡女王が祝いの言葉を言いかけると、額田はなんの陰翳《かげり》もない明るい笑顔を見せて、

「本当にそうお考えでしょうか。わたくしは一夜、梅の花弁に体を包まれる夢を見まして、それから体がこのようになりました。漢国《からくに》にこれに似た話があるのを聞いたことがございますが、まことに女体というものは不思議なものでございます」

額田は言った。この場合、姉の鏡女王は宮廷の老女とは違っていた。

「梅の精をお宿しになったというのでございますか。それはそれで、結構なこと。それにしても、大海人皇子さまには御自分の皇子としてお可愛《かわい》がり戴《いただ》かないと」

鏡女王は言った。すると、額田はこの場合も、明るい艶《なまめ》きをもった表情で、

「そうしましたら、梅の精がさぞ歎いたり、悲しんだりいたすことでございましょう。姉さまはわたくしの話をお信じにはなりませぬのね。梅の白い花弁が雪のように一面押し包んで参りまして――」

鏡女王はこのとき、妹が狂っているのではないかと思った。そして妹の肩に手を置いて、

「夢で子供を宿すような、そんなことが――」

言いかけると、

「御心配なさらなくても、わたくしは狂ってはおりませぬ。ただ神さまが、わたくしだけに、人間の子供ではなく、梅の子供をお宿させになったのでございます。でも、人間のわたくしが生みますので、やはり人間の子供が生まれることでございましょう。どうせ生みますなら、なるべく男の子を生みたいと思います」

額田女王は言った。こうなると、鏡女王の場合も、宮廷の老女とさして変わるところはなかった。黙って引き退《さ》がるほかはなかったのである。

併し、大海人皇子の場合も同じようであった。大海人皇子は額田女王をその逞《たくま》しい腕に抱きしめている時でも、本当に自分が抱きしめているという自信は持てなかった。寝所においてもそうであるから、寝所以外の場所ではなおのことであった。一体、この女は自分の何であるか、いつもそういう気持で、額田女王の顔に眼を遣《や》った。

「汝《なんじ》は余が好きか」

大海人皇子は素朴《そぼく》な質問をする。

「このように満ち足りた、いつまでもお傍《そば》に居たい思いを好きと言いますなら」

額田は答える。この返事に不満はなかった。大海人皇子としては充分満足すべき性質のものであった。それでいて、どこかにどうも安心していられぬものがあった。妃として後宮に迎えようとすると、いつも差し出した手を、額田はするりと脱け出して行く。

「わたくしを、なぜそのようなところにお閉じこめになりたいのでしょう。わたくしは地位も身分も要《い》りませぬ。こうして自由な身で、お傍に居たいだけ」

こう言われると、返す言葉はなかった。純粋な愛情だけを振りかざしている。これまた大海人皇子としては、満足しなければならぬ性質のものであった。それでいて、やはり、どこかに気を許していられぬようなものがあった。口では傍に居たい、傍に居たいと言うが、そもそもこれが怪しかった。初めて梅の咲いている里で、二人だけの夜を持ってから、春を迎え、夏を過し、秋も半ばになると言うのに、二人だけの言葉を交わしたのは数える許《ばか》りである。逢瀬《おうせ》のことを、こちらから持ち出して行くと、この場合も、するり、するりと腕の中から脱け出されてしまう。満月の夜とか、七夕の宵《よい》とか、まだこの方は日が決まっているからいいが、秋風が吹き始めてからとか、萩《はぎ》が散ってからとか言われると、恋の逢瀬は漠然《ばくぜん》と遠いところへ持って行かれてしまう。

と言って、愛情を持っていないかと言うと、そうでもなさそうである。漸《ようや》くにして二人だけの夜を持つと、どんなにこの日を待っていたか、どんなに逢《あ》いたかったかというような言葉を口から出す。寝所で逢うと、充分艶美《えんび》であると言うほかはない。

そうした額田女王の腹部の異常に気付いたのは、迂闊《うかつ》なことであるが、大海人皇子が一番遅かった。大海人皇子はその噂を耳にした。宮廷のあちこちで額田の噂が囁かれるようになって、しかも大分経《た》ってから、大海人皇子はその噂を耳にした。そして、なるほど、額田は普通の体はしていないと思った。

それから十日ほどしてから、大海人皇子は額田女王を捉《とら》えた。捉えたという言い方がぴったりする、そんな捉え方であった。外国からの使臣のために新たに造られた丘の中腹にある館の一室であった。何人かの女が使用人として働いていたが、全部異国の服装をし、異国の言葉を使っていた。

この夜、大海人皇子に言った額田の言葉は、鏡女王に言った言葉とほぼ同じであったが、一カ所だけ異なっていた。鏡女王に対しては、梅花の精を宿したと言ったが、大海人皇子に対しては、神の精霊を宿したと言った。

「そんなことを言っても、誰が信ずるか、俺《おれ》の子供だ」

大海人皇子が言うと、額田女王は皇子の胸に優しく取り縋《すが》って、

「どうして、当人のわたくしが申し上げておりますのに、それをお信じになれぬのでしょう。どうしてもお信じになれぬのなら、もう何も申し上げませぬ。皇子さまは、御自分だけそうお信じになっていらっしゃればいい。どのようにお信じになろうと、ひとそれぞれの自由でございます。どのようにでもお信じなさいませ。わたくしはわたくしで、いま申し上げたことを信じておりましょう」

と言った。それから二人の間には頗《すこぶ》る奇妙な会話が取り交わされた。

「俺の子供だ」

「いいえ、神さまの――」

「神、神と言うな。それほど俺の子供でないと言い張るからには、他の男と情を通じたことがあるな」

するとと、額田はこの時だけきっとなって、

「そうお考えになりますか。本当にそうお考えになりますか。それなら、いっそ死を賜わりましょう。死を賜われないのなら、自分で自分に死を命じます」

こう言われると、大海人皇子は世にも美しいものが、本当にこの世から消えて行きそうな気がした。悪寒《おかん》が奔《はし》った。思い詰めたらやりかねないという気がした。そして、

結局、自分が激情の余り口走ったことは撤回しなければならなかった。撤回すると、美しいものは前以上の美しさで、不思議なことを主張した。

「御自分の御子がそんなに欲しいのでございましたら、いくらでもお作りになればよろしい。皇子さまの御子を欲しがっていらっしゃる方がいらっしゃる筈でございます」

「――――」

「お名前を御自分でお言いになれぬのなら、代わって、わたくしが申し上げましょう」

「もういい」

「尼子娘《あまこのいらつめ》、それからもうおひと方」

この時、大海人皇子は額田の頬を涙が流れ落ちているように思った。すぐ額田が顔を胸に埋めて来たので、確《しか》とそれを認めるわけには行かなかったが、額田の頬に光るものを見たように思った。併し、顔を上げた額田の表情にはそれらしいものはなかった。明るく、優しく、そしてあでやかであった。

「迂闊にも、皇子さまの御子の代わりに、神の御子を宿しましたわたくしをお許し下さいませ」

「どうして神の精を宿したことが判るか」

「神のお告げがあったのでございます。汝は神の声を聞く者として生まれて来ている。終生身を清浄に持さねばならぬ筈である。それなのに、普通の人間界の男女と同じ関係の中に身を置いてしまった。本来なら許すことはできないが、自分から求めてそうなったのではないので――」

「もう、よろしい」

大海人皇子は何となくあとを聞くことは避けた方がいいという気持だった。

「いいえ、申し上げかけたことですから、みんな申し上げてしまいましょう。終わりまでお聞き下さいませ」

「よいと言うのに」

「本来なら許すことはできないが、不本意にもそのようなことになったので、父親のない子を授けよう。こう仰《おお》せられたのでございます。それから、また、このようなことも仰せられました。神の精を宿した以上、もう汝は自分の心を誰にも預けることはできない。預けたくても預けることはできない。――この心を誰にも預けることはできないということは、一体どういうことでございましょう。幾ら考えても、わたくしには、よく判りませぬ」

「うむ」

大海人皇子には何となく判っていたが、口に出すのは嫌《いや》だった。

「神のお告げのように、わたくしは体には神の精を宿しました。恐らく心も、神のお告げのように、誰にも預けることのできぬものになっているのでございましょう」

額田女王は言った。この時額田は明るいあでやかな顔を上げ、双の瞳《ひとみ》を宙の一点に置いていた。大海人皇子はこの時ほど体も心も奪《と》ることのできぬ情人の顔を美しいと思ったことはなかった。ふいに虚《むな》しいものが心の全面に噴き上げて来た。世にも美しい情人は己が腕の中に居たが、心も体もとり上げられていた。尤《もっと》も体の方は、抱きとろうと思えば抱きとることができたが、自分の子供を生ますことはできなかったので、やはりとり上げられていると言ってよかった。

「一体、汝は余に愛情を持っているのか」

何回も口から出した同じ質問を、大海人皇子はこの場合も試みずには居られなかった。

「このように満ち足りた、いつまでもお傍に居たい思いを愛情と言いますならば」

額田女王は言った。いつもと同じ返事だった。心を誰にも預けることを禁じられた女としては、このように答えるしか仕方なかったのである。

白雉《はくち》四年の春、額田女王は女児を分娩《ぶんべん》した。十市皇女《とおちのひめみこ》である。額田女王は誰からもその父について問われなかった。問わせぬだけのものを持っていたのである。若《も》し問われたら、神の御子であると答えただろうが、その必要はなかった。誰もがいささかの不審な気持も面に出さないで、額田女王を訪《と》い、祝いを述べた。その祝いの述べ方は曾《かつ》て額田に対した場合を考えると、比較にならぬほど鄭重《ていちょう》であった。誰の子供であるか判らなかったが、高貴な人の子供であるかも知れなかったし、事実高貴の人の子供であるに違いないという考えが一般には広く行われていた。また一部には、曾て額田が老侍女に口走った触れずして妊《みごも》るという奇蹟《きせき》を、そのまま信じている者もあった。他の女ならいざ知らず、額田女王の場合は、そのようなことが起らないでもないというような気がしたのである。また額田女王が大海人皇子に主張した神の御子であるという信ずべからざる話も、どこから洩《も》れたのか、一部ではまことしやかに囁《ささや》かれていた。神事に仕える特殊な女性であるから、あるいはそのようなこともあるかも知れないという考えが行われたのである。

一度だけこの問題で困った女があった。若い侍女であった。その時、額田女王は嬰《えい》児《じ》を乳母《うば》の手から受け取って、その顔をしげしげと見入るようにしていたが、ふいに、

「この御子はどなたかに似ていますか」

と訊《き》いた。乳母は座を外し、傍《かたわら》には若い侍女が一人しかいなかったので、その侍女が答えなければならなかった。

「は」

侍女が答えに窮していると、額田女王はさもおかしそうに、いささかの翳《かげ》りもないあでやかな笑い声を出して、

「お困りか。構わないから言ってごらん。どなたに似ていますか」

「さあ」

侍女は腋《わき》の下に汗が滲《にじ》み出て来るのを感じていた。

「よく御子の顔を見て、その上で言ってごらん。ほら、こんなにどなたかに似ていらっしゃる。どなたかに似ていらっしゃるが、そのどなたかが思い出せませぬ。わたくしに代わって思い出しておくれ。ほら、こんなによく似ていらっしゃる。眼許《めもと》も生き写しなら、口許もそっくりそのままです。もう少しで思い出せそうなのに、どうしても思い出せませぬ。一体、どなたでしょう。構わないから言ってごらん」

構わないからと言われても、簡単に口にできることではなかった。侍女は一人の男性の名を胸に抱いたまま、じっと堪えていた。額田女王が言ったように、眼許も、口許も似ていた。大海人皇子そっくりであった。併《しか》し、それを口に出すことは憚《はばか》られた。

若し、その名を口にしたら、取り返しのつかないことになりそうな気がした。

「さ、わたくしにだけ、そっと言ってごらん」

その声で侍女は顔を上げた。恰《あたか》も自分の内部をすっかり見抜いてしまっていて、それを無理に言わそうとでもするように、額田女王のいたずらっぽく笑いを含んだ顔がこちらに向けられている。

「お許し下さいませ」

侍女は思わず言った。すると、

「許してくれとお言いなら、許して上げましょう。——気の小さいひとね」

額田女王は言って、また笑った。玉を転がすようなろうろうとした笑い声だった。侍女は額田のもとから退がってから、漸《ようや》くにして人心地を取り戻《もど》した思いだった。体はまだ小刻みに震えていた。侍女はなぜ自分がこのような責苦を受けなければならぬか判らなかった。それにしても、このような責苦を受けてなお堪えたのであるから、もう決して自分は生涯《しょうがい》大海人皇子の名は口にしないだろうと思った。

併し、この若い侍女の、自分でも理解できぬ奇妙な決意にも拘《かかわ》らず、世上ではいつか額田女王の生んだ御子の父として、大海人皇子の名が挙げられるようになっていた。と言って、それが完全に信じられているわけではなかった。一応、そういうことにしておこうといった、そんな大海人皇子への役の振り方だった。そしてその噂《うわさ》を裏書きするように、額田女王の生んだ十市皇女が大海人皇子の側近の女官の許《もと》に引き取られたのは、夏の初めであった。併し、このことも亦《また》、十市皇女の父親を決定するために、抜きさしならぬ役割を果したというわけのものでもなかった。こうした事実は、一般の者の知るところではなかったし、知っている者も、問題を解決する重要な鍵《かぎ》には考えなかった。額田女王は依然として、宮中の神事に仕える特殊な女としての地位を持ち続けており、国家的大事件である遣唐船の発遣を前にして、日々数えきれぬくらいの行事が、額田女王を待ち構えていた。

遣唐船発遣の噂が巷間《こうかん》に流れ始めたのは、白雉三年の秋であった。丁度、額田女王の腹部の異常が人々の眼につき始めたと同じ頃《ころ》であった。

——唐の国へ何百人かの使いが出るそうじゃ。

とか、

——水手《かこ》が集められているので、何事かと思ったが、そのためであったのか。

と、いろいろなことが噂された。遣唐船の発遣ということは、噂としてはこれ以上魅力あるものはなかった。唐という国がいかなる国か誰も想像できなかったが、途方もなく大きな繁栄した国であることだけは何となく知っていた。宮殿も寺院も、この国のものとは較《くら》べようもない大きな物が建ち並び、国も富み、民の生活も豊かである。都は城壁で囲まれ、街衢《がいく》は整然と造られてあって、王城の地域と庶民の住む地域とは分けられている。何百という寺々では毎日のように法要が行われ、そこではまた毎日のように学問が講ぜられている。その都に一歩足を踏み込んだだけで、一国の政《まつりごと》を根本から変えてしまうようなものが、いっぱい詰まっている。遣唐船は、そうした先進国の学問文物を獲《と》りに行く船である。ただ問題はそれに乗り込む人々である。こんどは誰に白羽の矢が立つか。噂をする人たちには、一様にそんな思いがあった。無事に帰ってくればたいへんなことだったが、無事に帰れるという保証は何もなかった。渺漫《びょうまん》たる大海に漕《こ》ぎ出して行くのである。行きは幸い無事に海を渡れても、またもう一度海を渡って帰って来なければならぬ。やがて、そうした大きい冒険に身を挺《てい》して行く人々が選ばれるのである。大使が選ばれ、副使が選ばれ、僧侶《そうりょ》が選ばれ、留学生が選ばれ、水手が選ばれる。文明文化の輸入者としての栄光と、再び故国の土を踏めぬかも知れぬ不運が、同時に選ばれた人々の肩に置かれるのである。

遣唐船発遣に関する巷《ちまた》の噂は、白雉四年の年頭から急に熱っぽいものになって行った。民たちは、自分には無関係なことだとは知りながら、やはりそれに関心を持たずにはいられなかった。

——こんどは二艘《そう》の船が出るそうだ。二艘のうち、どちらか一艘着けばいいそうだ。

とか、

——二艘の船の型が違うらしい。一つは新羅《しらぎ》船で、一つは百済《くだら》船だということだ。

とか、そんなことを言う者もあった。また中には、

——こんどは豪《えら》い人がみんな乗り込んで行って、向こうの国のやり方を見て来て、帰って来たら、この国の政をがらりと変えてしまうということだ。賦役《ふえき》も租も嘘《うそ》のように少なくなり、民の半分は僧侶になってしまうらしい。

そんな噂をする者もあった。

巷間の噂は、その殆《ほとん》どが根拠のないものであったが、為政者たちが二艘の遣唐船に大きい夢を託し、先進国唐の文物を取り入れ、いっきにこの国の政を変わったものにしようとしていることは、その噂通りであった。中大兄皇子、大海人皇子、鎌足等を初めとして新政の首脳部は、白雉三年の秋から遣唐船発遣への準備に忙殺《ぼうさつ》されていたのである。ああでもない、こうでもないと、毎日のように、その人員の編成や、船種の選択や、航路の決定のことが議せられた。そして何日間にもわたっての会議の末に漸くにして決まったことが、その翌日くつがえされるようなことも珍しくなかった。

一つ一つが莫大《ばくだい》な費用と、夥《おびただ》しい人命に関係することであった。

そもそもこんどの遣唐船の派遣のことを新しく議題として持ち出したのは、中大兄皇子と鎌足であった。これに対してはいろいろな意見があった。新しい政が布《し》かれてからまだ数年しか経《た》っていず、いまは意を専《もっぱ》ら内政の充実に用うべき時期ではないかという考え方もあれば、新しい政を布くと言っても、このままではたいして変わり栄《ば》えはしない、思いきって唐の先進文明を摂取して、真に新政の実を挙ぐべきだという考え方もあった。

中大兄皇子と鎌足は自分たちが言い出したくらいだから、終始、後者の立場に立ち、遣唐船の派遣を主張した。これに対して孝徳帝はあくまで慎重で、時期尚早《しょうそう》であると反対した。朝臣たちも二つに分かれ、互いに譲らなかったが、徐々に中大兄皇子と鎌足の意見が他を押えた。ひと口に言えば保守と革新の対立であったが、新政の実力者である中大兄と鎌足の主張が通らない筈《はず》はなかった。初めは遣唐船の派遣には反対意見を陳《の》べていた朝臣たちも、いつかそれに賛意を示すようになっていた。ただひとり孝徳帝だけが例外であった。最後まで遣唐船の派遣に反対したが、その意見は用いられなかった。孝徳帝が天皇とは名許《なばか》りで、何の実力も持っていない自分の立場を、はっきりと自分も知り、群臣にも知らせたのは、遣唐船派遣のことを議した廟堂《びょうどう》においてであった。

中大兄皇子と鎌足にとっては、初めから遣唐船派遣は既定の事実であったが、それが国を挙げての大事業である以上、すべての朝臣官吏の賛意を得ておく必要があった。中大兄にとっても、鎌足にとっても、それが大きい冒険であることは判《わか》っていた。先進国の文明を摂取するためには、誰を派遣してもいいというものではなかった。それだけの見識と学識を持った人物を選ばねばならなかった。それも一人や二人ではない。各分野の人材を選んで、少なくとも一船に、何十人かを乗せることになるだろう。しかも、船は一艘では覚《おぼ》つかない。航海の危険を考えると、少なくとも二艘は必要になる。何艘でも多いほどいいわけだが、人の問題や、費用の点で、現在のところは二艘がぎりぎりの線である。その二艘の船に、何十人かずつの人材を詰め込んで大洋の潮の中に押し出すのである。

――あとは運任せである。

中大兄皇子は、この、あとは運任せであるという思いを、何回胸にかき抱いて、不安な思いに心を揺すぶらせたことであろう。遣唐船派遣のことが決定して以来、夜となく、昼となく、ふいに、何の前触れなしに、この思いはやって来た。

初め保守派の朝臣たちが力説したように、確かにいまは一人の人材でも欲しい時であった。一人の人材でも大切にしなければならぬ時であった。その貴重な人材をごっそり船に積み込み、運任せで大洋へ船出させるのである。無事にその船が唐国《からくに》の岸に漂い着くか、着かないかは、誰にも判りはしないのである。

——あとは運任せである。

この思いだけが、確実なものとして、日に何回も中大兄皇子を見舞った。中大兄皇子はいつか一度、このことを鎌足に語ったことがあった。すると、

「臣の場合も亦《また》一つの思いが、倦《あ》きもせず、毎日のようにやって参ります。深夜眼覚めた時にもやって参りますし、歩いている時にも、こうして皇子とお話ししている時にもやって参ります。時と処《ところ》を構わず、いつその思いに見舞われるか判りません。ただ、臣を襲う思いは、皇子を見舞う思いとは少しだけ違うようでございます」

鎌足は言った。

「——しかも、なおやらねばならぬ、こういう思いでございます」

「——しかも、なおやらねばならぬ」

「左様でございます。皇子は、あとは運任せだとお考えになる。臣は、運任せであろうと、なかろうと、しかも、なおやらねばならぬ」

鎌足は言った。中大兄皇子は鎌足にやられたと思った。確かに鎌足の言う通りであ

った。こんどの遣唐船の派遣は、運を天に任せる大きい冒険であった。併し、それでもなお、それはやらねばならぬことであるに違いなかった。

舒明《じょめい》二年の遣唐船派遣から、すでに二十年余経っていた。新しい政に唐の文物制度を取り入れたと言っても、それは二十年前のものである。唐国のこの二十年間の歩みがいかなるものかは、恐らくその国の土を踏まなければ判らないだろう。唐の今日の隆盛が二十年前のそれと同日には語れないことは、半島の朝貢使の語る言葉の端し端しに依《よ》っても明らかである。

それから先進国の文明の輸入という問題とは別に、全くの政治的な意味から言っても、遣唐使の派遣は、この際ぜひ実現しておかねばならぬことであった。半島の新羅《しらぎ》、百済《くだら》、高句麗《こうくり》三国に対するいかなる認識も、大国唐の存在を無視しては成り立たなかった。この点からだけ考えても、鎌足の言うように、遣唐船の派遣は、いかなる犠牲を払っても、なおやらねばならぬことであったのである。

二

唐国に派せられる大使一行の人選が成り、それが発表されたのは三月の初めであった。そして人選の発表と同時に、遣唐船発遣の日取りも発表された。五月中頃《なかごろ》、好風を得て難波津《なにわづ》を発航すべしという一項が添えられてあった。

この前の舒明二年の遣唐船の場合も、更にその前の遣隋船《けんずいせん》の場合も、いつも人選の発表があってから、船出までには少なくとも半歳あるいは一歳《ひととせ》の期間が置かれてあった。それがこんどの場合に於《お》いては、選ばれた人たちは、その命を受けてから僅《わず》か二カ月で、船に乗り込まなければならなかった。

こうした慌《あわただ》しいとさえ思われる措置がとられた理由については、一応誰にも容易に推察できた。人選が成ったら、待ったなしで、その使者たちを船に乗せて、潮の中に押し出してしまうべきだという為政者たちの考えから出たことであった。選ばれた人たちの個人的な支障にいっさい眼をつむれば、この方がいいに決まっていた。これまでのように半歳あるいは一歳の期間を置くと、その間に必ず悶着《もんちゃく》が起きた。病気を理由に辞退を申し出る者もあったし、八方に手を廻して、解任して貰《もら》う者も出た。時には逃亡者まで出た。初め発表された人員の構成が、そのままの形で、船出まで持って行かれることはまずないと言ってよかった。

そうした問題を勘案して、新政の担当者たちは人選の発表と船出との間に、二カ月という短い日子《にっし》を置いたのに違いなかった。為政者たちはこれでよかったが、選ばれた側の人々はそうは行かなかった。自分が選ばれたことを知った時には、乗船の日はもうすぐそこに来ているわけで、自分が選ばれたことの意味を、ろくに嚙《か》みしめて考える暇もなく、各自が船出の覚悟と用意をしなければならなかった。

しかも、こんどの遣唐使の一行は二つの集団から成っていた。これまでも派遣使節の一行が二船に分乗することはあったが、こんどはそれとは違っていた。遣唐使節団が二つ編成され、それぞれが一船に乗り込んで大陸を目指すことになっていた。一つの遣唐使節団が二船に分乗していくのではなく、それぞれ違った二つの使節団が同時に難波津を船出して行くわけであった。

こうしたことに対する為政者たちの考えも、また明らかであった。二船のうち、どちらが大陸に着いても、いささかの支障なく任務が果たされるようにと、そうしたことを考慮した上での措置であった。従って、これはいかなる非難をも浴びるべき性質のものではなかったが、ただ選ばれた側の者たちには、余り気持いいことではなかった。二船船出させ、その中の一船だけでも無事に着けばいいといった為政者たちの考えが露骨に見えていた。言葉を換えれば、二船船出させるが、二船とも無事に着くことは望めないだろうという考えが初めから底に居坐っていて、それが実際に船に乗り込まなければならぬ者たちには、妙に釈然とせぬものに感じられた。どうせ決死の覚悟をした上での船出ではあるが、初めから難船を予想されていては立つ瀬がないといった気持であった。

第一遣唐使節団は、大使に吉士長丹《きしのながに》、副使に吉士駒《きしのこま》が任命された。そして学問僧として道厳《どうごん》、道通、道光、恵施《えせ》、覚勝、弁正《べんしょう》、恵照《えしょう》、僧忍、知聡、道昭、定恵《じょうえ》、安達《あんだち》、道観等、学生《がくしょう》として巨勢臣薬《こせのおみくすり》、氷連老人《ひのむらじおきな》等、総勢併せて百二十一人。

第二遣唐使節団の方は、大使に高田首根麻呂《たかたのおびとねまろ》、副使に掃守連小麻呂《かにもりのむらじおまろ》、それに学問僧道福、義向《ぎきょう》等、これまた百二十人。

第一遣唐使節団の中に学問僧として加わっている定恵は内臣鎌足《うちつおみかまたり》の長子であり、安達、道観もそれぞれ名門の出である。また学生巨勢臣薬、氷連老人等も名を知られた豪族の子弟たちであった。

こうした遣唐使節一行の中で学問僧、学生たちは、その殆《ほとん》どが渡唐を希望していた者たちで、発表を見て、漸《ようや》く希望が叶《かな》って晴れの一行に加えられたことを悦《よろこ》んだが、選に漏れたものの落胆は大きかった。学問僧知弁、義徳、学生坂合部連磐積《さかいべのむらじいわさか》等は、自分たちが選に漏れていることを知ると、直ちに重ねて遣唐使節の中に加えて貰いたいと願い出た。このように、生命を賭《か》けての渡唐を、情熱を持って希望している者たちもあったが、それは極く一部のことであり、思いがけず自分に白羽の矢が当たったことを不運に思う者が大部分であった。

遣唐使節団の構成人員の発表があったその日から、難波津の都は少し違ったものになった。都のあちこちに造られたり、造られつつあったりした寺々では、航海の安全を祈念する法要が行われた。鐘は毎日のようにどこかの寺で鳴らされており、時には昼となく夜となく聞こえていることもあった。春から初夏にかけて都の巷々《ちまたちまた》は何となくざわめきわたっていた。いろいろな噂《うわさ》も巷に流れた。遣唐船の水手《かこ》に選ばれた若者が狂ったとか、狂ったのはその若者ではなくて、若者の母親の方であるとか、いろいろなことが言われた。そうした種類の噂が囁《ささや》かれている時も、必ずどこからか鐘の音は聞こえていた。都は春から初夏へかけて風が強く吹き、毎日のように巷々に砂塵《さじん》を捲《ま》き上げて走った。そうした砂塵の中を、朝廷へ参内《さんだい》する人たちの群れが毎日のように見られた。身に纏《まと》っている礼服から、誰にも彼等が遣唐使節団の一員であることが判《わか》った。巷の男女はそうした人たちに、好奇の眼を向けた。宮中に参内し、正式の任命を受け、別れの盃《さかずき》を賜わる人たちであった。若い者も居れば老いた者も居た。

春は慌しく過ぎ、若葉の萌《も》える頃となり、爽《さわ》やかな風が吹き始めたと思うと、やがて夏の強い陽《ひ》が照り出した。五月にはいると港には遣唐使の一行を唐土に運ぶ二艘《そう》の大船が姿を現した。一船は新羅《しらぎ》様式、一船は百済《くだら》様式の船で、いずれも去年播磨《はりま》で建造されたものであった。港は毎日のように、それらの船を見物する人たちで埋まった。見物人たちはその船を見ながら、どちらの船が安全であるかを言い合った。ある者は新羅船の方をよしとし、ある者は百済船でなければ大海は乗りきれまいと言った。併《しか》し、実際にどちらの船の方が耐久力があり、波濤《はとう》に対して安全であるかということは誰にも判らなかった。船乗りたちにも判らなかったのである。

こうした見物人たちの無責任な批評をよそに、二艘の船では毎日のように祈禱《きとう》が行われていた。そうした祈禱とは別に、毎日のように船大工もはいっていた。いろいろな意見や注文が出るらしく、船大工たちは船縁《ふなべ》りを厚くしてみたり、またもとに戻《もど》したりした。檣《ほばしら》の長さや太さもいろいろに変えられた。長くしたり、短くして薄くしてみたりした。

遣唐船の発航が十二日と決められ、その発表があったのは九日であった。それから三日三晩というものは、寺という寺ではひっきりなしに法要が営まれた。

十二日は早朝から、船出する人たちがぞくぞく港へ集まって来た。港にはそうした人たちのために幾つかの仮小屋が造られてあり、船出する人たちはそこで家族の者たちと別れを惜しんだ。別れの酒宴を開いている者もあれば、相擁《あいよう》して泣いている者もあった。波止場には太い綱が張り廻《めぐ》らされてあり、見物人はそれから内部へははいることは許されなかった。ところどころに見張りの兵たちが立っていて、ともすれば港へなだれ込もうとする群集を押し返したり、呶鳴《どな》ったりしていた。

唐土へ使する一行が、二船に乗り込み始めたのは午刻《ひる》であり、完全に乗り込みが終了したのは陽がすっかり西に傾いてしまった頃であった。乗り込みが終わると、波止場の綱は外され、見物の群集も、波止場になだれ込んで来た。

二艘の大船は、それぞれ百余人の人間を詰め込んで、かなりの間隔をあけて潮の上に浮かんでいた。港の半分は蘆《あし》で埋まっており、半分が青黒い潮で満たされていた。そして蘆の間にも点々と澪標《みおつくし》（水路標の杙《くい》）が置かれてあり、潮の中にも同じ杙が置かれてあった。夥《おびただ》しい数の澪標の中の何十本かには、波止場の騒擾《そうじよう》をよそに、それぞれ申し合わせでもしたように、小さい鳥がとまっていた。

見送っている人々の眼には、やがて二艘の大船が揺れて見え始めた。群集の間からはどよめきが起こった。波止場のどよめきに応《こた》えて、二艘の船からもどよめきが起こっていたが、それは波止場の騒ぎに消されて、見送りの人たちには聞こえなかった。

船は揺れ動いていたが、いつまでも同じ場所にとどまっていた。いつまで経《た》っても船が動き出さないので、波止場のどよめきはまた次第に収まって行った。そしてすっかり人々が待ち疲れて、解纜《かいらん》の遅いことに不平を言い出した頃、二つの小さい事件が起こった。中年の身なりの見すぼらしい女が、奇声を発して、波止場の長い突堤の上を走り出したのである。女は途中で立ち停まり、奇声を発しては、また走って行った。女は突堤の行きどまりまで行くと、そこで衣類を脱ぎ始めた。そして全裸になって奇声をあげているところを、三人の兵たちに取り押えられた。女も、兵たちも、波止場からは小さく見えた。夫か子供かを船に乗り込ませた女だということであった。

もう一つの事件は、老人が引き起こしたものであった。これも見すぼらしい身なりをした老人で、群集の間に挟《はさ》まっていたが、突然、

——あの船は沈むぞ。あの百済船の方に乗った者はおりるがいい。あの船は沈むぞ。わしにははっきり見える。今までは見えなかったが、いまははっきり見える。横波をかぶって、檣はまっ二つに折れ、船首の方から潮の中へ沈んで行くぞ。

老人は大声で叫んだ。老人の声が異様だったので、そのあたりに居た人たちはみな老人の方へ顔を向けた。勿論《もちろん》老人の姿が誰にも見えるというわけではなかったが、その声だけは聞こえた。陰にこもった嫌《いや》な声であった。何事が起こったのかと思って、一瞬、みなが聞き耳をたてたので、その老人の声だけが、そのあたりの群集の頭上に降った。

――あの船は沈むぞ。乗っている者は早くおりるべし。あの百済船は呪《のろ》われている。早くおりるべし。櫓はまっ二つに折れ、船首のほうから潮の中に沈んで行くぞ。

忽《たちま》ちにして、老人は引きずり出され、怒声と怒号に包まれた。兵たちが四、五人駈《か》けて来て半殺しにされかかっている老人を救い出し、どこかに連れ去って行った。

――あの船は沈むぞ。

老人は兵たちに連行されながらも、陰気な声で叫んでいた。老人を罵《のの》しる声がそこここに聞こえている時、波止場の遠くの方からかどよめきが起こった。人々はいっせいに二艘の船の方へ視線を投げた。いつか大使吉士長丹の乗っている新羅船は動き出していた。澪標の杙の間から、大きな船体がゆっくりと移動して行くのが見えた。そして少し間隔をあけて、こんどは百済船の方が動き出すのが見えた。

波止場はどよめきで包まれていた。どよめきは、いつ果てるともなく沸き起こっては、昂《たか》まり、そしてそれが消えないうちに、新しいどよめきがとって代わっていた。この時、波止場を埋めている群集の耳には届かなかったが、都の寺という寺からは、鐘がいっせいに撞《つ》き鳴らされていた。そして都の僧尼《そうに》という僧尼は、どこかの寺で営まれている法要の席につらなり、一心不乱に経を誦《ず》していたのである。

二艘の遣唐船の発航を、中大兄皇子《なかのおおえのみこ》、大海人皇子《おおあまのみこ》、鎌足《かまたり》等政府の首脳陣は、港の北側に迫っているなだらかな丘陵の中腹から見送っていた。

中大兄皇子は終始一語も口から出さず、暮色の垂れ込めかけた海上に眼を遣《や》っていた。丘の中腹から見ると、海洋の潮に身を任せた二艘の遣唐船はひどく小さく、無力に見えた。この国の若い人材という人材は、みなあの二艘の小さく無力に見える船に詰め込んでしまったのである。無事に帰って来るかも知れなかったし、帰って来ないかも知れなかった。中大兄は兎《と》も角《かく》二艘の船を送り出してしまったことで、ほっとすると共に、烈《はげ》しい不安と烈しい疲労を感じていた。

併し、鎌足のほうは強気だった。鎌足は二艘の船に詰め込んだ人材の選択について、多少過《あやま》ったかも知れないという思いに捉《とら》われていた。どうせ大きな危険を冒して大洋へ送り出すなら、船にはもう少し大ものを詰め込むべきであったかも知れない。できるなら自分が行きたいくらいである。自分が行けないので、自分の長子を代わりに乗り込ませたのであるが、今にして思うと、もう一級上の人材を選《よ》りすぐるべきであったかも知れない。

「今年はもう致し方ありませぬが、来年新たにもう一艘送り出してみましょう」

鎌足は言った。

「もう一艘!?」

中大兄皇子が驚いて言うと、

「年が改まりましたら早い方がよろしゅうございましょう。高向史玄理《たかむくのふびとげんり》を――」

鎌足は言った。高向史玄理を派遣しようという意味らしかった。

「いかにも」

中大兄は周囲の者がいっせいに振り向いたほどの大きな声を出した。鎌足の強気にあてられた形で、弱気は一瞬にしてふっ飛んでいた。こんどは、中大兄皇子の眼には、もう見えるか見えないほど小さくなっている二艘の船は、今までのように小さく無力には見えなかった。未知の大陸へ限りなく大きい宝物を採りに行く決死の船であった。小さく無力であろう筈《はず》はなかった。いかなる風も浪も、この二艘の船の行く手を遮《さえぎ》ることはできない筈であった。

いまの中大兄と鎌足の取り交わした鋭い言葉を耳さとく聞き取ったのか、

「次の船には、大海人が乗り込みましょう。玄理だけでは心もとない」

大海人皇子は言った。大海人皇子はこの時、本当にそう思っていたのである。そしてできるなら額田女王も亦《また》積み込んで行こうと。

二艘の遣唐船が船出してしまうと、都は急に火が消えたかのように静かに淋《さび》しくなった。波止場附近も人が群《むらが》ることはなくなり、都大路も眼に見えて人影は少なくなった。遣唐船が船出してからも、航海の安全を祈る鐘が各寺院から撞き出されてはいたが、心なしかそれは淋しく力ないものに聞こえた。いくら祈禱しても、祈禱の力の及びそうもない大洋の波濤の中に船は乗り出してしまったのである。鐘の音が何となく淋しく聞こえたのは、その鐘の音を耳にする度に、人々は大洋の大きな潮のうねりの上に木の葉のように浮かんでいる二艘の船を眼に浮かべたからである。

遣唐船騒ぎが静まって何日も経ない頃《ころ》、旻《みん》法師の病状が悪化したことが伝えられた。旻法師は高向史玄理と共に国博士《くにのはかせ》として、新政の指導に当たっていた人物である。天皇は阿曇寺《あずみでら》の僧房に旻法師を訪ね、親しく見舞の言葉を述べられたということで、そのことがいろいろな形で噂《うわさ》された。中には、天皇は旻法師の枕許《まくらもと》に坐って、瘦《や》せ細った手をとって、

――もし法師が今日亡《な》くなるならば、自分は追いかけて、明日死ぬだろう。

と、のたまわれたというようなことまでが伝えられた。実際にそのようなことがあったかどうか判《わか》らなかったが、それを聞く者は、なるほどそういうこともあるかも知れないという気がした。噂としてもうまくできた噂であった。遣唐船の派遣問題を契機にして、以来孝徳天皇に鬱々《うつうつ》としてたのしまないところのあるのは、誰の眼にも明

らかであった。今や天皇とは名許《なばか》りで何の実権も持っていないことは、群臣の普《あまね》く知るところであり、群臣以上に天皇自らが知るところであった。天皇の側近と目されていた朝臣たちも、前ほど天皇を取り巻かなくなっていた。皇太子中大兄と内臣《うちつおみ》鎌足を通さなくては、いかなる些細《ささい》なことも決められなかった。

そうした立場にある孝徳天皇であってみれば、旻法師こそただ一人の味方であった。旻法師は二年前より病床にあって、廟堂《びょうどう》に姿を見せることはなかったので、天皇と中大兄皇子の対立などについては全く知るところはなかったし、たとえ知っていても、そのために自分の天皇に対する態度を左右されるような人物ではなかった。従って、天皇がいかに旻法師を頼りにされ、その病状を案じておられるかは、誰にも充分頷《うなず》けることであった。

六月に百済《くだら》、新羅《しらぎ》の使者が貢物《みつぎもの》を持って来朝した。半島の朝貢使の引見や接待で宮廷は忙しかったが、その騒ぎの最中に旻法師は他界した。孝徳天皇は直ちに使を派して弔い、数多くの悔みの品を贈った。皇族の尽《ことごと》くも同様に悔みの使者を立て、その喪を弔った。何と言っても、大化の政変以来、国博士の要職にあって、新国家建設には大きい役割を果して来た人物であった。

孝徳天皇は供養《くよう》のために、画工の狛竪部子麻呂《こまのたてべのこまろ》、鯽魚《ふな》戸直《とのあたい》等に命じて、仏菩薩《ほとけぼさつ》の像を何枚か描かせ、それを川原寺《かわらでら》に安置することにした。

そのような噂が宮中にも、巷《ちまた》にも流れている時、都中を震え上がらせるような報《しら》せがはいって来た。遣唐船の一艘である大使高田首根麻呂《たかたのおびとねまろ》の乗った百済様式の船の方が薩摩《さつま》半島の南、竹嶋《たかしま》附近で難船し、沈没してしまったということである。この報を伝《ほ》える使者が都にはいって来た時、どういうものか、この使者の一行を巷々の犬が吠え立てた。追い払っても、追い払っても、犬どもは使者たちの周囲を駈《か》け廻り、しまいには何十匹という野犬の大群となり、それが一行の前に廻ったり、背後についたりして吠えた。筑紫からはるばる都に上って来た使者たちで、その風采《ふうさい》も容貌《ようぼう》も異なっており、そうしたことから犬の怪しむところとなったのかも知れなかったが、このことは不審なこととして、後々まで巷の語り草となった。

筑紫からの使者たちは夢にも見たことのなかった豪華な宮殿にはいると、到るところで、何回も同じことを言上しなければならなかった。そして最後に連れて行かれたのは、中大兄、大海人、鎌足等が居並んでいる、奥まったところにある大広間であった。

「船に乗っておりました者は、ただ五人をのぞきまして、尽く海に沈みました。五人の者は胸に板をかけて、竹嶋に流れつきました。その中の一人門部金《かどべのかね》が竹で筏《いかだ》をつくり、五人は神嶋《しとけしま》に移り、漸《ようや》くにして救助されました。六日六晩、一物も口に入れてないので、救助されました時は、半死半生の状態でございました」

使者は言ったが、誰も声を発する者はなかった。使者は平伏していたので、そこに居並んでいる人たちの顔を眼にすることはなかったが、いつまで経っても声がかからないので、怖《おそ》る怖る顔を上げてみた。使者たちが広間にはいって来た時は、六人か七人の人物が居並んでいたが、顔を上げた時は二人の人物しか居なかった。二人の中の一人は大海人皇子であった。

「救助された者はいつ都に上って来るか」

その大海人皇子の質問に対して、

「何分半死半生の体でございますので、――」

使者は答えた。

「よし、退《さ》がって休養するよう。このことは誰にも漏らすな」

「は」

「漏らすと一命にかかわると思え」

「は」

と言ったまま、使者たちの顔からは血の気が引いて行った。漏らすなと言っても、到るところで漏らして来ていた。筑紫から都までの長い道中、人間の顔さえ見れば、相手に訊《き》かれなくても、こちらから相手に伝えていた。都にはいってからも同じだったし、宮殿内に足を踏み入れてからも、めったやたらに、自分たちがいかなる用向きの使者であるかを、相手に伝えていた。相手に伝えたればこそ、このような宮殿の奥まったところまで導き入れられたのである。

使者たちは、その夜のうちに都を発した。一刻も早く都を離れる方が安全であると思われたからである。野犬の群れは、またこの一行を襲った。使者たちは一つに固まり、執拗《しつよう》に吠え立てる犬たちを警戒しながら、海岸沿いの道をとって西を目指した。

筑紫からの使者に一月ほどおくれて、遣唐船の生存者五名が窶《やつ》れ果てた顔をして都へ姿を現した。門部金を初めとする生存者たちは、さしたる取り調べもなく、慰労の意味で金品を賜わり、更に位をすすめられ、禄《ろく》を賜わった。生存者たちは有難い御沙《ごさ》汰《た》に接し、自分たちの運の強さを悦《よろこ》んだが、併《しか》し、悦んで許り《ばか》はいられなかった。夥《おびただ》しい数の犠牲者の遺族たちに付け廻された。遺族たちはそれぞれ自分の夫や、父や、息子たちが、門部金たちと同様にどこかに流れついて生きているかも知れないという望みを棄《す》てないでいた。従って、難船時の模様をうっかり語れなかった。泣かれる場合はまだしも、へたをすると殴られかねなかった。

それからまた自分たちもその運命を知っていないもう一艘の新羅様式の船についても、いかに自分たちがその船について無知であるかということを、納得するように説明しなければならなかった。この場合も、泣かれもするし、殴られかねないことも同じであった。

併し、この五人の生存者たちが、最もうんざりしたことは、秋にはいると、また新たに遣唐船発遣のことが、巷の噂として流れ始めたことであった。

――来年早々、こんどはもっと大がかりで遣唐船が派遣されるそうだ。

とか、

――もう水手《かこ》が集められているそうだ。

とか、中には、

――既に大使も副使も決まっているらしい。高向史玄理、河辺臣麻呂《かわべのおみまろ》、薬師恵日《くすしえにち》、宮首阿弥陀《みやのおびとあみだ》、岡君宜《おかのきみよろし》、――

そういう知名な人物の名を次から次へと挙げて行く者もあった。火のないところに烟《けむり》の立つ筈《はず》はないので、全部が全部架空なこととも思えなかった。この前の時は、発航直前まで人員の構成は発表されなかったが、こんどはその反対に、初めから堂々と何でも公表して行くというところがあった。

生存者たちは、実際にまた遣唐船発遣のことがあるなら、自分たちはまた乗り込ませられるに違いないと思った。当然死すべきところを、運が強くて救《たす》かったので、犠牲者たちの遺族に対しても、もう一度船に乗らなければならぬもののように思えた。こういう思いが頭を擡《もた》げて来ると、五人の生存者は申し合わせたように、それぞれが血の気を失った顔をして、体全体がおこりでも起こったように、細かく震えて来るのをいかんともなし難かった。

新羅船であろうと、百済船であろうと、あの南海の大波浪《だいはろう》に耐え得ようとは思われなかった。生存者たちは、遭難の報ははいってはいないが、もう一艘の船も自分たちが乗った船と同様の運命を持ったものと思い込んでいた。それ以外のことは考えられなかった。ただそれを口に出さなかっただけのことである。それなのに、また新しく遣唐船を唐国へ派遣しようとしている。そうした為政者たちの気持が判らなかった。大勢の有為な生命を船に詰め込んで、大洋のあの油を流したようなどんよりとした蒼《あお》黒《ぐろ》い潮の中に棄てようとしている。

併し、この次の遣唐船発遣について、大きな不安を感じているのは、五人の生存者たちだけではなかった。この前の時のように、廟堂はまた二つに割れていた。

大使高田首根麻呂の乗った船ははっきりしていたが、もう一艘の大使吉《き》士《し》長丹《ながに》の乗った船が無事大陸に着いたという証拠はどこにもなかった。新羅様式の船の方も、百済様式の船と同じように海底の藻屑《もくず》となっているかも知れなかった。そうした状況のところへ追いかけて、もう一艘遣唐船を派遣するということはいかがなものであろうかという考え方があった。

——せめて、吉士長丹一行の消息が判明してから、その上で、事を計画してはいかがなものでございましょう。

多くの者がこの立場をとった。併し、中大兄皇子は、吉士長丹の船が唐土へ着こうが着くまいが、それとは無関係にもう一度遣唐船を派すべきだと考えていた。鎌足は勿論《もちろん》のこと大海人皇子もそれを支持していた。国の政《まつりごと》をより新しいものに切り替えることも必要であり、それには唐国へ人を派する以外道はなかったが、それよりももっと差し迫っているのは、半島の問題であった。半島三国に対する唐の考えも打診したかったし、そこからこの国が半島三国を押えて行く方途も索《さぐ》りたかった。

五月発遣した遣唐船の難船が一艘であろうと、二艘であろうと、こんどの計画はそれには左右されぬ性質のものであった。併し、この考えには三つの難点があった。一つは人命の問題、一つは限られた人材の問題、一つは莫大《ばくだい》な費用の問題であった。どの一つを盾《たて》にとられても、簡単には打ち破ることのできぬものであった。朝臣、氏族の中にも、今度は自分に、あるいは、自分の肉親の者に白羽の矢が立つかも知れないということで、すっかり弱気になっている者も居れば、既に肉親の者を遣唐船に乗り込ませている者、こんどの難船で失っている者も居た。そうした者たちの主張はむげに退けることはできなかった。人材については一人でも惜しい時であろし、費用についても同様であった。民への負担は重くなる許《ばか》りである。

この前の時は、中大兄皇子と鎌足の主張が、さしたる困難もなしに通って行ったが、こんどはそのようには行かなかった。遣唐船のことを議する席には、孝徳天皇は姿を見せていなかったが、併し、この前に孝徳天皇がとった立場が、大勢に依《よ》って支持されている恰好《かっこう》であった。

そうしたある日、鎌足は中大兄皇子に言った。

「現在のように主張が二つに割れていては、遣唐船を派することは難しいと思います。朝臣のすべてが、遣唐船を派することの意義を認め、いろいろな困難はあるが、それを乗り越えてやろうではないかというようにならなくては、成功は覚《おぼ》つかぬと思います。一人でも反対する者があってはなりませぬ。莫大な費用のかかる、国家の人材という人材を、危険を冒して唐国へ送る大事業であります。こんど成功しなければ、この国は当分立ち上がれぬほど大きい打撃を受けましょう」

これに対して、中大兄皇子は黙っていた。鎌足が次に何を言い出すか、すぐには見当が付かなかったが、改まって鎌足がこう切り出したからには、鎌足は一つの結論を用意している筈であった。自分の考えが決まらないのに、このようなことを言い出す鎌足ではなかった。

「して——?」

中大兄は鎌足に次の言葉を促した。

「さればでございます。朝臣にも民にも、こんどの三回目の遣唐船派遣が国家の運命をかけての事業であること、いかなる困難、危険があろうと、なおそれは為《な》さねばならぬことであること、そして政府はそれをやろうとしていること、それをはっきりと示す必要がありましょう。いい加減なことでは、朝臣も民も納得いたしませぬ」

「して、それは——?」

すると、鎌足は中大兄の耳許《みみもと》に顔を持って行って、何か短い言葉をひと言囁《ささや》いた。

とたんに、中大兄皇子は顔色を変えた。鎌足は追いかけて言った。

「いまの場合、その一事しかないと思います。いま人心を一新するには、それに依るしかありませぬ。いま二つに割れている主張は、否応《いやおう》なしに一つに纏《まとま》りましょう。あくまで遣唐船派遣に異議を唱えるものは、ここに留まればよろしい」

「――」

「併し、恐らくみな自説を棄てて、われわれと行動を共にいたしましょう」

鎌足は言った。中大兄皇子はなお黙っていた。鎌足が耳許で囁いた言葉が、余りにも予期せぬことであり、容易ならぬことであったからである。主従は互いに相手の顔を穴のあくほど見守っていたが、やがてどちらからともなく視線を外した。過去においていつも重大な事を議して来た時そうであったように、この時、鎌足の献言は中大兄皇子に受け入れられるところとなったのであった。

中大兄皇子は鎌足の口から出た短い言葉を聞いて顔色を変えたが、それは顔色を変えさせるだけのものを持った容易ならぬ言葉であった。遷都《せんと》！――鎌足はこの際、都を大和に遷《うつ》すことを奏請せよと囁いたのである。

差し当たって、遷都しなければならぬ理由はなかった。ここ難波津《なにわづ》に豊碕宮《とよさきのみや》を営んでからまだ何ほども経っていない。新しい都は漸《ようや》くにして形を整えかけただけの段階である。宮城こそ立派にでき上がっているが、諸官衙《かんが》、朝臣百官の邸宅の造築は未だ半ばにも達していない。寺院も大部分は半造りである。大体肝心の都大路さえ満足にはできていない有様である。いま夜を日に継いで都造りの真最中である。

それにしても、朝臣も民も漸くにして難波津の都に生活の根を降ろそうとしていた。気候にも風土にも馴《な》れ親しみ始めている。それなのに、突然、その都を棄てて、再び大和に都を遷すということは、誰が考えても容易ならぬことであった。国を挙げて人心はために動揺し、政務の遅滞にいたっては計り知るべからざるものがあった。これまでに投入した莫大な都造りの費用を無駄《むだ》にするは勿論のこと、経済的にも、労力的にも、また新しく一歩からやり直さなければならぬことになる。誰が聞いても狂人沙《ざ》汰《た》としか思わぬだろう。

併《しか》し、遷都という言葉を鎌足が口から出し、中大兄皇子の耳がそれを受け取った時、この二人の間だけでは、遷都という言葉は全く異なった意味を持っていた。鎌足としては都を遷すことに依って失うものと、それに依って得るものとを較《くら》べての上での献言であったし、中大兄としても瞬間その得失を計算した上での応諾であったのである。

「都を遷すことを奏請しても、主上はお諾《き》き入れにはなるまい」

中大兄は、一体を近付けている鎌足に漸く聞き取れる低い声で言った。

「左様。遷都しなければならぬ理由がありませぬ以上、お諾き入れにならぬは当然」

鎌足も亦《また》低い声で言った。

「お諾き入れにならぬことは承知の上で奏請する」

「左様」

「廟堂は二つに割れる」

「もともと二つに割れております」

「われわれは大和に遷る。主上はお残りになる」

「左様」

「群臣百官はわれわれと行を共にする」

「左様」

「行を共にしない者もある」

「いや、まず、ございますまい。二つに割れていた廟堂が一つにまとまることは必《ひっ》定《じょう》、一人残らず皇子に随《したが》って大和へ遷りましょう」

鎌足は言った。

「そうなって、初めて――」

中大兄は言葉を切った。そうなって初めて政令は一処から出、人心は一新すると言いたかったのである。お気の毒ではあるが、孝徳天皇にはこの際政治から離れて戴《いただ》かねばならぬ。いつかはそうして戴かねばならぬと思っていたが、いまその時期は来たのである。大化の政変直後、中大兄は自ら即位すべきところを、代わって孝徳天皇に位に即《つ》いて戴き、阿倍倉梯麻呂《あべのくらはしまろ》と蘇我石川麻呂《そがのいしかわのまろ》を左右大臣に任じた。謂《い》ってみれば改新への第一歩を踏み出すに当たっての仮の政治体制であったのである。既に倉梯麻呂は病死し、石川麻呂は謀反《むほん》の罪で自刃《じじん》している。そして、こんどは孝徳帝に政治からの退場を願わねばならぬ時期は来ているのである。こんど遣唐船問題で廟堂は二つに割れたが、このままでいる限り、二つに割れるのは、遣唐船問題に限らぬのである。

「大和に遷って初めて――」

その中大兄の言葉に対して、

「左様」

鎌足は頷《うなず》いた。中大兄が言おうとしたことが判ったのか、判らないのか、鎌足は、併し、大きく頷いたのである。

「そうなれば、また、――」

こんども、中大兄はここで言葉を切った。そうなれば、大和地方の豪族たちを完全に手懐《てなず》けることができると言いたかったのである。難波津へ遷都以来、大和に散らばっている有力な氏族たちは、新政への協調に於《お》いて兎角《とかく》冷たい態度をとることが多く、それが新政下の一つの難しい問題となっているが、都を再び大和に遷すことによって、こうした問題は解消するだろう。解消しないまでもその押えにはなる筈である。豪族、氏族の中には、中大兄、鎌足の独断専行をこころよしとしていない者たちも居るのである。

「左様」

こんども亦鎌足は頷いた。二人には二人だけに判る言葉のやりとりがあった。他の誰にも判らぬ二人だけの特別の受け答えで、二人は時々話をする。それから暫《しばら》く二人の間には沈黙が置かれたが、やがて、それを鎌足が破った。

「大和に遷っても、主上がこちらにお出でございますので、都は依然としてこの地ということになります」

鎌足は言って、

「大和の方は仮の行在所《あんざいしょ》で我慢して戴かなければなりませぬ。諸官衙、百官の邸宅、みな仮のもので間に合わせます。実際にそのようなことのための費用は節しなければならぬ現状でありますが、人心を引きしめるためにも、こうしたことも必要かと存じます」

「いかにも」

こんどは中大兄が言った。

「そして国の運命をかけた大事業として、専《もっぱ》ら遣唐船のことに当たります。政府の意気込みが官吏にも民にも伝わらぬ筈はありません。船へ乗り込む者たちの気構えも自《おのずか》ら違って参りましょう。そうなって初めて船も大洋の荒波を乗りきれるというものであります」

鎌足は言った。

三

この年の秋は早くやって来て、早く深くなって行った。巷《ちまた》では相変わらず遣唐船の噂《うわさ》があちこちで囁《ささや》かれていたが、ある日突如として全く信じられぬ噂が流れた。噂は忽《たちま》ちにして、燎原《りようげん》の火の如《ごと》く拡がり、あっという間に、都中をひっくり返してしまった。遣唐船の噂どころではなかった。

――中大兄皇子《なかのおおえのみこ》が大和《やまと》への遷都《せんと》を奏請し、天皇がお諾《き》き入れにならなかったので、天皇おひとりを残して、皇子は百官の朝臣を引き連れて、大和へ移ることになったそうだ。

最初から噂は正確だった。風聞といったようなものではなく、役人という役人が到るところで喚《わめ》きちらし、騒ぎ廻っていたので、それがそのまま巷々にちらばり、拡がって行ったのである。

役人も、兵も、民も、ただ一つのことを問題にし、それを知りたがっていた。つまり、都が大和に遷《うつ》ることであるか、それとも都は依然として難波津《なにわづ》であって、仮に暫《しばら》くの間政府機関の中枢《ちゅうすう》が大和へ移るということなのか、それを知りたかった。遷都ということになると、難波津は忽ちにして今日までの繁栄を棄《す》て、単なる港としての存在でしかなくなる。えらいことだ！　誰も彼もが顔を合わせる度に、この言葉を口にした。確かにえらいことであったのである。この噂と共に、都造りはぴたりと中止された。そして仕事をやめて、あちこちに屯《たむろ》している労務者の姿が見られた。

二、三日すると、第二の噂が流れた。

——都はこのままここに置かれるそうだが、役所は尽《ことごと》く大和へ移ってしまうらしい。都も大和に遷したいのだが、天皇がここからお移りにならないので、都を遷すことはできないという話だ。

人々は難波津が依然として都であると知ってほっとしたが、役所という役所が全部引き揚げてしまったあとの都がどのようなものかということになると、誰も見当が付かなかった。

それから更に二、三日すると、こんどはやたらにいろいろな噂が流れた。

――何でも都造りにたいへんな金がかかるので、そのことで、主上と皇子の間がうまく行かなくなったらしい。

――何でも、遣唐船が沈んだのは、贅沢《ぜいたく》な都造りが神の怒りに触れたためだということじゃ。それで、都造りを取りやめて、神の怒りが解けるまで、政府の主な者だけが大和へ移ることになったのだそうだ。

――いや、問題はこんど出す遣唐船にあるということだ。何しろ続いて三艘《そう》目を出すんだからな。たいへんな費用がかかる上に、唐国へ持って行く土産ものだけでも、都が二つぐらいできる額だということじゃ。それで、大和へ引き移って、金をやりくりすることになったらしい。

いろいろなことが言われたが、どの噂にも都造りに莫大《ばくだい》な費用を要することが取り上げられ、同時に必ずそれに遣唐船のことが絡《から》んでいた。こうした巷々の動揺とは違って、こんどのことで、一番大きい打撃を受けたものは朝臣たちであった。突然、政府の中枢機関が大和へ引き移ることになったので、その準備をするように申し渡されただけのことであった。

そして、こうした申し渡しがあってから十日ほど経《た》って、先発隊の一団が多くの労務者を連れて難波津の都を離れて大和へ向かった。更に十日ほどして、第二団が進発した。これと前後して、大和が上を下への大混乱を呈しているということが伝えられた。突然政府機関が引き移って行くので、その混乱はさこそと思われた。

十一月の終わりに、政府機関は何集団かになって、難波津の都を発《た》って行った。騎馬の集団もあれば、輿《こし》の集団もあり、また徒歩の長い隊列もあった。殆《ほと》ど信じられぬほどの短い期間に、政府機関を大和に移すという容易ならぬことは行われたのである。

巷の男女は毎日のように、呆然《ぼうぜん》とした面持《おもも》ちで、都を棄てて行く人々の列を眺《なが》めた。そして大集団の移動がなくなってからも、毎日のように十人、二十人と、都から大和へ向かう人の群れは絶えなかった。朝臣や役人たちの家族の一団もあれば、民の男女の群れもあった。こうした小人数の移動はこの年いっぱい続いた。

――依然としてここが都だというそうだが、こう毎日毎日、都から出て行っては、いまに誰も居なくなってしまうじゃないか。

都に残っていることにした男女も、その決心に動揺を来たした。自分たちも亦《また》、やがて大和へ移って行かねばならないのではないかと思った。実際に都は日々寂《さ》びれて行った。丘の上には無人の家許《ばか》りが並び、都大路も、人の住まぬ家の庭も、忽ちにして雑草のはびこるところとなった。宮殿は警固の兵たちに依《よ》って固められていたが、その兵たちも心なしか生気なく見えた。丘の上で人が住んでいるのは寺院だけであった。寺院だけは簡単に引越しができないので、どの寺院を覗《のぞ》いても僧侶《そうりょ》や尼僧《にそう》たちの姿が見られた。

都ががらんとしてしまった頃《ころ》から木枯《こがら》しが吹き始めた。丘の上から下町に吹き降ろして来ることもあれば、反対に下町から丘の上へと吹き上げて行くこともあった。風はいつもびゅうびゅうと音立てて吹き、枯葉を空高く舞い上げて行った。都に居残っている人たちは、変わったのは都許りでなく、風の吹き方まで変わってしまったと思った。

こうした騒ぎの中に歳《とし》は暮れ、暦は白雉《はくち》五年を迎えた。正月朔日《ついたち》の夜、都には異変があった。

初めこの異変に気付いたのは、丘の上の寺院の一つに住んでいる尼僧たちであった。本堂で鼠《ねずみ》の騒ぐ音がやかましいので、深夜燭台《しょくだい》を持って行ってみると、本堂の板敷も、廊下も、鼠の走り廻る音で埋められていた。一匹や二匹ではなかった。家という家が空屋になっているので、鼠たちは食物を漁《あさ》って寺院に集まって来たのかと思ったが、それにしてもどの鼠も戸外へ出て行くのが不思議に思われた。

下町で最初にこの異変に気付いたのは、正月の振舞酒に酔払って、夜遅く空屋の多い通りを家へと向かっていた若者だった。若者はさっきから小さい生物が自分の足許《あしもと》を走り去っているのに気付いていた。初めは別に不思議に思っていなかったが、眼を足許に落とす度に、鼠の姿を見るので、急に不気味になって、そこに立ち竦《すく》んでしまった。夜眼にはっきりと見ることはできなかったが、夥《おびただ》しい数の鼠が何集団かになって移動していることだけは明らかであった。

翌日、この異変は大勢の目撃者に依って語られた。そして誰言うとなく、都中の鼠が大和を目指して移って行ったということになった。

「大化元年に都がこの地に遷った時も、鼠という鼠が大和からここに移って来たものじゃ。こんどは反対に鼠がここから大和に行った。おそらく今年は本式に大和に遷都があるという前触れだろう」

そんなことを言う老人もあった。年の初めから都に残っている者たちの心は落ち着かなかった。

この白雉五年の正月を、ひとり淋《さび》しく迎えたのは孝徳天皇であった。大晦日《おおみそか》の夜から僧尼を内裏《だいり》に集め、設斎《せっさい》して、経を誦《ず》せしめたが、そうしたことでは心の安心は得られなかった。側近の者たち以外には誰も傍《かたわら》に侍している者はなかった。妃である間人皇后《はしひとのきさき》も亦《また》、新政の首脳者たちと一緒に大和に移ってしまっていたのである。

そうした孝徳天皇のお傍《そば》に仕える者は極く限られた者許《ばか》りで、その中に、額田女王《ぬかたのおおきみ》の姿が見られた。春になると、中大兄、大海人《おおあま》、鎌足《かまたり》等が公卿大夫《こうけいだいぶ》、百官の朝臣たちを引き連れて移って行った大和飛鳥京《あすかきょう》の噂が絶えず耳にはいって来た。難波津が都とは名のみで、日々寂びれて行く一方なのに、飛鳥京の方は反対に実質的に都としての殷盛《いんせい》さを日々加えて行くようであった。都造りが始められたということは聞かないが、推古朝の小墾田宮《おはりだのみや》も、大化の政変の舞台となった飛鳥板蓋宮《いたぶきのみや》もそのままの形で残されていて、旧都は依然として旧都としての体裁を保っており、多少の不便はあるにしても、政務の遂行には事欠かぬに違いなかった。久しく空っぽになっていた古い都に、また春は立ち返りつつあるのであった。

額田女王は、寂びれ行く難波京にあって、大海人皇子と住む場所を異にしたことで、却《かえ》って落ち着いた生活を持つことができた。同じ難波京に住んでいると、三度に一度は大海人皇子の呼び出しに応じなければならなかったし、大海人皇子の呼び出しがなくても、自分は自分で大海人皇子を意識の外に置くことはできなかった。額田はそうした自分との闘いが嫌《いや》であった。が、政府機関が飛鳥へ引き移って行ったお蔭《かげ》で、ふいに自由になり、解放された気持になることができた。神の声を聞く特殊な女として生まれ付いている自分を取り返すことができた。

それでも、思いがけぬ時、大海人皇子は自分が棄てて行った都に姿を現した。大海人が姿を現すと、否応《いやおう》なしに額田はその逞《たくま》しい腕に抱かれなければならなかった。逃げもしなければ、拒みもしなかった。なんのこだわりもなく大海人皇子の愛を受け、またそれが当然の返礼であるように大海人皇子に愛を与えなければならなかった。それが自分に課している愛の形であった。心は心、体は体、それぞれ別ものでなければならなかった。しかも、それが極く自然に行われねばならなかった。そうでなくては、神の声を聞く女としての自分を、自分の誇りを守ることはできなかったのである。要するに、額田は自分が普通の女になることを固く禁じていたのである。

大海人皇子は相変わらず、額田に逢う度に自分に対する愛の証《あかし》を求めた。はっきりと額田が自分を愛しているということを、自分が納得できる形で知りたかったのである。

「汝《なんじ》は永遠に俺《おれ》から離れることはできぬ」

「そのようになさりたいなら、いつまでもお離しにならないことです」

「俺が離しても、汝は俺から離れられないでついて来る」

すると、額田女王はこれ以上驚くことはないといった顔をして、

「本当にそんなことをお考えですか。そんなに都合よくわたくしはできてはおりませ

ん」

「汝は俺の子供を生んでいる」

「皇子《みこ》さまの子供は誰でも生めます。わたくしひとりが生めるものなら兎《と》も角《かく》、わたくし以外の誰でも簡単に生めます。現にもう他の方にお生ませになっていらっしゃるではありませんか」

大海人皇子はぎょっとする。妃尼子娘《あまこのいらつめ》が男子を分娩《ぶんべん》し、それに高市皇子《たけちのみこ》と命名したのはついこの間のことである。

額田女王は、大海人皇子と別れたあとで、自分で自分の心を確かめる。愛された悦《よろこ》びは残っている。が、この愛された悦びというものは一体何であろうかと思う。たまたま大海人皇子に拉《らっ》せられ、強引にこうした関係に立たせられたがために生まれて来た悦びではないか。

こうした思いに捉《とら》われている時、額田女王は宮廷に生きる美しい妃たちの顔を思い浮かべている。大海人皇子の方は、まだ二人の妃しか持っていないが、中大兄皇子となると、その妃の数は較《くら》べられぬほど多い。亡《な》くなった造媛《みやつこひめ》のあと、倭姫王《やまとのひめおおきみ》、宅子娘《やかこのいらつめ》、道君伊羅都売《みちのきみいらつめ》、そのほかに自分の知らぬ妃も居るに違いない。姉鏡女王《かがみのおおきみ》もそうした妃たちの中の一人である。何人かの妃たちが若い新政の権力者たちを取り巻いている。そうした女たちの顔を次々に額田は思い浮かべている。

そうした女たちの一人にならぬために、額田は、大海人皇子を自分にとって特殊な男性であると思うことから自分を守っている。大海人皇子はふいに現れて、額田の心と体に熱い烙印《らくいん》を捺《お》して、また帰って行く。額田はその熱い烙印と闘う。大海人皇子の跫音《あしおと》が聞こえなくなるまでに、額田はその火照《ほて》りを消さなければならぬのである。夜光虫の潮でも浴びたように、ぎらぎらした光の滴《しずく》が額田の体からしたたり落ちる。体許《ばか》りではなくて、心からもしたたり落ちる。その光の滴だけが大海人皇子の押した烙印を消すことができた。二十歳の額田女王の心に不貞に似た思いが顔を覗《のぞ》かせる時があるとすれば、こういう時なのである。


二月に二艘の遣唐船が難波津から発航することになった。このために何日か難波京は久しぶりに賑《にぎわ》った。寺という寺では法要が営まれ、朝に晩に鐘の音が早春の空気を震わせて聞こえた。

乗船前日、遣唐使一行は都にはいって来、重だった者が宮中に参内《さんたい》し、正式の任命を受け、最後の別れの盃《さかずき》を賜わった。こんどの遣唐使節団は、大体において巷の噂にその名を出していた人たちであった。去年の二つの遣唐使節団に較べると、ずっと大ものが顔を揃《そろ》えており、それだけにまた首脳部には老人が多かった。遣唐押使《おうし》として高向史玄理《たかむくのふびとげんり》、大使に河辺臣麻呂《かわべのおみまろ》、副使に薬師恵日《くすしえにち》、判官に書直麻呂《ふみのあたいまろ》、宮首阿弥《みやのおびとあみ》陀《だ》、岡君宜《おかのきみよろし》、置始連大伯《おきそめのむらじおおく》、間人連老《はしひとのむらじおゆ》、田辺史鳥《たなべのふびととり》といった面々、これらの人たちが二船に分れて乗った。

船出の騒ぎはこの前の時のようなことはなかった。見送りの家族たち以外は波止場には入れられず、見物人は港から遠ざけられた。従って、ひっそりとした静かな船出で、この前聞こえなかった鐘の音もはっきりと聞こえた。

中大兄皇子、大海人皇子、鎌足等もこの見送りのために当日難波京にやって来たが、船が港を出て行ってしまうと、都には留まらないで、すぐ飛鳥に引き揚げて行った。遣唐船騒ぎが静まると、難波京は一層ひっそりとした。国中の重だった者がみな二艘の船に乗って出て行ってしまったというような、そんな淋しい静けさであった。

四月に異国の男二人、女三人が日向《ひゅうが》に漂着し、五月にその漂流者たちが都にはいって来た。男二人、女二人は吐火羅《とから》国の者で、残りの女一人は舎衛《しゃえ》の者だということであった。吐火羅国という国がどこにあるか、舎衛というところがどこであるか、都の役人たちには判《わか》らなかった。頭髪も、皮膚の色も、風貌《ふうぼう》も全く見たことのない奇妙な男女で、五人が宮中に伺候《しこう》する日は、寂びれた都大路にも見物の男女が群れをなした。

額田女王も孝徳天皇のお傍《そば》に侍して、御前に引き出された五人の異邦人を見た。着衣はこの国のものを纏《まと》っていたが、言葉は全然解さず、ただ突立ったまま落ち着きなく視線をあちこちに投げていた。五人の異国の漂流者たちは都に二、三日滞在した後、大勢の兵に護衛されて、飛鳥へと運ばれて行った。

七月に、去年五月船出した遣唐船の一艘である大使吉士長丹《きしのながに》の船が筑紫《つくし》に帰り着いたという報《しら》せが都にはいった。使者はすぐに飛鳥に派せられた。本来なら都中沸き返るところであったが、そうした昂奮《こうふん》は見たくも見られなかった。

吉士長丹等が陸路難波京にはいって来たのは、秋の初めであった。馬や輿《こし》を連ねた長い隊列は秋の白い陽《ひ》を浴びて、人影の少ない寂びれた都にはいって来た。一行は都にはいると、直ちに宮中に参内、帰還の報告をし、それが終わると、都には留まらないで、その足で飛鳥を目指して行った。

異国の漂流者が来ても、待ちに待った遣唐使節団が帰って来ても、難波京はそのためにさしたる変化は見せなかった。もはや都であって、都でないと同様であった。孝徳天皇も、また天皇であって、天皇でないと同様であった。

併《しか》し、都とは違って、飛鳥は遣唐使節団の帰還で沸き返り、その昂奮がいろいろな噂となって伝わって来た。大使たちは唐国の天子に謁《えつ》し、数々の文書や宝物を持ち帰って来たということで、それぞれ昇進の沙汰《さた》があった。大使の小山上吉士長丹《しょうせんじょうきしちょうたん》は少花下《しょうけげ》を授けられ、副使の小乙上吉士駒《しょうおつじょうきしのこま》は小山上を授けられた。吉士長丹は姓まで賜わって呉氏を名乗ることになったということであった。そして遣唐使節団に対する慰労の宴席は毎日のように設けられているらしく、そうしたことが華やかに噂となって流れて来た。

こうした頃《ころ》のある日、額田は天皇が詠《よ》んだという歌を、側近の者から示されたことがあった。

鉗着《かなぎつ》け
吾《あ》が飼ふ駒は
引出《ひきで》せず
吾が飼ふ駒を
人見つらむか

自分の飼う駒は自分の自由にならず、自分以外の人が見ているのであろうかという意味の歌であった。明らかに飛鳥に去って行った間人皇后《はしひとのきさき》のことを偲《しの》んでの歌であった。間人皇后は夫である天皇から離れ、実力者である兄の中大兄皇子と行を共にしたのであったが、この一事から推しても、いかに中大兄皇子の言動が宮廷内を左右していたかが判るというものであった。

こうしたことがあって間もなく、孝徳天皇は病の床に就いた。天皇の病が篤《あつ》いという報が飛鳥に伝わると、さすがに棄てておけず、間人皇后を初め、中大兄、大海人、公卿たちは難波にやって来て、孤独な天皇を見舞った。併し、十月十日に病革《あらた》まって天皇は崩じた。殯宮《もがりのみや》が南庭に造られ、百舌鳥《もず》土師《はじのむらじ》連土徳《つちとこ》が殯宮のことを司《つかさど》ることになった。そしてこの年の十二月八日に、大坂磯長《おおさかのしながのみささぎ》陵に葬《ほうむ》り祀《まつ》った。

この間、新政の首脳者たちは難波京に留まっていたが、大葬がすむと、再び大和の河辺行宮《かわらのかりみや》に遷《うつ》った。こうして孝徳天皇の崩御と共に、難波京は実質的に都としての資格を失い、極く自然に都は大和に遷った。この年の初めに、難波津の鼠という鼠が都を離れて行ったが、やはりあれは遷都《せんと》の前兆であったと、巷では語り合った。

額田女王は亡《な》き天皇の霊を祀るために、何人かの者たちと難波の宮殿に居残った。そしてこの期間に、額田女王は亡き天皇の御子である十五歳の有間皇子《ありまのみこ》と何かと言葉を交わす機会を持ち、その皇子が優れた歌人としての資質を持っていることを知ったのであった。幼い時から頭脳明晰《めいせき》という点では同年配の皇族の中で群を抜いているという噂があったが、親しく侍するようになって、それが単なる噂でないことを知ったのである。

有間皇子

一

孝徳天皇が崩じると、その姉であり、また中大兄皇子《なかのおおえのみこ》、大海人皇子《おおあまのみこ》の生母である皇祖母尊《すめみおやのみこと》が即位した。この女帝は言うまでもなく前の皇極天皇であり、その短い治世は大化の政変に依《よ》って打ち切られたが、こんどわが子中大兄皇子に推されて重祚《ちょうそ》するに到ったのである。斉明《さいめい》天皇がこれである。

世人は孝徳天皇の歿後《ぼつご》は、勿論《もちろん》皇太子中大兄が位に即《つ》くものと思っていたが、意外にも皇祖母尊が重祚し、中大兄皇子は依然として皇太子の地位に留まることになったのである。中大兄皇子は大化の政変の時も、世人の思惑に反して孝徳天皇を樹《た》てたが、こんども亦《また》同じように母帝を樹てて、自分が政治の表面に出ることを避けたのである。大化の政変の場合と、こんどでは、中大兄のとった態度は同じであったが、世間の見方には多少の違いがあった。大化の政変の時は、政変の実力者としての自分を前面に押し出さないことで、一般に好感をもって見られたのであるが、こんどの場合にはそこに多少不自然なものが感じられた。母帝は既に六十歳を超えており、中大兄は三十歳、まさに壮年と言える年齢に達していた。中大兄が即位を憚《はばか》らねばならぬいかなる理由も考えられなかった。

——これから世の中はたいへんなことになって行くらしい。中大兄皇子が即位しないのは、皇太子のままで、俺《おれ》たちが考えられぬようなことを自由にやろうとしているからだ。

——いや、皇太子のままでやろうとしているのではなくて、皇太子のままでなくてはやれぬことを企《たくら》んでいるんだ。

そんな噂《うわさ》が巷《ちまた》のあちこちで囁《ささや》かれた。併《しか》し、中大兄が何を為《な》そうとしているかということになると、誰一人見当は付かなかった。ただ結果として租が重くなり、割り当てがきつくなり、民の生活はますます苦しくなる、そういった推量が行われているだけのことであった。また中には、

——中大兄皇子が即位すると、あと誰を皇太子に据《す》えるかという問題がある。中大兄は自分の御子を皇太子にしたいが、御子はまだその年齢に達していない。

そんなことを言う者もあれば、

——中大兄皇子が皇太子に留まっていれば、まあまあ世の中は曲がりなりにも治まって行くが、いったん即位したとなると、その日のうちに兵を挙げる者があるということだ。

と、物騒なことを言う者もあった。

問題の中心人物である中大兄皇子にしても、また皇子のただ一人の最もよき相談相手である鎌足《かまたり》にしても、必ずしもはっきりした形で、事態に対する認識を持っているわけではなかった。ただ二人は、二人以外の誰もが持たぬ予感を、全く同じ強さで持っていたのである。孝徳天皇崩御の直後、皇位継承者を決めなければならぬ時、二人は二人だけの時間を持った。

「皇祖母尊の重祚は？」

いきなり中大兄は口に出した。

「一番御心配のないことかと存じます」

少しの躊躇《ちゆうちよ》もなく鎌足は答えた。

「そうしておけば――」

「いかにも」

「そうしないより――」

「左様」

例に依って二人だけに判《わか》る会話が交わされてから、

「政変後十年、いよいよこれから新政に対して、民は勿論のこと、各地の豪族、氏族の間にも、不平不満の声は高まって参りましょう。そうした中で、こんどは都造りも始めなければなりません。宮殿の造築のこともあります。東北の蕃族《ばんぞく》も今のままで放置しておくわけには参りませぬ。半島の問題にも備えなければならぬかと存じます。また眼を御身の周囲にお向けになれば、必ずしも内輪に問題がないわけではございませぬ。政変後一番の多事多難な時期は、これから始まると考えます。十年、いや二十年、苦しい時期は続きましょう。その間、母帝に御健在であって戴《いただ》くことでございます」

「二十年か、これから二十年――、老いた皇太子になるであろう」

中大兄皇子は笑って言った。

「そうなれば、そのようなことができれば、祝着《しゅうちゃく》至極でございます。皇太子のままお老いになって宜《よろ》しゅうございましょう。その代わり、その頃《ころ》は、国は現在とは違ったものになっておりますが。臣には、二十年後のこの国の様がはっきりと眼に浮かんで見えます。皇室は国の柱として揺るぎなきものになっており、豪族も、氏族も、それぞれ分に応じて坐るべきところに坐っております。一木一草といえども国のものでないものはありません。巷には一片の不平を口に唱える者も居りません。国は富み栄え、民は日々の生業《なりわい》を楽しんでおります。都は、大唐のそれのように三市六街、整然たる街造りができ、宮城の甍《いらか》は何里もの彼方《かなた》から望めましょう。兵力は充実し、辺境の蕃族は尽《ことごと》く恩徳に化し、異国からの朝貢の使節の群れは、日ごと難波津《なにわづ》の港に上がり、大和に向かって参ります。そうなってから御位に即《つ》けばよろしゅうございましょう」

鎌足は言った。実際に、鎌足はこの時二十年後のこの国の力や都の繁栄の様を瞼《まぶた》に思い描いていたのである。こうした大きな夢に取り憑《つ》かれている時の鎌足は、いつもより寧《むし》ろ冷静に見え、口から出す言葉も静かであり、その眼も冷たかった。

額田女王《ぬかたのおおきみ》は斉明天皇の第一年を難波津の宮で過し、第二年の初めに飛鳥《あすか》の都に移って、新帝のお傍《そば》に侍した。額田と大海人皇子のことは、絶えず人の噂になっていたが、併し、噂は噂として、それが真実であるかどうかということになると、依然として誰にも判らなかった。間違いのない歴とした事実であると、誰も口では言ったが、と言ってそれの証《あかし》となる事実をつきとめているわけではなかった。

飛鳥の宮廷において、額田女王が心惹《ひ》かれた人物があるとすれば、孝徳天皇の御子である有間皇子《ありまのみこ》であった。皇子は父帝崩御のあと、父帝と同じような孤独な立場に置かれていた。父帝を失った時は十五歳であり、難波津から飛鳥へ移った時は十七歳であった。額田は先帝に仕えた関係から、有間皇子の許《もと》に伺候《しこう》する機会が屢々《しばしば》あり、聡《そう》明怜悧《めいれいり》な若い皇子の人となりに接することが多かった。この皇子のことを考えると、額田は考えただけで、心が静まり清まる思いがした。磨《みが》き研がれた玉《ぎょく》を見入っている時の思いに似ていた。異性に惹かれる思いとは違っていたが、併し、それとは全く別個のものとも言いかねた。鏡のように研がれた玉の魅力が、それを持つ冷たい肌《はだ》の手触りにあるとするなら、額田の若い皇子への惹かれ方にも、どこかにそのような官能的なものがあるかも知れなかった。

額田は、有間皇子と言葉を交わす度に、

「御歌がおできになりましたら、見せて戴きとうございます」

と言った。

「いや、まだ見て貰《もら》うようなものはできない。何も見せ惜しみをしているのではないが、本当にできないのだ。少しでも形の整ったものが作れたら、その時は見て貰いたい」

有間皇子は言った。

「難波津の都では、時折、御歌を見せて戴いて楽しゅうございましたのに」

「あの頃は、まだ歌というものを作り始めた許《ばか》りの頃だったから」

「お作り初めの頃でも、あのように御立派なものがおできになりましたのに」

「それに、あの頃は父の帝のお亡《な》くなりになった悲しみが深い頃だった」

いつも二人の間には、このような会話が交わされた。額田はお世辞でなく、若い皇子の作る歌を見たかった。毎日のように歌を作っており、それをどこかに書き記していることは明らかだったが、有間皇子はどういうものか決してそれを額田に見せようとはしなかった。一度だけ、有間皇子は、自分の歌を額田に見せない理由のようなことを口走ったことがある。

「自分は悲しみが深い時でないといい歌が生まれないような気がする。人にはそれぞれ分というものがある。悦《よろこ》びの歌を作る人もある。淋《さび》しさの歌を作る人もある。自分は悲しみの歌しか作れないような気がする」

十七歳の少年の言葉ではなかった。

「それなら、わたくしなどは、いかなる歌を作るのでございましょう」

額田が言うと、

「額田は普通の歌人とは違う。神の御心を、代わって詠《うた》う歌人だ。そうしたことのできる特別なひとだ。自分には神の声も聞こえないし、神の心も判らない。地上の人間として、自分ひとりの心を詠うほか仕方がない」

有間皇子は言った。額田は有間皇子との会話において、この時ほど暗然たる思いを持ったことはなかった。有間皇子が、ひたすらよき歌を作るために、悲運の到来を待っているかのような気がしたからである。

斉明天皇の元年の十月から、飛鳥の都造りは始められた。小墾田《おはりだ》に新しく宮殿を造る工事が大々的に始められた。こんどの宮殿の屋根は瓦葺《かわらぶ》きにするということで、そのことが巷の噂となった。深山幽谷から材木は運ばれ、大勢の労務者が民から徴せられて、それに当たった。併し、宮殿の建材として選ぶものは、どういうものか次々に枯れたり、朽ちただれたりした。そうしたことで、宮殿の造築工事は一時中止になった。

このことも不吉と言えば不吉であったが、もう一つ嫌《いや》なことが重なった。それは現在斉明天皇が住まっている板蓋宮《いたぶきのみや》が出火のため焼けたことである。放火に依《よ》るものであるとする見方が広く行われた。新宮殿の造築工事について、巷《ちまた》には非難の声が起っていたので、放火という見方も一概に否定できぬものであった。いずれにせよ、新政の首脳者たちにとっては思い出深い板蓋宮の殿宇《でんう》は灰燼《かいじん》に帰してしまったのである。斉明天皇は板蓋宮の焼失に依って隣接地にある川原宮《かわらのみや》に遷《うつ》った。

併し、この年には悪いこと許《ばか》りがあったわけではない。高句麗《こうくり》、百済《くだら》、新羅《しらぎ》の使者たちが貢物《みつぎもの》を献じるために、飛鳥の都にやって来た。中でも百済からの使者は百余人からなる一団で、これまでにも、これだけ多人数の朝貢使節団が来たことは少なかった。またこの年、北の蝦夷《えぞ》、西の隼人《はやと》が衆を率いて服属して来た。そして蝦夷、隼人の重だった者は、都までやって来て、それぞれ貢物を献じた。都はこうした事件でその時々に賑《にぎ》わいを見せた。

斉明天皇の二年の秋から、一時中止になっていた都造りの工事は再び始められた。前年には小墾田を新しい宮殿の候補地にしていたが、こんどはそこを廃《や》めて、新たに飛鳥《あすか》の岡本の地を選んだ。ここは曾《かつ》て舒明《じょめい》天皇の宮殿が建てられていたところで、その宮殿は飛鳥岡本宮《あすかのおかもとのみや》と呼ばれていたので、こんどの宮殿はそれと区別するために後《のち》の飛鳥岡本宮とでも名付けられるべきものであった。

この後飛鳥岡本宮の造営工事はひどく大がかりなものであった。宮殿をめぐって見渡す限りの広い敷地が予定され、田身嶺《たむのみね》（多武峰）の頂きにかけて延々と垣《かき》が廻《めぐ》らされ、山の背には二つの高楼も造られることになった。この高楼は傍《かたわら》に二本の槻《つき》の大樹があるところから両槻宮《ふたつきのみや》と名付けられた。

こうした宮殿造営の工事と同時に、大々的な都造りの工事も併せ行われた。飛鳥の岡本の地一帯は、忽《たちま》ちにして戦場のような騒ぎになった。香山《かぐやま》の西から石上山《いそのかみのやま》の麓《ふもと》にかけた水渠《すいきょ》が掘られ、そこに二百隻《せき》の船が浮かんだ。船はいずれも石上山から掘り出す石を積んで、それを水渠の末端である宮殿の東側の地に運んだ。船に石を積み込むところにも何百、何千という労務者がひしめいていたが、船から石を降ろす場所も、それに劣らずたいへんだった。ここにも何百、何千の労務者たちの姿が見られ、船から降ろした石を宮殿の東の山に運び、そこに石垣を築いていた。

こうした大工事に対して、巷では当然なこととして非難の声があがった。巷許りでなく、朝臣の間にも兎《と》角《かく》の批判が行われた。毎日のように労務者たちがたかっている水渠は、蔭《かげ》では〝狂心《たわぶれごころ》の渠《みぞ》〟と呼ばれた。そして、狂心の渠を造るために三万の人が、狂心の石の垣を造るために七万の人が集められたと噂《うわさ》された。

――宮殿を造る樹木は不思議なことに、みんなただれ、山の頂きはそうしたただれた樹木で埋まっているそうだ。

とか、

――いくら石を積んでも、どういうものか、石垣は自然に下から崩れて行くという話だ。

そんな噂があちこちで囁《ささや》かれた。

こうした非難の声が、中大兄皇子や鎌足の耳にはいらないわけではなかったが、二人は民の迷惑や民の非難は充分承知の上で、強引に押し切ろうとしていた。どんなに辛《つら》くても、都造りだけは急がねばならなかった。半島の三国からの使者の来朝は、ここ二、三年目立って繁《しげ》くなっており、そうした異国人たちを迎えるためにも、都らしい都が必要だった。また辺境の蕃族《ばんぞく》たちに対する威信の上から言っても、いかなることより、都造りを先きにしなければならなかった。鎌足は、これから十年かあるいは二十年、新政下の一番辛い時代が続くと言ったが、確かにその辛い時代は始まったのであった。

中大兄、鎌足がいっさいの采配《さいはい》を振っていることは、誰の眼にも明らかだったが、一般の非難の矢おもてには、斉明天皇が立たなければならなかった。

——主上にはお気の毒であるが。

とか、

——母帝には我慢して戴《いただ》かねばならぬ。

とか、そんな言葉が、毎日のように中大兄皇子と鎌足の間には交わされた。

都造りの最中に、高句麗、百済、新羅の使者がやって来た。この時は半造りの宮殿の庭に、紺の幕を大きく張り廻《めぐ》らし、その中で饗宴《きょうえん》を張った。

この年の暮に、天皇は新しい宮殿岡本宮に引き移った。まだ完全にはでき上がっていなかったが、新年の賀宴をここで張るためであった。女帝が新しい宮殿に移って二、三日経《た》った頃《ころ》、半島へ派していた使者の佐伯連栲縄《さえきのむらじたくなわ》、難波吉士国勝《なにわのきしくにかつ》等が百済より還《かえ》って来た。使者たちは異国から土産として鸚鵡《おうむ》ひとつがいを献上した。この見慣れぬ異国の鳥は誰の眼にも幸運と関係あるもののように見えた。

「このような鳥がこの国に参りましたことは、まさしく瑞兆《ずいちょう》と存じます」

朝臣たちは、口々にこのようなことを言った。併し、鸚鵡の出現が必ずしも瑞兆でないことは、間もなく証明された。新しい宮殿が火災の厄《やく》に遇《あ》ったのである。

年の暮も押し迫った頃、深夜、突然、新宮殿は、その一角から火を噴き出した。宮殿内は忽ちにして上を下への大騒ぎになった。老女帝を取り巻くようにして、大勢の女官たちが宮殿から避難し終わった頃は、宮殿の半分は紅《あか》い焔《ほのお》に包まれていた。

額田《ぬかた》はいったん女官たちと一緒に避難したが、再び焔の舞っている宮殿の敷地内にとって返した。若《も》し自分が起居している建物の棟《むね》に火の手が廻っていなかったら、そこから持ち出さねばならぬ二、三の書物があったからである。併し、額田はすぐそれを諦《あきら》めなければならぬことを知った。建物の中にはいるどころか、そこに近付くこともできないほどの火勢であった。

額田は宮殿を焼いている焔を、まだ半造りになっている築山《つきやま》の向こうから眺《なが》めていた。材木のはじける音が絶間なしに聞こえており、現場とはかなり隔っていたが、それでも焔の火照《ほて》りで頬《ほお》も額も熱いくらいだった。足許《あしもと》の地面は明るくなったり、暗くなったりしている。焔の舌が風のためにこちらに流れて来ると、あたりは急に明るくなり、植込みの樹木の葉の一枚一枚までがくっきりと見えた。が、いつもそれは一瞬のことで、すぐそれに代わって闇《やみ》が置かれた。

「額田！」

その声で、額田は一歩退《さ》がった。有間皇子《ありまのみこ》の声であった。

「額田！」

「はい。皇子さまでいらっしゃいますか」

「そう」

「いつ、ここにお出でになりました」

「さっきからここに立っている」

「存じ上げず、失礼をいたしました」

額田は言った。その時またあたりが明るくなった。額田は思わず周囲を見廻した。若い皇子が植え込みの中に体を半分埋めるようにして立っている。辺りは幾度か明るくなり、幾度か暗くなった。その間、二人は言葉を出さず宮殿を焼く紅い焔の躍りを見守っていた。怪しい美しさであった。

「難波《なにわ》では火が出るようなことがなかったが、ここでは度々火が出る」

ふいに有間皇子は言った。低い声で言ったのに違いなかったが、それははっきりと額田の耳に届いた。額田ははっとした。有間皇子が言ったことは、確かにその通りであったが、誰も口に出してはならぬことであった。殊《こと》に有間皇子の口から出ると、それは別の意味を持って受け取られかねなかった。

若し、有間皇子がもう一度、同じような言葉を口から出したら、たとえ二人だけの席であるにしても、額田は相手を窘《たしな》めるつもりであった。

が、若い皇子は再びいかなる言葉も口から出さなかった。この頃になって、木のはじける音に混じって、消火に当たっている男たちの叫びが遠く、近く聞こえて来た。

「では、失礼いたします。皇子さまも、お引き取り遊ばしますように」

額田は言って、そこを離れた。額田は火事場を中心にして、それを遠く取り巻くようにして歩いて行った。そのうちに、あたりには人の動きが感じられるようになった。何人か集まって焔を見上げている集団もあれば、そこらをやたらに走り廻っている者たちの姿も眼についた。

宮殿の大棟《おおむね》が崩れ落ちる音が響き渡り、火の粉が夜空一面に噴き上げられた時、額田は足を停めた。そして、また暫《しば》く焔の舌のめらめらとした怪しい躍りを見守っていた。

「額田!」

「は!」

額田は一歩退いた。こんどは有間皇子の声ではなかった。

「難波では火が出るようなことがなかったが、ここでは度々火が出る」

瞬間、額田は全身の血が凍りつくような思いに打たれた。幻聴だと思いたかったが、幻聴ではなかった。ゆっくりと、重い声で、相手ははっきりと言ったのである。さっき有間皇子が口に出したことを、そっくりそのまま、同じ言葉で言ったのである。

額田は身動きができないで、息を詰め、体を固くして、そこに立っていた。どれだけの時間が過ぎたか判《わか》らなかった。あるいは、何程の時間も過ぎず、相手が言葉を出すと、殆《ほと》んどそれと同時のことであったかも知れない。額田は自分の手が相手の手に握られるのを感じた。額田は手を相手に任せたまま、身を固くしていた。平常の額田なら、

――失礼いたします。

そう言って、相手の手から自分の手を抜き取ったに違いなかったが、いまはそれができなかった。有間皇子が言ったと同じことを相手からぶつけられており、気が動顚《どうてん》している最中だった。

「あの――」

と言ったまま、額田は自分でもどうしていいか判らなかった。満身の力を籠《こ》めて振りほどこうとしても、相手の手に収められている手はどうにもならぬような気がした。すると、そうした額田の気持を知ったのか、相手は低い声を出して笑うと、それと同時に額田の手をはなし、

「早々に引き取るよう」

その声で、額田はそこを離れた。背にまた低い笑い声が聞こえた。額田は相手が誰

であるか知っていた。中大兄皇子であるに違いなかった。額田は相手の顔を確かめてはいなかったが、中大兄以外の人であろう筈《はず》はなかった。

この新宮殿の焼失事件ほど都に住むすべての人に不気味な思いを懐《いだ》かせたものはなかった。朝野の別なく、あらゆる男女が、この事件を単なる火災と見ることはできなかった。巷々には流言が乱れ飛んだ。当然なこととして、放火の説をなす者が多かったが、それ許《ばか》りではなかった。こんどの事件は神意に依《よ》るものであるとし、新宮殿を焼く焔の中に怪異があったというようなことも言われた。自分の眼でそれを見たと言う者も一人や二人ではなかった。大きな鳥が宮殿の大棟を焼く焔の中から飛び出したとか、焔の舌がまっ直《す》ぐに天に向かう度に、何とも言えぬ不気味な歌声がどこからともなく聞こえていたとか、そんなことがまことしやかに囁《ささや》かれた。火災三日後に、政府はこうした流言を取り締まるための触《ふ》れを出した。人心が動揺するので棄《す》てておけなかったのである。

都中の人が宮殿の火災に依って大きい衝撃を受けていたが、若し受けていないものがあるとすれば、それは中大兄皇子と鎌足であった。焼けてしまったものは仕方ない。焼けてしまった以上、厄介《やっかい》なことだが、新たに宮殿を建て直す以外仕方あるまい。二人はこう考えていた。ほかにいかなる考え方もなかった。

「工事を急いだことが火災の原因を作ったと思います。こんどはゆっくりと何年かがかりで、慎重に工事を運ばねばなりませぬ。その代わり、前に何倍かする大宮殿ができ上がりましょう」

「巷には放火の噂が流れているそうだが」

「放火であったとしても、いささかも不思議はございません。もう暫くの間は、そういう時代でございます。たかが放火ぐらいで事がすめば、まあ結構とせねばなりますまい」

「神の怒りに依るものだとの説もあるそうだが」

「そう、神意に依るものだとの説が専《もっぱ》らのようでございます。これも考え方で、慌《あわただ》しい都造りや宮殿造りに、神のお怒りがあったかと存じます。こんどは神がお怒りにならぬような大規模な工事を、何年かがかりで始めなければなりません」

鎌足と中大兄皇子の間にはこのような会話が交わされたが、これは間もなく実行に移された。巷には前に何倍かする大宮殿造営の噂が流れた。そしてそれを実証するかのように、夥《おびただ》しい数の労務者が何集団かになって都から出て行った。こんどの宮材は遠国から運ばれるということであった。何でも火にも焼けない木が近江《おうみ》の山にあり、労務者たちはそれを採りに行くのである。そんなことが言われた。

二

斉明《さいめい》天皇の三年の春ほど、額田女王《ぬかたのおおきみ》にとって、慌しく思われた春はなかった。都は相変わらず宮殿造り、街造りの騒がしさに明け暮れ、春を迎える楽しさも、春を送る淋《さび》しさもなかった。春の陽光はただいたずらに白く、うつろであった。

火災後造られた仮御殿の庭に散るその白くうつろな陽光に眼を当てながら、額田は何度思ったことであろう。——ああ、何事かがやって来る！　確かに何事かはやって来ようとしていた。それが額田には判《わか》った。神の声が聞こえるように、その何事かの跫音《あしおと》が聞こえた。

額田は新宮殿の焼ける夜、有間皇子《ありまのみこ》の口から出た言葉と、全く同じ言葉が中大兄皇子《なかのおおえのみこ》の口から出たことを思うと、その度に絶望的な思いに突き落とされた。

——難波《なにわ》では火が出るようなことがなかったが、ここでは度々火が出る。

絶対に他人に聞かれてはならぬ言葉を、迂闊《うかつ》にも有間皇子は口走ってしまったのであり、それを人もあろうに、中大兄皇子に聞かれてしまったのである。自分と有間皇子以外には誰も居ないと思っていたあの築山の向こうの闇《やみ》の中には、中大兄皇子が立っていたのである。それ以外考えようはなかった。

　難波では宮殿が焼けるというような事件はなかったが、飛鳥《あすか》ではそうした不祥事が度々あると口に出して言うことは、有間皇子の場合に於《お》ては政治への批判に他ならなかった。有間皇子はそのようなつもりで口にしたのではなかったかも知れないが、そのように受け取られても仕方ない言葉であり、立場であった。それをたまたま自分の耳に入れた当の新政の責任者である中大兄皇子は、どのような気持で聞いたであろうか。どう考えても、心平らかであろう筈《はず》はなかった。

　しかも不気味に思われることは、中大兄皇子が、それを心の中にしまっておかないで、自分という第三者に聞かせるという態度をとったことである。それは有間皇子への挑戦《ちょうせん》とも、復讐《ふくしゅう》の宣言とも、額田には受け取れた。そうでなくてさえ、現在中大兄皇子にとって、若《も》し将来自分に対抗する鬱陶《うっとう》しい存在があるとすれば、それは有間皇子以外の人ではなかった。孝徳天皇に対する中大兄皇子たちの仕打ちを、御子として有間皇子がいかに思っているかとなると、中大兄にとって決して気持のいい相手ではなかった。しかも誰からも聡明怜悧《そうめいれいり》な若き皇子として見られている。一般の新政への批判は、当然その反対のものとなって皇位継承の資格を持っている有間皇子へ集まって行くであろう。実際に既に、そのような声は再三ならず額田の耳にもはいっているのである。

新宮を焼く赤い焔《ほのお》、ゆらゆらと揺れ動く焔の舌、そして中大兄皇子の口から出た不気味な言葉、一体、あの夜には何が行われたというのか。ここまで来て、額田はふいに眩暈《めまい》に似たものを感ずる。中大兄に取られた手の感触を思い出すからである。振りほどこうとしても絶対に振りほどけない盤石《ばんじゃく》のような重さ。

――ああ！

額田は思わず四辺《あたり》を見廻す。自分の口から出た低い叫びを誰にも聞かれなかったことでほっとする。有間皇子をついと邪慳《じゃけん》に向こうへ押し倒した手が、その同じ手がこんどは間髪を容《い》れず自分の方へ伸びて来る。ぐいと手繰《たぐ》り寄せられる。

――ああ！

こんどの叫びは自分の心の内部に向けられる。額田女王は必死に逃れようとする。が、併《しか》し、絶対に逃れられないことだけが判る。このあたりで、額田はわれに返って、夢とも現実《うつつ》とも判らぬ白昼夢の世界から立ち上がる。このように、いつも有間皇子に関しての思いは、途中から別のものに変わって行った。一つは神の声を聞く女としての有間皇子の持つ運命への予感であり、一つは同様に自分自身の持つ運命への予感であった。二つは全く別種の関連のないものであったが、その間に中大兄皇子が坐っている。

額田は白昼夢の世界から醒《さ》めると、榻《とう》から立ち上がって、春の陽光の散っている庭へ出る。庭を歩き出すと、額田は神の声を聞く女としての誇りを取り返す。いかなる運命が訪れて来ようと、それが何であろう。自分の何ものをもかえることはできないのだ。この世に中大兄皇子の権力に対抗できる者はないであろう。若し中大兄が自分を求めるなら、大海人皇子《おおあまのみこ》としても拒むことはできないかも知れぬ。併し、そうした中大兄の権力でさえ、自分だけはどうすることもできないのだ。神の声を聞く女として生まれ付いている自分が、どうして人間の声を聞くことができよう。自分にとって、中大兄皇子が何であろう。大海人皇子がもう一人できるだけのことである。

額田はゆっくりと歩む。額田の心からは有間皇子も、中大兄も、大海人も消える。額田女王は本来の額田女王に立ち返る。ああ、何ものかを欲しいと思う。まさしく何ものかである。額田にもその何ものかの正体がはっきりしているわけではない。ただ判っていることは、その中に心も体も全部投入し、大きくたぎり立つ思いの底から天地を揺り動かすように詠《うた》い上げて行くことのできるものである。悦《よろこ》びは春の光のように、悲しみは潮のうねりのように詠われねばならぬだろう。ああ、そのようなものを欲しいと思う。

額田のこうした思いは烈《はげ》しい恋情に似ていた。ただその恋情が、大海人にとっても、中大兄にとっても残念なことには、この人の世のものに向けられたものではないことであった。額田が熱っぽい思いで恋い恋うているものは、国の運命とか、民族の叫びとか、そうした個人を超えた大きなものに関したものであった。謂《い》ってみれば、それは神の悦びであり、神の悲しみであった。

この年の夏に、吐火羅《とから》国の男二人と女四人が筑紫《つくし》に漂着した。最初海見嶋《あまみのしま》（奄美《あまみ》大島）に打ち上げられ、それから更に筑紫へと漂い流されて来た者たちであった。この漂流者が召されて都に姿を現したのは秋の初めであった。そして七月十五日の盂蘭盆《うらぼん》会《え》の折、吐火羅人たちは召され、酒食を賜わった。宴席の設けられたのは槻《つき》の木のある広場であった。この広場は以前から種々の催しの行われる場所になっており、外国の使節たちが饗《きよう》されるのは大抵この場所であった。

この異国の漂流者の賜餐《しさん》の折、小さい事件があった。一列になった吐火羅人たちの姿が遠くに見えて来た時、額田は天皇に侍して会場にはいった。朝臣たちがそれぞれ所定の席に就いた時は、漂流者たちは会場の入口にその異様な風体《ふうてい》を現していた。ひと眼見た限りでは、男も女も区別できなかった。いずれも気おくれしておどおどしているように見えた。

「男が二人、女が四人だと言うことだから、先頭の二人が男であろう」

額田は傍《かたわら》で誰かが囁《ささや》くのを聞いた。

「いや、あとについて来る方が男であろう」

そんな声も聞こえた。が、そのいずれが正しいか、額田にも見当が付かなかった。まんやがて漂流者たちが玉座の方に向かって一列に並んだ時、額田はおやと思った。まん中に並んでいるのは有間皇子ではないかと思った。はっきりとその一人の人物の服装だけが異なっていた。漂流者たちは六人の筈であったが、そこに並んでいるのは七人であり、しかもその一人は、どう見ても有間皇子である。

七人の整列者はいっせいに頭を下げた。その時、既に事件は始まっていた。何人かの者がその方に走って行くのが見え、やがて、その者たちの手で整列者の一人は列外に連れ出されようとした。額田は異様な思いで、その小さい混乱を見ていた。有間皇子に違いなかった。皇子は連れ出そうとする者たちの手を払い、何か叫んでいた。連れ出そうとする者たちも相手が皇子であるので手荒いこともできかねるといった恰好《かっこう》で、近寄ったり、離れたりしている。

額田が次に見たものは、更に異様な光景であった。有間皇子は漂流者の列から飛び出したとみると、いきなり地面に両手をついて逆立ちしたのであった。逆立ちはうまかった。まっ直《す》ぐに両脚を突き上げたままで、手を脚の代わりに使ってこちらに移動して来つつあった。もうこうなると、誰の眼にも事件の性質ははっきりして見えた。やがて、有間皇子は何人かの者の手で取り押えられ、場外に連れ出されて行った。

有間皇子が狂った！　あちこちで囁かれた。それから何事もなかったように賜饗のことは運ばれて行ったが、そこに居るすべての者は有間皇子のことに心を奪われていて、珍しい見ものも、それほど人気はなかった。吐火羅人の男女がいかなる皮膚の色をしていようが、いかなる頭髪の色をしていようが、有間皇子が狂ったという事件ほどの関心は集められなかった。

こうしたことがあってから、有間皇子はめったに自分の館から外に出ることはなかった。たまに夕刻などに館の周囲を歩くことがあったが、それはもはや常人の姿ではなかった。風にでも吹き押されて行くように、妙に重量感のない足取りでふらふらと歩いて行き、時々立ち停まると、怪しい笑い声を口から出した。

有間皇子の発狂は誰の眼にも痛々しく見えた。幼い時から余りにも聡明であったので、とうとうこのような事になってしまったと言う者もあれば、気の毒ではあるが、まあ、これで有間皇子の身の上も安全になったと見る者もあった。

額田は、併し、有間皇子が本当に狂っているとは信じられなかった。狂人を装うことに依《よ》って、中大兄の関心を自分から外そうとしているに違いないと思われた。自分の身に危害が及ぶことを避けるには、この方法しかないと、有間皇子は思ったのである。額田にはそうした若い皇子が痛ましく哀れに思えた。併し、額田は世の人の全部を欺《あざむ》こうとも、ただ一人欺かれぬ人物があると思った。中大兄である。新政の権力者がどうして、このようなことで自分の敵を許すであろうか。

額田は狂ってからの有間皇子に二回会った。一回は傍に人が居たので、額田は皇子に声をかけなかったが、他の一回は、周囲に誰の姿も見えない時であった。額田は広い宮城の敷地を突切って田身嶺《たむのみね》の麓《ふもと》の方へ歩いて行く皇子のあとについて行った。宮城の内部とは思えぬほど萩《はぎ》の咲きこぼれている原野が続き、その果てが雑木の林に続いている。陽《ひ》は西に傾いてはいたがまだ暮方という時刻ではなく、弱い秋の陽があたりに散っていた。

「皇子さま」

額田が声をかけると、有間皇子は背後を振り向いた。髪は額に乱れており、衣服の着方も普通ではなかった。

「お狂いになられ、おいたわしいことでございます」

額田が言うと、

「きっ、きっ、きっ」

と、有間皇子は奇声を発し、あとは怯《おび》えたようにあとずさりして行った。

「お狂いになられてから、お痩《や》せになられました」

すると、有間皇子は自分の頬《ほお》に両手を当て、それから自分の手首を眼の前にかざした。額田が痩せたと言ったので、本当に痩せているかどうかをあらためる仕種《しぐさ》であった。併し、その仕種は、やはり常人のそれではなかった。

「牟婁《むろ》（紀州白浜）の温泉《いでゆ》はお体によろしいのではないでしょうか。同じようにお狂いになっているにしても、牟婁は海浜の温泉でございます。そこの方がお気持が休まりましょう」

額田は言った。すると、有間皇子は再びきっ、きっ、きっ、と奇声を発し、また怯えた表情をとると、額田の横をくぐり抜けて、いま来た道を駈《か》け戻《もど》って行った。額田は追わなかった。

――やはり狂っている！

額田は思った。

——狂ってはいるが、どんなに狂っても、なお狂っていることを信じない人間がひとり居る。

額田は有間皇子が駈けて行った原野を暗い気持で歩いて行った。有間皇子が本当に狂っていることを何とかして中大兄に信じさせたかったが、それはいかなる方法を以《もっ》てしても不可能なことに思えた。


有間皇子が狂った年の秋、新羅《しらぎ》に行っていた沙門智《しゃもんち》達《だち》、間人連《はしひとのむらじ》御廐《みうまや》、依網連稚子《よさみのむらじわくご》等が帰って来た。沙門智達等は新羅の使者の案内で入唐《にっとう》するつもりであったが、新羅の方でこちらの要求に応じなかったので、目的を果たさずに帰国するの已《や》むなきに到ったのであった。新羅のこのような態度は、こんどが初めてのことではなかったが、飛鳥の朝廷にとっては何とも言えず不快な事件であった。この上は、新羅を経ないで直接入唐する以外仕方がなかった。

この沙門智達等の帰還に前後して、こんどは百済《くだら》に行っていた阿曇連頬垂《あずみのむらじつらたり》、津臣《つのおみ》傴僂《くつま》等が帰国し、駱駝《らくだ》一頭、驢馬《うさぎうま》二頭を土産として献上した。駱駝と驢馬はものものしい警戒のうちに、都大路を王宮へと引かれて行った。当日は珍奇な動物を見ようとする男女が、朝早くから駱駝の通路となる道の両側に列を作った。巷《ちまた》の人々は、このような珍しい動物が海を渡って都にはいって来たことに不気味なものを感じた。いいことの前兆であるか、悪いことの前触れであるか、すぐには決めかねた。駱駝に対していろいろなことが言われている最中、突然石見国《いわみのくに》に白狐《びやっこ》が現れたという報《しら》せがはいって来た。白狐が現れることは昔から上瑞《じょうずい》とされていたので、白狐のお蔭《かげ》で、駱駝も上瑞のお裾《すそ》わけに与《あずか》る結果になった。巷では、白狐が現れたり、駱駝がやって来たりするくらいだから、来る年は何かいいことがあるに違いないと噂《うわさ》し合った。

斉明《さいめい》天皇の四年の正月、左大臣巨勢臣徳太《こせのおみとこだ》がみまかった。大化五年四月に大臣に任じて以来、中大兄、鎌足等を援《たす》けて常に帷幄《いあく》に参じていたが、六十六歳で他界したのであった。白狐や駱駝が現れたにも拘《かかわ》らず、正月早々、巷の男女は長い葬列が寒風の吹き荒《すさ》む都大路に続くのを見なければならなかった。

この年の冬は長かった。三月にはいっても雪が舞う日があった。春がそこまで来ているのに、いっこうに寒さの衰えぬ三月の初めに、額田《ぬかた》は久しぶりで有間皇子と顔を合わせた。有間皇子は去年の秋以来ずっと、狂った心と体を牟婁の湯に養っていたが、湯治の結果がよく、精神も肉体も一応常態に復したということで再び都に帰って来たのであった。そもそも牟婁の湯へ行くことを狂心の皇子に勧めたのは額田だったので、額田としては狂気の去った美貌《びぼう》の若い皇子の姿を見ることは嬉《うれ》しかった。

有間皇子は天皇に謁《えつ》して、己《おの》が病患を癒《いや》した紀の国の気候、風土を称《たた》えて、

「ただあの国の美しい自然に触れただけで、私は病気をすっかり癒すことができました」

と言った。女帝はそれを聞いて大いに心を動かし、自分も亦《また》、今年はそこへ行って、老いた体を養うだろうと仰《おお》せになった。

併《しか》し、額田は有間皇子から狂気が去ったことを悦《よろこ》ぶと共に、また再び言い知れぬ不安に突き落とされないわけには行かなかった。同じ不気味なものが皇子を目指しているにしろ、まだ狂気であるということで、多少ともその到来を先きに押し遣《や》っているところがあったが、正気に戻ったとなると、そういうわけには行かなかった。

ある時、額田が有間皇子と二人だけになった時、皇子は言った。

「一度狂気になってしまったから、もう自分の一生は廃人である。世の片隅《かたすみ》で歌でも作って過す以外、いかなる生き方もない」

額田は静かに首を左右に振った。本当にこの若い皇子は、そのようなことを考えているのであろうかと思った。なるほど一度発狂してしまった以上、いつまた発狂しないものでもなかった。当然そういう見方は行われる筈《はず》であった。だから、もはや自分に対する世間の期待というものは考えることはできない。あらゆる競争の圏外へ追い

やられてしまっている。有間皇子はそう考えているに違いなかった。併し、額田はそうは思わなかった。あるいは世間一般はそのような見方をするかも知れなかった。が、一方には、そういう見方をしない者もある筈であった。少なくとも一人はあるに違いなかった。

有間皇子は額田が首を左右に振ったことの意味が解《げ》せぬらしく、

「自分はただ一生を歌だけを作って生きて行けばいいのだ」

と、重ねて言った。実際に現在の有間皇子は歌を作るということ以外に、この世で何も望んでいないに違いなかった。権力の座など、凡《およ》そこの皇子からは遠いものである。ただ怜悧《れいり》聡明《そうめい》な生まれ付きと、先帝の御子であるということと、そして新政に対する世人の批判が、兎角《とかく》、この皇子に照明を当てる結果になり勝ちなだけのことである。

額田はこんども亦《また》、首を左右に振らねばならなかった。なかなかどうして、事態はそんな生易《なまやさ》しいものではない。歌を作って生きて行く、ただそれだけのことさえも難しいということを、相手に知らせたかったのである。

そうした額田の仕種を、有間皇子はどうとったのか、ふいに表情を変えると、寧《むし》ろ晴れ晴れとした顔になって、

「牟妻では毎日のように海を見て暮らした。海を見ていると、いつも歌を作りたくなった。が、とうとう額田に見せるようなものは一作もできなかった。それが残念だ」

そんなことを言った。

額田が有間皇子と会話らしい会話を交わしたのは、これ一回だけだった。と言うのは、それから数日すると再び有間皇子が狂ったということが伝えられた。こんどは館《やかた》に閉じ籠《こも》ったまま、一歩も外に出ず、人の顔さえ見れば怯《おび》えて逃げ匿《かく》れしているということだった。額田は有間皇子の狂心が真実であるか否《いな》か見当が付かなかった。狂気を装っているようにも思え、また本当のようにも思えた。

額田は一度有間皇子をその館に訪ねた。皇子は額田の顔を見ると、

「海が光る、波が光る」

と口走り、あたかもその光から自分を覆《おお》いでもするように、両手を前に翳《かざ》して、怯えた表情で後ずさりして行った。そして、

「海が光る、波が光る」

同じことを繰り返しながら、部屋の隅から隅へと逃げ廻った。額田から逃げ廻っているのでなく、強烈な光線でも感じているのか、それを避けんとでもするかのように、絶えずその位置を狂人独特の動作で移動しているのであった。

額田にはやはり、有間皇子が狂心を装っているとは見えなかった。表情も仕種も、どう見ても正常人のそれではなかった。

四月になると、阿倍臣比羅夫《あべのおみひらふ》が夥《おびただ》しい数の軍船を率いて、蝦夷《えぞ》征討の途に就いたということが、朝野の噂《うわさ》となって流れた。阿倍氏は代々異族征討に武勲を樹《た》てている家《いえ》柄《がら》で、その祖は崇神《すじん》天皇の命を受けて北陸、東海を征討した大彦命《おおひこのみこと》である。大彦命の後裔《こうえい》では阿倍氏が最も顕《あらわ》れ代々東北に勢力を張り、比羅夫の時に到って、蝦夷鎮圧の出陣の回数は数えることができないと言われていた。その阿倍臣比羅夫の出征には大きい期待がかけられていた。飛鳥《あすか》の寺々では、戦捷《せんしょう》を祈願して法会《ほうえ》が営まれたり、鐘が鳴らされたりした。併し、何と言っても戦闘は遠隔の地のことではあり、都の男女にはさして身近な問題には感じられなかった。

五月に皇孫建王《たけるのみこ》が八歳にして薨《こう》じた。中大兄皇子と蘇我石川麻呂《そがのいしかわのまろ》の娘である造媛《みやつこひめ》の間にできた皇子であり、不幸なことに唖であった。造媛は父石川麻呂自刃《じじん》のあと、悲歎《ひたん》の余り他界していたので、建王は二人の姉大田皇女《おおたのひめみこ》、鸕野皇女《うののひめみこ》と共に、祖母に当たる斉明女帝の許《もと》で育てられていたのである。今城谷《いまきのたに》の上に殯屋《もがりや》がたてられ、遺骸《いがい》はそこに収められた。斉明天皇は不幸な生まれ付きの皇孫を特に寵愛《ちょうあい》していたので、その死に当たっての悲歎は大きかった。傍《はた》で見る眼も痛ましい程であった。
斉明天皇は群臣に詔《みことのり》して、自分の死後には、皇孫の霊を己が陵《みささぎ》に合わせ葬《ほうむ》るように命じた。額田が老女帝に眼を見張るような思いを持ったのは、皇孫の死に対する悲歎を何首かの歌に表現した時であった。

今城《いまき》なる　小丘《をむれ》が上に　雲だにも
著《しる》くし立たば　何か歎かむ

幼き可憐《かれん》な皇子が眠っている今城の丘の上に、せめて雲なりとはっきりと立てば、それを愛する者のかたみとして心を慰め、現在のように明けても暮れても、歎き悲しみはしないでありましょうのに。

射《い》ゆ獣《しし》を　繋《つな》ぐ川辺の　若草の
若くありきと　吾《あ》が思《も》はなくに

手負いの猪《いのしし》にも比すべき老いたわが身の生き甲斐《がい》であった可憐な孫よ。川辺の若草ほども若いとは思っていなかったのに、それなのに、どうしてこの世から居なくなってしまったのか。

飛鳥川《あすか》　漲《みなぎら》ひつつ　行く水の
間《あひだ》も無くも　思ほゆるかも

飛鳥川は今日もまんまんと水を湛《たた》えて流れている。流れ、流れ、片時も休むことはない。自分が亡《な》き可憐な孫を思うのも、丁度その流れの休むことなきに似ている。朝から晩まで、もう再び眼にすることなき愛する者のこと許《ばか》り思い続けている。

額田はこうした女帝に仕えていた。額田は天皇の皇孫を思う歌で、今まで気付かなかった心の内部のものを大きく揺り動かされるような思いを持った。これは言うまでもなく人間と人間との関係から生み出された歌であった。老女帝と皇孫という、一組の人間と人間との関係から生み出された歌であった。一人の人間の最も人間らしい心の叫びであった。

額田はその歌が示しているように皇孫建王の死の悲しみから立ち直ることのできぬ女帝に、少しでも慰めになるようにと思って真心をもって仕えた。額田は難波津《なにわづ》の都で自分から去って行った愛する妃を慕っている孤独な孝徳天皇に仕えたが、こんどは飛鳥の都で幼き者の死に身も世もなくなっている斉明天皇に仕えていた。

併し、額田女王は二人の貴人が陥った孤独や悲しみに、いついかなる時でも、自分を置くようになろうとは思っていなかった。大海人皇子《おおあまのみこ》を恋慕する歌も作らなければ、大海人皇子との間に生まれたわが子十市皇女《とおちのひめみこ》を思う歌も作らなかった。額田は女であることも、母であることも、己れに禁じているのであった。女であることを許せば、たちどころに女としての誇りは傷つけられ、嫉妬《しっと》に身も心も焼かねばならなかった。母であることを許せば、わが子の将来を思って血眼になって政治の黒い流れの中に身を投じなければならなかった。

嫉妬に身を焼くと言えば、そうした事件はこの一、二年に相次いで起こっていた。建王の姉に当たる大田皇女は斉明天皇の二年に、鸕野皇女は翌三年に、共に大海人皇子に妃として迎えられていた。二人ともまだ少女と言っていい稚《おさな》い妃であった。中大兄皇子は二人の皇女を弟皇子に妃として与えたのである。

額田が若《も》し女であり、母であることを自分に許すなら、既にこの時から額田女王は平静な心で一日も過すことはできない筈であった。二人の皇女に対する嫉妬もあったし、やがて大海人と若い妃たちの間に生まれるに違いない御子に対して、わが子十市皇女を守らなければならぬ母としての本能もあった。であればこそ、額田は神の声を聞く女としての自分をどこまでも貫かねばならなかったのである。額田は大海人皇子に体は与えたが、心を与えることは自分に禁じていた。そして十市皇女に対しても同様であった。自分の体から出た子として本能的な愛は感じていたが、母親として持たねばならぬ他の一切の感情からは自分を守っていた。少なくとも、そうしようと努めていたのである。

この年の秋、つまり斉明天皇四年の秋には、都は北方の戦線から次々に齎《もたら》されて来る捷報《しょうほう》で賑《にぎ》わった。

阿倍臣比羅夫は齶田《あきた》（秋田）、渟代《ぬしろ》（能代《のしろ》）二郡の蝦夷を討ち、それを全面的に降服させ、更に陣容を整えて軍船を齶田浦に列《つら》ねた。

この時の模様を使者は奏上した。

——齶田の蝦夷の首長恩荷《おか》は皇威に怖《おそ》れ、誓って申しました。官軍に敵対するための弓矢は持っておりません。いま持っている弓矢は食物とする獣を撃つためのものでございます。若し官軍のために弓矢を持つとしたら、それは朝廷《みかど》にお仕えして、仇《あだ》なす敵を討つために使うものでございます。かく申し上げる心にはいささかの偽りもございません。齶田浦の神さまがいっさいお知りになっていらっしゃいます。

飛鳥の朝廷の権力者たちにとっては、新政以来最初の朗報と言っていいものであった。恩荷には小乙上《しょうおつじょう》の位を授け、渟代、津軽二郡を正式に飛鳥朝廷の支配下に置き、それぞれに納める租の額を定めた。そして齶田浦の海岸に、降服した蝦夷たちを集めて、大酒宴を張り、皇威に服する誓を新たに固めて帰させるように、阿倍臣比羅夫に命じた。

三

斉明《さいめい》天皇の四年の秋の初めは、明るい事許《ばか》りが多かった。東北の出征軍からの捷報に朝廷は沸き立ったが、そのあおりを食った恰好《かっこう》で巷《ちまた》も亦《また》明るかった。遠い国々で今まで降服しなかった蕃族《ばんぞく》が尽《ことごと》く斬《き》り従えられ、そのためこれからはちょっと考えられぬくらいの夥《おびただ》しい貢物《みつぎもの》がはいって来る。もう暫《しばら》くの辛抱である。やがて自分たちの租は薄くなり、暮らしは見違えるほどらくになる。巷の男女はそんなことを噂《うわさ》し合った。

もう暫くの辛抱、もう暫くの辛抱、――これが民たちの合言葉であった。誰も彼もがそんなことを言い合うということは、現在はまだ耐え忍ばねばならぬ苦しい状態にあるということであった。東北の遠征には遠国から兵が徴兵されており、都附近の民たちには関係がなかったが、都造り、宮殿造りは依然として続けられていて、その方面の仕事は、この地方の民たちが受け持たねばならぬことであった。都造りも、宮殿造りも、いまはゆっくりと進められていた。前のように狂《きち》がいじみたところはなくなり、労務者たちも半数ほどに減っていたが、その代わり彼等が受け持たなければならぬ仕事は、想像できぬほどの大きさの規模のものに拡がっていた。宮殿の一棟《ひとむね》が漸《ようや》くでき上がったと思うと、それは王宮の極く一部のさして重要な建物ではないということであった。一体いかなる宮殿が計画されているのか、民の男女にも、労務者たちにも判《わか》らなかった。

もう少しの辛抱と思って自分を励ましていたのは、民たち許りではなかった。中大《なかのおお》兄皇子《えのみこ》も鎌足《かまたり》も大海人皇子《おおあまのみこ》も同様であった。民の生活というものを犠牲にし、その不平不満はいっさい聞かないことにして、都造りも、蝦夷《えぞ》平定も、平行して強引に遂行していたのである。

七月四日に蝦夷二百人余りが大挙して都にはいって来た。新たに皇威に服した新附《しんぷ》の蝦夷の首領たちで、国の権力者に挨拶《あいさつ》し、貢物を献《たてまつ》るための入京であった。

蝦夷たちの入京に先き立って、出征軍の総帥《そうすい》阿倍臣比羅夫《あべのおみひらふ》が都にはいって来るというので、巷は暫くその噂で持ちきった。いかなる戦闘が行われたかは知る由《よし》もなかったが、それにしても、赫々《かっかく》たる戦捷の武勲に輝いた将軍であった。その比羅夫が都にはいって来るということは、民たちにも大きい事件であった。

額田女王《ぬかたのおおきみ》も、この噂を聞いて明るい気持を持った。言うまでもなく、比羅夫は阿倍氏を名乗っていることに依《よ》っても明らかなように、先年病歿《びょうぼつ》した重臣阿倍倉梯麻呂《あべのくらはしまろ》と同じ一族の流れを汲《く》む者であった。有間皇子《ありまのみこ》の母小足媛《おたらしひめ》は阿倍倉梯麻呂の女《むすめ》であり、そうしたところから考えても、有間皇子にとっては阿倍氏出身のこの高名な武人は、当然なこととして有力なうしろだてであり、事実そのように誰からも見られていた。しかも、倉梯麻呂亡《な》きあと、阿倍氏一族には有力者はなく、比羅夫がただひとりの皇子の後援者たるの資格を持つ人物と言ってよかった。

額田は阿倍比羅夫が凱旋《がいせん》して都にはいって来たら、何よりも先きに、狂心の若い皇子のことを相談しようと思っていた。狂心の皇子の措置が比羅夫なら講じられる筈《はず》であった。正常の皇子だったら比羅夫の力を以《もっ》てしてもその生命を守り了《おお》せ得るとは考えられなかったが、何しろ相手は狂っているのである。この今は全く無力な孤独の皇子を彼に託し、せめてもう一度正常人に立ち返らせ、皇子自身が望んでいるように、どこかの片隅《かたすみ》で歌を作ることをただ一つの仕事として後半生を送らせたかった。

額田は阿倍比羅夫の都入りの日を待っていた。今か、今かと待っていたのである。併《しか》し、いっこうに噂許《ばか》りで、民たちや額田女王の期待を裏切って、いつまで経《た》っても、比羅夫は都には姿を見せなかった。そして、比羅夫の率いる戦捷部隊に代わって、涼風が渡り始めている都へ、二百人の異様な風体《ふうてい》の蝦夷たちがはいって来たのであった。涼風は渡っていたが真夏同様の暑い日であった。一人でも異様な見ものであるところへ、蝦夷二百人の集団となると、都の人たちには化物の集まりとしか見えなかった。

都は忽《たちま》ちにして蝦夷の入京騒ぎで大混乱を呈した。老幼男女を問わず、一人残らずが都大路を走り廻った。一つの辻《つじ》で蝦夷を見物し、見物し終わると、さらに先き廻りして見物するために駈《か》け出すといった具合で、都は終日ざわざわしていた。

蝦夷たちは吐火羅《とから》国の男女とは違っていた。一人残らず、ゆっくりと歩いていた。眼をあちこちに移して落着きなく歩いているところは同じであったが、どこかに物憂《ものう》げなものをその表情や動作に持っていた。それがまた、都の民たちには不気味に思われた。それに吐火羅国の輩《やから》と違うところは、一人残らず武器を持っていることであった。ひどく大きな刀を腰に下げていた。

槻《つき》の木の広場で拝謁《はいえつ》があり、そのあとで半造りの岡本宮の一隅《いちぐう》で蝦夷たちを饗《きょう》する大酒宴が開かれた。既にでき上がっている宮殿の一部も使われ、建物の内部から庭園へとかけて、広い宴席は設けられ、それを大きく大幔幕《まんまく》が囲んだ。今までに一度もなかった程の大饗宴であった。この日は、朝臣の主な者は尽《ことごと》く出席した。

そしてその翌日、蝦夷たちはまた王宮に赴き、天皇に謁し、また酒食を賜わった。この日、朝廷では新附の蝦夷たちにそれぞれ位を授けた。辺境柵《さく》の長《おさ》である齶田《あきた》の蝦夷二人には位一階を授け、渟代郡《ぬしろのこおり》の長沙尼具那《さにぐな》には小乙下、それに次ぐ宇婆佐《うばさ》には建武《けんむ》、続く有力者二人には位一階といった具合である。また特に沙尼具那は、鮹旗《たこはた》、軍鼓《ぐんこ》、弓矢、鎧《よろい》などの武器武具を賜わった。またこれと同様に津軽郡の蝦夷たちにも、それぞれ有力者の順に位を授け、首領馬武《めむ》には武器武具を賜わった。都岐沙羅《つきさら》の柵の蝦夷、渟足《ぬたり》の蝦夷も、同様であった。

三日目は渟代郡の蝦夷の長沙尼具那一人が王宮に伺候《しこう》し、蝦夷の戸口と捕虜の戸口とを検《しら》べ、一人の遺漏なく届け出ることを命じられた。沙尼具那は前日の恩賞にすっかり感激していたので、誓って過《あやま》ちなく課せられた任務を果たすことを言上した。

蝦夷の集団が都を引き揚げて行くと、誰からともなく、阿倍比羅夫の噂が流れた。この出征軍の総帥が都へはいって来るといったような噂は全く根も葉もないことで、比羅夫は東北の辺境に居残っていて、更に新しい作戦にはいろうとしている、そう言う者もあった。また、中には、比羅夫は難波津《なにわづ》までは来たが、新しい作戦命令を受けて、都へははいらないで、難波津からすぐ引き揚げて行ったのである、そういうことを伝える者もあった。

額田女王はそういう巷の噂を無心には聞くことはできなかった。どちらが真実であるか判らなかったが、どちらが真実であっても、さして不思議ないことに思われた。狂心の有間皇子が比羅夫入京の噂の流れる以前より、額田には、もっと無力にもっと孤独に見えた。

この月、沙門《しゃもん》智通、智達《ちだち》の二人は勅を賜わって、新羅《しらぎ》船で大唐の国へ渡るために都を出て行った。二人は前年新羅の案内で、新羅から大唐国へはいろうとしたのであるが、新羅がその労を取ることを拒否したので、空《むな》しく帰国し、こんど改めて直接、難波津に留まっていた新羅船を使って、大唐国を目指すことになったのである。

十月の半ばに、女帝は牟婁《むろ》の湯に行幸になった。寒い間を暖かい紀の国で過すためで、行幸はかなり長期にわたるものと噂された。前年、有間皇子が同じ牟婁の湯に湯治に行き、そこの自然を褒《ほ》めたことがあったので、女帝はそのことを思い出され、紀の国行幸となったのであった。初めは中大兄、大海人の両皇子も一緒にお供するということであったが、出発間際《まぎわ》になってから、この方は少し遅れるということが発表になった。

女帝が多数の女官たちを引き連れ、華やかな一団となって、都を出て行くと、あとの王宮内は火の消えたように淋《さび》しくなった。額田は残留組に廻されていたので、その淋しくなった王宮内に留まっていた。

牟婁の湯に行幸になった女帝の消息は、毎日のように都にはいって来た。初めのうちは紀の国の山も、海も、温泉も、みな女帝のお気に召し、毎日の食もおすすみになるというような報《しら》せがはいって来ていたが、そのうちに、都を離れてから却《かえ》って、亡《な》き皇孫へのお歎きが深くなったのではないか、そんな消息が伝えられていた。

ある日、額田は紀の国から使者に立って来た女官の一人に依《よ》って天皇の御歌の近作を知ることができた。相変わらず亡き皇孫建王《たけるのみこ》を偲《しの》んだ歌であった。

山越えて　海渡るとも　おもしろき
今城《いまき》の中《うち》は　忘らゆましじ

山を越え、海を渡って、都から紀の国へと旅を続けても、恐らく孫の建王と共に過したあのたのしかった皇居の中のことは忘れることができないであろう。

水門《みなと》の　潮《うしほ》の下《くだ》り　海下《うなくだ》り
後《うしろ》も暗《くれ》に　置きてか行かむ

私の乗った船は、紀の国への潮の烈《はげ》しい流れに乗って下って行くが、亡き幼き者への気持を悲しく暗くあとに残して行くのであろうか。

この二首の歌はいずれも、紀の国への旅立ちを前にして作られたものであろうと思われた。あるいは旅立ってから間もない時の作であるかも知れない。いずれにしても、建王のことをどうしても諦《あきら》めきれぬ女帝の心のうちが、額田には悲しく哀れに思われた。

十月の終わりに、中大兄皇子も大海人皇子も、重だった朝臣を引き連れて、紀の国へ向かうために都を出て行った。あとの都は一層淋しくなった。そして、その淋しい都を終日、冬の到来を告げる寒く烈しい風が吹いた。散り残っていた木の葉の最後の一枚をもちぎり取って行く風であった。

十一月にはいって間もない日、額田は侍女の一人から、全く思いがけないことを聞いた。

「いま、宮中では、有間皇子御謀叛《むほん》のことで大騒ぎしているということでございます」

侍女は言った。有間皇子御謀叛！　額田は己《おの》が耳を疑った。そんなことがあってもいいであろうか。額田はすぐ宮中に赴いた。侍女が言ったように、宮中は上を下への大騒ぎであった。どこへ行っても、有間皇子御謀叛の噂で持ちきっている。が、誰もそれ以上のことは知らなかった。ただ、有間皇子が謀叛を企てたということだけで、それがどのような事件を引き起こし、どのような結果を招いたかということになると、誰ひとり詳しく知っている者はなかった。

額田は宙を飛ぶような気持で、狂心の皇子が閉じ籠《こも》っている館《やかた》を目指した。額田は長く続いている疎林《そりん》の中を半ば駈《か》けるようにして歩いた。この日も時々思い出したように強い風が吹いていた。が、もう木には、風がちぎりとるべき一枚の葉も残されてはいなかった。風はただ地上に散っている葉を巻き上げている許《ばか》りであった。それでもその地上から巻き上げられた葉は宙天高く舞い上がり、恰《あたか》も牛きもののようにどこまでも風に乗って高く低く舞って行った。額田はもうすぐ疎林を脱けようとするところで誰何《すいか》された。

「何者か」

額田は足を停《と》めた。数人のものものしく武装した兵が駈け寄って来た。

「有間皇子さまのお館へ」

額田が言うと、

「なに!?」

憎々しげな面構《つらがま》えのが、

「怪しい奴《やつ》、ひっとらえろ」

「退《さ》がりゃ」

額田は一歩後ずさりして叫んだ。その声が、凛《りん》とした響きを持っていたので兵たちは思わずひるんだ。そこへ上役らしいのが駈けて来た。この方は額田が何者であるか知っているらしく、

「皇子のお館へは、何人たりともお入れすることはできませぬ」

と、多少穏やかに言った。

「どうしてでございましょう」

「皇子御謀叛のことを御存じございませぬか」

「存じませぬ」

すると、知らぬとは迂闊《うかつ》千万とでもいうような顔をして、

「昨夜皇子御謀叛のことが発覚いたしました。とくとあれをごらんなさいますよう」

相手は言った。相手に言われるまでもなく、既に額田は相手が見せようというもの

を、己が眼の中に収めていた。疎林をすかして皇子の館の一部が見えていたが、その周囲を夥《おびただ》しい数の兵たちが取り囲んでいる。何十本かの旗差物《はたさしもの》が風にはためき、何十本かの長槍《ちようそう》の穂先きが陽《ひ》に冷たく光っている。

いま額田が駈けて来た方から、また新しく武装した兵の一団がやって来た。それが通り抜けて行くと、また次の一団がやって来る。この分で行くと、荒々しい兵たちに依って、有間皇子の小さい館は文字通り十重《とえ》二十重《はたえ》に取り囲まれてしまうだろう。

額田女王は呆然《ぼうぜん》として、そこに立ち竦《すく》んでいた。額田が長く懐《いだ》き持っていた不吉な予感は、いま現実の事件となって眼の前に現れていた。それにしても、謀叛とひと口に言っても、事件はいかなる性質のもので、いかにして起こったのであろうか。額田はそれを知りたかった。額田は帰路も半ば駈けるようにして歩いた。その額田の頭の中を、大海人皇子の映像が閃《ひらめ》いたり、消えたりした。大海人皇子だけには少しは無理なことでも頼めると思ったが、その大海人皇子はいまは紀の国に行っていて、都には居なかった。

絶望が額田をくたくたにしていた。曾《かつ》て狂心の皇子が歩いたように、そんなふらふらした歩き方で、額田女王は時々襲って来る烈しい風の中を歩いていた。

――ああ、天地が泣いている。

額田は思った。まさしく額田には風の音は天地の慟哭《どうこく》のように聞こえた。

有間皇子《ありまのみこ》御謀叛《むほん》なるものの正体は、その日のうちに王宮内のすべての人に知れ渡った。事件の内容が何から何まで判《わか》ったというわけではなかったが、額田も大勢の朝臣や女官の口から、その大要を知ることができた。

何でも、ある人物が狂った皇子に、

——天皇の政《まつりごと》には三つのあやまりがあります。一つは大きな倉庫を建てて、そこに民から徴集した財物を集めていること、二つは大きな運河を作り、そのために民を苦しめていること、三つは船で石を運び、その石で丘を作っていること。以上三つのあやまりがある以上、これが失政でなくて何でありましょう。

こう言うと、それまで狂っていた皇子がふいに表情を改めて、正気の人の顔になり、

——自分は十九歳になっている。今こそ事を挙げ、兵を用うべき時である。

と言ったということであった。そして皇子は狂っていたのではなく、狂心を装っていたのだ、そんなことが口から口へ伝えられた。

「それなら、そうした事を皇子さまに話しかけた人物と言うのは誰でありましょう」

額田は、自分にそれを伝えた者に訊《き》いてみた。

「そこまでは存じませぬ」

　相手は答えた。

「そんな曖昧《あいまい》なことで、有間皇子御謀叛と騒ぎ立てているのでしょうか。狂心の皇子さまであればこそ、そのような事をお口走りになったかも判らない。それより大体、そのような事を言い触らしている者が怪しい」

　額田は顔見知りの朝臣や女官に逢《あ》うと、誰彼の見境いなく同じ質問を相手に浴びせた。誰も皇子に怪しい言葉を囁《ささや》きかけた人物については知っていなかったし、またそのようなことを言い触らしている人物についても知らなかった。

　が、そのうちに、もう少し立ち入った噂《うわさ》が流れた。これも嘘《うそ》か本当か判らなかったが、多少具体的な内容を持つものであった。何でも皇子は謀叛を決心すると、何人かの仲間を語らい、その仲間の一人の家の高楼で、兵を挙げる相談をした。それが昨夜のことである。が、事前にすべては露顕し、昨夜のうちに、有間皇子の館は兵の囲むところとなったと言うのである。

　またこう言う者もあった。

　――何でも、ゆうべのうちに兵を挙げる筈《はず》のところ、皇子が腕をおかけになっていた脇息《きょうそく》がふいに壊れた。それを不吉なこととして、皇子は挙兵を他日に期されたということだ。若《も》し脇息が壊れなかったら、今頃は国はたいへんな事になっている。有間皇子の軍勢が牟婁《むろ》の行宮《かりみや》めがけて押し寄せていたことだろう。

こうした噂から判るただ一つのことは、事件がいかなるものであるにせよ、兎《と》に角《かく》、それが昨夜のうちに起こったということであった。昨夜、有間皇子の身辺には何かが起こり、そして昨夜のうちに、有間皇子は謀叛人、叛逆者《はんぎゃくしゃ》としての烙印《らくいん》を額に捺《お》されてしまったのである。

慌《あわただ》しく一日は暮れた。夜になると、更に具体的な内容を持った噂が流れた。それは皇子と一緒に謀叛を企てた者たちが既に逮捕されているということであった。守君大《もりのきみおお》石《いわ》、坂合部連薬《さかいべのむらじくすり》、塩屋連鯯魚《しおやのむらじこのしろ》、そうした人々の名が挙げられた。こうなると、額田女王も皇子を中心にした叛逆事件なるものが、根も葉もない架空なものであると信じ続けることはできなかった。やはり謀叛と呼び得るような事件が、あるいは少なくとも謀叛と間違って受け取られても仕方ないような事件が、実際にあることはあったのである。逮捕を伝えられている人々は、有間皇子側近の者許《ばか》りである。

額田はその夜、何回無駄《むだ》とは知りながらも、有間皇子の館を訪ねようと思ったことであろう。併《しか》し、十重二十重にそこが兵たちの囲むところとなっていることを思うと、その度に思い留まり、その度に大きな不安な思いに襲われた。額田が恐ろしい噂の渦《か》中《ちゅう》にある有間皇子について、ただ一つ祈念していることは、どうか皇子がいまも狂い続けていてくれるようにということであった。いかなることを口走ろうと、狂人なら、その責任は免れるかも知れない。若し噂のように狂人でなかったら、――それは思ってみただけでも怖《おそ》ろしいことであった。その場合はもはやいかなることがあろうと、いま皇子に襲いかかろうとしているどす黒い雲から、身をかわす術《すべ》はなかった。有間皇子は叛逆者の烙印を捺され、どこともなく引き立てられて行ってしまうだろう。

翌日になると、また新しい噂が流れた。それは、きのうのうちに、事件の顚末《てんまつ》を牟婁の天皇に奏する使者が派せられており、留守官の蘇《そ》我赤兄《がのあかえ》はそれに対する天皇からの指図を待って、いっさいを取り計らおうとしているということであった。いっさいを取り計らうということがいかなることか判らなかったが、それが有間皇子に対する措置を意味するものであることは明らかであった。有間皇子を牟婁に引き立てて行くなり、あるいは牢《ろう》に投じるなり、そのようなことに対する牟婁の行宮からの指令を、蘇我赤兄は待っているのであった。

それから、この日、もう一つはっきりしたことは、有間皇子の館を取り囲んでいるのは物部朴井連鮪《もののべのえのいのむらじしび》の配下の兵たちで、それに、岡本宮を造っている労務者たちも、いまは宮造りの仕事を放擲《ほうてき》し、いずれも武装して加わっているということであった。たった一人の有間皇子が住まっている館を取り囲むのに何と仰々しい仕打ちであろうかと、額田は思った。

併し、僅《わず》かに愁眉《しゅうび》を開いたのは、まだ兵のただ一人もが、皇子の館には足を踏み入れていないということであった。が、これも考えてみれば当然なことであった。かりそめにも有間皇子は先帝の御子である。たとえいかような事件が起こったにせよ、上からの指令なしに、指一本でも触れることはできない筈であった。

それにしても、有間皇子はいま館の中にあって、いかに過していることであろうか。狂っているのなら、何事が行われようとしているか判ろう筈はなく、

「海が光る、波が光る」

いまも同じ言葉を口誦《くちず》さみながら、部屋の隅《すみ》から隅へと、あの狂人独特の仕種《しぐさ》で何ものかに怯《おび》えながら、後ずさりを続けているのであろうか。が、若し正気なら!? 額田には正気の皇子を想像することは辛《つら》かった。どのような思いで、きのうから今日への時間を過しているであろうか。

この日も亦《また》慌しく夕暮を迎えた。いつ時間が経《た》ったのかと思うほど、殆《ほとん》ど信じられぬ速さで一日は終わった。夜が来た。額田はこの夜は疲れきって正体なく眠った。暁《あけ》方《がた》眼覚めた。額田は床から起き上がると、冴《さ》え返った頭の中で、有間皇子が正気であ

ろうと、狂心であろうと、もはや彼を襲おうとしているものから逃れることはできないであろうと思った。そのことを信じて、疑わない気持だった。風もなく、絶え入りそうな静かな夜であったが、その静かな夜も今は間もなく明けようとしていた。

額田は眼をつむっていた。白いものが鵞毛《がもう》のように舞っている。戸外を見たわけではなかったが、額田には何となくそのような戸外の様が眼に映って来たのである。いささかの重さも持たぬ白い片々である。それが舞っている。落ちるといった落ち方ではなく、ただ舞っているのである。鵞毛のように舞っているとしか形容はできない。

一刻《とき》ほどして、額田が館の廻廊に出て見たものは、彼女が瞼《まぶた》に描いていたものと全く同じだった。白いものが舞い、身の凍りそうな寒い朝であった。額田はこの時、有間皇子に関する恐れや、悲しみや、不安を、そっと自分から取り棄《す》てたのである。衣類でも脱ぐように、それを自分から取り去ったのである。悲運の皇子は人間の力では、いかんともしがたいと思った。有間皇子という聡明《そうめい》で美貌《びぼう》な若い貴人が、どうしても持たなければならぬ運命であったのである。

それから二日間、額田は部屋に籠《こも》って過した。二日目の夕刻、牟婁からの使者が到着した。それに関する噂が王宮内の人たちにやかましく取沙汰《とりざた》されているに違いなかったが、額田はそれを聞くために、部屋を出て行くことはなかった。

その翌日、額田は衣服を改めて、戸外に出ると、有間皇子の館へと向かった。大勢の兵たちが館へ向かって歩いていた。兵たちの集団に混じって何人かの朝臣の顔も見えた。

額田が皇子の館の前に行った時、皇子は館から出るところだった。額田は兵たちの囲みを割って、兵たちの前へ出た。兵たちも今日は額田を遮《さえぎ》ることはなかった。何人かの朝臣たちが、それでも頭を下げて、皇子を迎えていた。見ると、そこには輿《こし》が置かれてあった。有間皇子はそれに乗り移るために館から姿を現したのである。

「皇子さま」

額田は声を掛けた。すると有間皇子は額田の方へ顔を向けた。狂っている人の顔ではなかった。今までに額田が見た一番静かな、冷静な皇子の顔であった。有間皇子はじっと額田の顔を見入るようにしていたが、

「天知る、赤兄《あかえ》知る」

と、ただそれだけ言った。ひとり言でも呟《つぶや》くような、そんな言い方であった。

「皇子さま」

額田がまた呼びかけると、

「われ、全く知らず」

有間皇子はそれだけ言うと、仕丁《じちょう》の者が垂れをめくり上げている輿の中へ、上半身を屈《かが》めてはいった。垂れはすぐ降ろされた。

額田は頭を下げていた。輿は運ばれて行った。やがて、どこからか三梃《ちょう》の輿が運ばれて来て、そのあとに随《したが》った。守君大石、坂合部連薬、塩屋連鯯魚の二人が乗っている輿であった。叛逆者たちはこうしてどこともなく連れ去られて行った。そしてその四梃の輿のあとから、舎人新田部米麻呂《とねりにいたべのこめまろ》が騎馬で出発した。何百人かの武装した兵が、そのあとに続いた。

こうした一隊が全く視野から姿を消すまで、額田はその場に立っていた。有間皇子は狂っていなかったのだという思いが、額田の顔から、今更ながら血を奪っていた。狂心を装い、しかも装いきれなかった皇子が、あるいは狂心を装い、装ってもそれが無駄でしかなかった皇子が、額田には限りなく哀れに思えた。涙が頰《ほお》を伝って流れた。

そして、額田がわれに返った時は、周囲には誰も居なかった。額田は蘇我赤兄の顔を思い浮かべていた。こんどの事件を造り上げた張本人は彼に違いないと思った。

――天知る、赤兄知る、われ全く知らず。

有間皇子はそう言ったのである。額田は思わず身を震わせた。天皇、中大兄皇子《なかのおおえのみこ》、大海人皇子《おおあまのみこ》、鎌足《かまたり》、その全部が都を留守にしている時、この事件は起こったのである。

留守官の蘇我赤兄に依《よ》って引き起こされたのである。

併し、額田女王はそれ以上考えなかった。考えても無駄であった。赤兄に依って引き起こされたものであろうが、中大兄皇子がその背後で赤兄を操っていようが、そのようなことはどちらでもよかった。有間皇子は牟婁へ引き立てられて行ったのである。皇子を待っているものが、いかなる運命であるか、それは訊《き》かないでも判っていた。悲運に依って、玉の如《ごと》く飛び散る以外仕方なかった皇子は、いまその悲運に向かって旅立って行ったのである。

額田は疎林の中を歩いて行った。声には出さなかった。額田は歩きながら、ただ時折その細い白魚のような指を頰のところへ持って行き、それをそこに置いたままにしていた。

それから三日ほどして新しい噂が流れた。誰の心をも底から凍らせるような噂であった。最悪の事態はやって来たのである。有間皇子は紀の国の海岸の藤白坂《ふじしろのさか》で絞《くび》られ、同じ日、塩屋連鯯魚、舎人新田部連米麻呂の二人も、同じ場所で斬《き》られた。そして守君大石は上毛野国《かみつけののくに》に、坂合部連薬は尾張《おわり》国に流されたということであった。額田女王はもはや何を聞いても驚かなかった。来たるべきものはやって来たのである。

それから二日ほどして、額田は牟婁からやって来た女官の一人に依って、有間皇子が死を前にして作ったという二首の歌を示された。皇子が牟婁に引き立てられて行く途中、岩代《いわしろ》というところを過ぎる時作った歌であるということであった。

磐白《いはしろ》の
浜松が枝を
引き結び
真幸《まさき》くあらば
また還《かへ》り見む

岩代の浜に生えている松の枝を結んで行くが、身の潔白が証明され、再び還って来る日があったら、この地を過ぎる時自分は自分が結んだ松の枝を見ることであろう。そのような日は果たして来るであろうか、来ないであろうか。

家にあれば
笥《け》に盛る飯《いひ》を
草枕《くさまくら》

旅にしあれば
椎《しひ》の葉に盛《も》る

家に居れば食器に盛って食べる飯であるが、こうして旅にある身は、いま、椎の葉に盛って食べている。

額田は突き上げて来る大きい感動に身を任せていた。二首とも額田が今までに読んだことのないような優《すぐ》れた歌であった。有間皇子はこの二首の歌を生むために、この世に生を享《う》けて来たのではないかと思われるほどの歌であった。額田は山道で小さい椎の葉を手にして飯を口に運んでいる皇子を、海岸で磯馴松《そなれまつ》の枝を結んでいる皇子を、そうした皇子の姿を長いこと眼に浮かべていた。この世ならぬ美しく悲しい皇子の姿であった。悲運はこの二首の歌を生むために皇子を襲ったのに違いなかった。この歌からひびいて来るものは誰にもそのような思いを懐《いだ》かせるものであった。歌の心は悲しみで満たされていたが、その悲しみは澄んで凜《りん》としていた。

月明

一

有間皇子《ありまのみこ》の事件が起こったのは斉明《さいめい》天皇の四年の十一月初めであったが、年が改まると、すぐ天皇初め中大兄皇子《なかのおおえのみこ》、大海人皇子《おおあまのみこ》、鎌足《かまたり》等政府の首脳陣は紀の国から都に帰って来た。紀の国に幸《みゆき》したのは十月であったから、都を留守にしたのは三カ月程であったが、その僅《わず》かの間に、将来の国の禍《わざわい》のもとにならぬとも限らなかった一人の若い貴人の存在は抹殺《まっさつ》されてしまったのであった。こうなると、有間皇子の変を起こすための紀の国への行幸であると受け取られても仕方なかった。実際にまた蔭《かげ》ではそのような噂《うわさ》が行われた。

額田女王《ぬかたのおおきみ》には中大兄も大海人も鎌足も、何を考えているか判《わか》らぬ不気味な存在に思われた。それぞれの人物が、有間皇子の事件があったことなど全く知らないかのように、有間皇子のことは片言隻句《へんげんせつく》も口に出さなかった。そのような皇子があったことなど全く忘れているような恰好《かっこう》であった。

額田女王には斉明天皇だけが別人に見えた。老女帝も亦《また》有間皇子のことは口から出さなかったが、この方は有間皇子のことどころではなかったのである。愛孫建王《たけるのみこ》の死の悲しみが、その死から日が経《た》つにつれて一層深いものになっているようであった。紀の国へ幸する以前より傷心は深く、見るも痛々しいほど面窶《おもやつ》れしていた。

額田は、有間皇子の事件が中大兄一人に依《よ》って起こされたものとは思わなかった。大海人皇子も鎌足もこの事件に関係しているに違いなかった。併《しか》し、何と言っても、この事件の中心に坐っているのは中大兄皇子であった。すべては中大兄皇子に依って引き起こされ、皇子が期待したように、悲劇の筋書きは運ばれていったのである。額田女王は中大兄皇子に顔を合わせると、いつも面を伏せるようにした。気のせいか、中大兄の自分を見る眼は違っていた。

——汝《なんじ》だけは事件の真相を知っている。俺《おれ》はいつか汝にこの事あるを宣言した筈《はず》である。よもやあの宮殿の火災の夜のことを忘れてはいまい。有間皇子の死はあの時、既に決まっていたのだ。

中大兄皇子の眼はそのように言っているように感じられる。

――なぜ面を伏せるのだ。怖いのか。汝は事件が何人によって、いかに引き起こされたかを知っている。そうしたことを、汝が知っていることを、この中大兄は知っている。

中大兄皇子の眼はまたそのようにも言っている。どこかに威嚇《いかく》的なものさえある。汝は事の真相を知っているのだ。そのままにしておくことはできない。

併し、額田女王が中大兄の眼を避けて面を伏せるのは、ただそれだけのことではない。もう一つの全く質の異なった威嚇があった。

――この中大兄は宣言したことは必ず実行に移すのだ。有間皇子の事件は、あの火災の夜宣言したことである。あの夜もう一つ宣言したことがある。汝はよもやそのことを忘れてはいまいな。

中大兄の眼はまたそのようにも言っている。額田は中大兄の眼を額に感ずると、いつも軽い眩暈《めまい》に似た悪寒《おかん》に襲われる。有間皇子を斬《き》った同じ手は、いつでも自分の方へ伸びて来ようとしている。ただその時の来るのを待って、いまは伸びて来ないだけのことである。その時というのははっきりしている。額田が面を伏せないで相手の面に己《おの》が視線を当てた時である。

若《も》し自分が面を上げたら、――時に額田の心にそのような思いが奔《はし》ることがある。

すると全身の血がいっせいに引いて行くような思いに打たれる。激怒した大海人皇子の顔が立ち現れて来る。感情が昂《たかぶ》ると前後のことを忘れかねない大海人皇子は、さっと立ち上がって、身をひらくだろう。手は佩刀《はいとう》にかかり、そのらんらんと燃えている眼は中大兄皇子を窺《うかが》っている。だから、額田はいつも絶対に上げてはならぬ面を深く伏せて、中大兄皇子の前を静かに通り抜けて行く。

額田が中大兄皇子という新政第一の権力者に対して持っている思いは頗《すこぶ》る複雑なものであった。自分でも、それがいかなるものであるか、はっきりと、自分に言いきかせることはできなかった。生殺与奪の権を握っている相手に対して当然怖《おそ》れもあれば憎しみもあった。有間皇子を死に追いやったことに対する怒りもあった。そしてまた、大海人皇子との関係を知りながらなお自分に挑《いど》んで来る相手の不敵さに対して、もう絶対にどこへも逃げることはできないだろうといった畏怖《いふ》の思いもあった。そして、そうしたいっさいの思いを持った上で、奇妙なことではあるが、額田は新政の権力者の自信に満ちた重々しい跫音《あしおと》を聞くことは嫌《いや》ではなかったのである。宮殿内のどこに居ても、額田には中大兄の廊下を踏んで来る跫音は、はっきりとそれと知ることができた。

こうした中大兄の額田に対する態度は、当の額田が感じているだけではなかった。有間皇子の事件から四月ほど経った頃《ころ》のことであるが、ある時、大海人皇子は額田に言った。

「いつか中大兄皇子は俺に汝を所望して来るだろう」

それに対して、額田は返事をしないで、黙って大海人皇子の顔を見守っていた。すると、

「そういう場合はどうする？」

相手は訊《き》いた。

「まさか、そのようなことがあろうとは存じませぬ」

「なければ結構、あった場合のことだ」

「――――」

すると、大海人皇子は大きく笑って、

「中大兄皇子が汝に眼をかけていることは、誰知らぬ者はない。宮廷内でも専《もっぱ》らの噂だ。中大兄は自分が手に入れたいと思ったものは、必ず手に入れる。未《いま》だ曾《かつ》てそうしないことはなかった」

「では、そのような場合、あなたこそどうなさるでしょう」

逆に額田は訊いた。

「中大兄に汝を所望された場合のことは、俺はその時のことにしている。その時になってみないと判らぬ。素直に譲ってやるか、断るか」

「お断りになった場合は――」

額田は、大海人が中大兄の申し出を断ったら、どのようなことになるか、それを訊いたのであった。

「どのようなことになると言うのか。どのようなことにもなるまい。中大兄皇子と俺は一生仲違《なかたが》いすることもできなければ、離れることもできない。鎌足があわてて二人の間をうまく執り成してくれるだろう」

大海人皇子は笑いながら言った。そして、

「それより、汝の気持はどうか」

「額田はあなたの仰《おお》せに従う以外仕方ないではありませんか」

「譲ることにしたら、悦《よろこ》んで譲られて行くか」

「悦びはいたしません」

「悦ばないにしても、譲ると言ったら、譲られて行くか」

「さあ」

額田は大海人皇子の顔を見てはっとした。恐ろしい形相《ぎょうそう》をしていた。到底素直に相手に譲るというような言葉を出す男の顔ではなかった。

「あなたからも身を引き、中大兄皇子さまのお招きも断るでしょう」

額田は言った。すると、大海人皇子は黙って考えていたが、

「汝がそれがいいと思うなら、そうするのもいいであろう」

いつにない沈んだ言い方であった。額田はこの時、自分がそう遠くない将来、そのようなことを考えなければならぬ運命に見舞われるであろうと思った。あるいは既に、二人の皇子の間には、何かそれらしい話が持ち上がっているのかも知れなかった。その時の大海人皇子には、何か額田にそのようなものを感じさせるものがあった。


この年の春は、額田女王は各地に行幸になる天皇のお供をして、忙しく日を送った。三月一日には、吉野の行宮《かりみや》に於《お》いて百官の朝臣を集めての豊作を祝う大酒宴が開かれた。このため二月の終わりから三月の初めにかけて、都から吉野へ通じている街道は、そこを往来する人々に依って、時ならぬ賑《にぎ》わいを呈した。前年の豊作は事実であり、それが国全体を明るくしていたが、民は必ずしもその恩恵に浴しているわけではなかった。租税も課税も重く、男も女も力役に徴せられることには変わりはなかったが、

それでもいつか自分たちの暮らし向きが楽になるに違いないという望みがあった。数年前に較《くら》べると、街道を往来する朝臣たちの動き一つにも、何となく力が充実している感じで、それが民の心にも反映していた。

　豊作を祝う儀式はこれまでになく厳かに行われ、そのあとの酒宴の盛んさもこれまでにないものであった。大化の政変以来、苦しい辛《つら》いこと許《ばか》りが続いて来たが、いま漸《ようや》く、新政に依る新しい稔《みの》りが現れ始めたかの印象を、そこに出席しているすべての人々に与えた。額田だけが多少異なった感慨で、この大酒宴の席に臨んだ。有間皇子の変から四月ほどしか経っていなかったので、有間皇子がこの世から姿を消すのを待って、この豊作の祝いが行われたかのような思いを持った。確かにいまは、新政の首脳者たちを脅《おびや》かすいかなる暗い蔭もなかった。それからもう一人、この席に列すべき人物で、ここに居ない者があった。北辺征討の武将として盛名日々に上がっている阿倍《あべの》比羅夫《ひらふ》であった。彼は依然として、遠い北方の戦線にあった。阿倍比羅夫もう有間皇子の変を知らない筈はなかった。どのような思いで、都に起こった事件を聞いたことであろうか。

　豊作の祝いの大酒宴が終わると、天皇は直ちに近江《おうみ》の湖畔の行宮へ行幸になった。すぐ近くに見える比良山《ひらやま》は頂きにまだ雪を持っていた。吉野からここへ移られたその移られ方には、多少異常なものが感じられた。一日に大饗宴《きょうえん》があり、二日には駕《が》は近江を目指して吉野を発《た》ったのである。額田には老女帝の心の内部のものが手にとるように判っていた。豊作の祝いも、大饗宴も、これほど現在の老女帝の気持から遠いものはなかったのである。一切の事は新政の首脳者たちが采配《さいはい》を振ってやっていることで、老女帝としては明けても暮れても、亡《な》き建王《たけるのみこ》の俤《おもかげ》を忘れることはできなかったのである。そしてふいに百官が集まって混雑している賑やかな場所を離れて、湖畔の小さい行宮でお過しになりたくなったのである。百官の朝臣を集めての大饗宴より、比良の山の望める琵琶湖畔《びわこはん》の静かな明け暮れの方が現在の老女帝の心にはぴったりしたものであったのである。

湖畔の行宮に移ってから数日すると、先年都に上って来て、そのまま都に居ついている異国の漂流者たちがやって来た。吐火羅《とから》国の男二人、女二人、それに吐火羅人の一人の妻になっている舎衛《しゃえ》の女であった。この漂流者たちは白雉《はくち》五年四月に日向《ひゅうが》に漂着して都へ送られて来た者たちで、いつか五年の歳月をこの国で過していた。勿論《もちろん》、漂流者たちは女帝のお召しでやって来たのであるが、こうした異国人たちを相手にして、自分の心を慰めていられる天皇が、額田には悲しく哀れに思われた。

併し、そうした老女帝もいつまでも近江の行宮に滞在しているわけには行かなかった。都では天皇を必要とする行事が、次から次へと失意の老女帝を待っていた。十七日には陸奥《みちのく》と越《こし》の蝦夷《えぞ》たちを引見し、彼等に酒食を賜わることがあり、それまでにはどうしても都へ戻《もど》らねばならなかったのである。

このようにして、額田は天皇に侍してこの年の春を慌《あわただ》しく過した。春が終わり、夏がやって来ると、また北方の戦闘のことが巷《ちまた》の噂として流れた。阿倍比羅夫が再び船師一百八十艘《そう》を率いて蝦夷国を討つということであった。阿倍比羅夫はこれまで一度も都へ凱旋《がいせん》して来ていなかった。凱旋の噂はあったが、その度に噂だけで終わっていた。こんどの場合も、新しい作戦を展開するために、阿倍比羅夫はやって来るに違いないとか、すでに都への途上にあるとか伝えられていたが、それは単なる噂でしかなかった。蝦夷征討の武将は、戦線に留まったまま、新しい作戦の命を拝したのであった。

六月に陸奥の戦線の状況が都に伝えられて来た。阿倍比羅夫は軍を率いて陸奥の奥深く分け入ったが、戦闘らしい戦闘は行われず、齶田《あきた》（秋田）、渟代《ぬしろ》（能代《のしろ》）二郡の蝦夷二百四十一人、その虜《とりこ》三十一人、津軽郡の蝦夷百十二人、その虜四人、胆振鉏《いぶりさえ》の蝦夷二十人、——全部を一カ所に集めて宣撫《せんぶ》のために大饗宴を開いたということであった。戦捷《せんしょう》の報《しら》せよりこうした報せの方が好ましかった。以前は蝦夷の烈《はげ》しい抵抗に遇《あ》って、よほどの犠牲を払わなければ北方へ進出することは望めなかったが、今は年々歳々事情は好転していた。これもそれだけ皇威が辺境地帯にまで及び始めたということを示すものであった。

翌七月、朝廷は坂合部連石布《さかいべのむらじいわしき》を大使、津守連吉祥《つもりのむらじきさ》を副使として、唐国へ派した。それぞれが別々の船に乗った。二船が派せられたのであるから遣唐使節団は相当の人数で構成されていたに違いなかったが、どういうものか人数は発表にならなかった。それから大使、副使の任命も急であれば、難波津《なにわづ》からの発航も亦《また》急であった。

遣唐使節団の派遣は新政下になってから、これで三回目であった。最初は白雉四年の吉士長丹《きしのながに》、吉士駒《きしのこま》等で、これは翌白雉五年七月帰国していた。が、同じ時派せられた第二船は途中で遭難している。第二回は白雉五年二月の高向史玄理《たかむくのふびとげんり》等であるが、この方は二船とも斉明《さいめい》天皇の一年八月に帰国し、こんどの遣唐使派遣は、それ以来五年目のことであった。遣唐船の派遣で先進国唐の学問文物を大々的に輸入することはできたが、それに対する犠牲も亦決して小さくはなかった。新政下第一の知識人であった高向史玄理は唐土で卒《しゅっ》していたし、将来を嘱望されていた学問僧恵妙《えみょう》、覚勝等も唐土で死んでいた。また知聡《ちそう》、智国、義通等の若い才能はいずれも海で相果てていた。

それはそれとして、こんどの遣唐使派遣で、いつもと異なっていることは、一行の中に陸奥の蝦夷の男女二人が加えられてあることであった。唐国の天子に見せるための措置であったが、蝦夷の男女は渡海を怖《おそ》れて、最後まで乗船を拒んだと、そのようなことが噂された。

遣唐船が難波津から出航したのは七月三日であったが、同じ月の十五日には都の寺々で盂蘭盆経《うらぼんきょう》が誦《ず》せられた。七世の父母の恩に報いるための法要で、勅命に依《よ》るものであったので、その法要は盛大に行われた。朝臣も民と共に業を休んで巷に溢《あふ》れ、ために都は時ならぬ賑わいを呈した。これまでの盂蘭盆会《え》は朝廷だけのものであったが、今年はそれに巷の男女も組み入れられた恰好《かっこう》であった。これまた新政の稔りの一つの現れとして、民の男女には好感を以《もっ》て迎えられた。

額田女王《ぬかたのおおきみ》が中大兄皇子《なかのおおえのみこ》の妃として迎えられるという噂《うわさ》が流れたのは、盂蘭盆会も終わって、都大路に秋風が渡り始めた頃《ころ》であった。額田は中大兄皇子からいかなる申し入れも受けていなかったが、朝臣たちの一部では、そのような噂が専《もっぱ》らであった。額田は人々の自分を見る眼の違って来たことを感じていた。違って来たのは自分を見る眼許《ばか》りではなかった。自分に対する態度も変わって来ていた。誰も彼もが、額田に対して鄭重《ていちょう》なものごしで応対し、言葉遣いも亦改まっていた。

これまで、たとえ公然としたものではなかったにせよ、額田と大海人皇子《おおあまのみこ》との関係は、誰ひとり知らぬ者はないことで、二人の間に十市皇女《とおちのひめみこ》が生まれていることも巷にまで知れ渡っていた。額田はそうした立場にふさわしく、大海人皇子の妃であるとも、妃でないともつかぬ恰好で、周囲からほどほどの鄭重さで遇されていたが、こんどはそれががらりと変わったのである。

中大兄皇子の妃として迎えられるという単なる噂だけで、額田はこれまでに思っても見たことのない鄭重さで遇されるようになったのである。巷では中大兄皇子と大海人皇子の間の関係について、当然なことながら種々の推測が噂の形で流れていた。中大兄、大海人両皇子の額田を挟《はさ》んでの対立はもう何年も前からのことであるとか、額田女王が大海人皇子との関係を公然たるものにしないでいることも、そうしたことに原因しているとか、いろいろなことが言われた。また額田女王は既にもう大分前から大海人皇子とは正式に別れて、中大兄皇子の愛人になっている。それがこんど公《おおや》けにされるだけのことである。そのように言う者もあった。

併《しか》し、いずれにせよ、噂の中に中大兄皇子が登場して来ることに依って、額田に対する世の人の眼はすっかり違ったものになってしまったのである。同じ兄弟の皇子ではあったが二人を並べてみると、新政第一の権力者としての中大兄の位置は、その協力者である大海人皇子のそれと並べてみることはできなかった。いかなることのために、朝臣間にも、巷にも、このような噂が流れ出したか、その間の事情は判《わか》らなかったが、どこかに何事か新しい事態が起こっていなければならなかった。

こうした噂が行われるようになってから暫《しば》くして、額田は館《やかた》に大海人皇子の訪問を受けた。大海人皇子は平生より幾らか血色の悪い気難しい顔をしていたが、額田の部屋へはいって来ると、いきなり、

「中大兄皇子から汝《なんじ》を所望された。もう大分前のことだが、それに対する返事の期日があすに迫っている。いろいろ考えたが、こう返答することにした。――俺《おれ》は額田を譲ることはできぬ。それほど執心な女とあれば、俺は額田と別れてやろう。別れたあと、どのようにしようと、俺の知ったことではない」

気のせいか、大海人皇子の声は震えていた。別れたあと、どのようにしようと、俺の知ったことではない、と言ってはいるが、そういう言い方の底に、額田がいつか口に出した言葉に縋《すが》りついているところがあった。

――あなたからも身を引き、中大兄皇子のお招きもお断りするでしょう。

額田は自分が口に出したこの言葉を覚えていた。大海人皇子は額田にそのような態

度をとって貰《もら》いたいに違いないのであった。

「中大兄皇子さまがあなたに対して、そのようなことをお口に出されたのは——」

ここで多少言葉の調子を改めて、

「お口に出されてもいいだけのことがあったからでございましょう」

額田は言った。と、果たして大海人皇子は瞬間表情を固くした。既に中大兄皇子から二人の姫を妃として与えられていた。額田はこれまでに一度も口に出したことはなかったが、チクリと、針の一本ぐらいは刺しておいても罰は当たらないであろうという気持だった。

「辞退できるものとできないものがある」

大海人皇子が言うと、

「御自分からお求めになったのでございましょう」

額田は言って、低く声を出して笑った。

「ばかを言え」

「御辞退遊ばしたかったら、御辞退遊ばせばよろしかったのに」

「だから、辞退できることとできぬことがあると言っている」

「何と御都合のいいお言い分でございましょう」

ここで言葉を切って、

「致し方ございませんわ、戴《いただ》くものは戴いてあるんですから」

「もう、よろしい」

こうなると、明らかに大海人皇子の負けであった。明らかに負けであっても、負けであるからといって、ここで放免してやらなければならぬということはなかった。どうせ針を刺してしまったのである。一本刺そうと、二本刺そうと同じことであった。

「二人の姫を戴き、それからまたもう一人の姫を戴き——」

「もう、よろしい」

「お二人まで御無心なさったんですもの、お引き替えに一人ぐらいお出しにならなくては」

「————」

「ああ、何という辛《つら》いことでございましょう。わたくしはまるで、兄の皇子さまへの、お返しの品ではございませぬか」

「————」

「——俺の知ったことではない」

額田は大海人皇子の口調を真似《まね》て言って、それから更に続けた。

「それほど執心な女とあれば、俺は額田と別れてやろう。別れたあと、どのようにしようと、俺の知ったことではない」

「――――」

「俺の知ったことではないとおっしゃるのは一体どういうことでございましょう。中大兄皇子さまのお言葉をお受けせよということでございましょうか」

「俺はそんなことは言っていない」

「それなら、額田はどのようにしたらよろしいのでございましょう」

「俺は断れないが、汝なら断れる」

「あなたがお断りになれぬものを、どうしてわたくしがお断りできましょう」

「なんと！」

いきなり大海人皇子は立ち上がった。いまにも佩刀《はいとう》に手でもかけかねない形相だった。ここで、額田はふいに身をかわして、

「御心配遊ばさなくても、額田は当分、どこへも参りませぬ。きよらかに身を守っておりましょう」

それから、

「淋《さび》しいことですけど」

「淋しい!?」

「淋しいに決まっているではありませぬか。あなたは大勢の妃たちといつも一緒にいらっしゃる。尼子娘《あまこのいらつめ》、大田皇女《おおたのひめみこ》、鸕野皇女《うののひめみこ》、それからまだまだいらっしゃる。それなのに、わたくしの方は一人でございます」

「淋しいのは判っている。だからどうしようと言うのだ」

「どうもいたしませぬ。きよく身を守っております」

「当てにならぬな」

大海人皇子は言った。実際に当てにならぬと思った。子供まで作っておきながら、それでもまだ自分のものにできぬ女を、自分からはなして一人にする。一人になっていてくれればいいが、一人になっていないかも知れない。当人が信用できぬ許《ばか》りでなく、狼《おおかみ》が襲いかかって行く。

大海人皇子はこの日ほど、額田が再び自分の許《もと》へ帰って来ないということを強く感じたことはなかった。二人がどのような言葉のやりとりをしても、所詮《しょせん》それはその場限りのもので、この日二人の間に置かれたものは別離以外の何ものでもなかった。中大兄の権力の前にはいかなるものも無力であった。大海人もそれを知っており、額田も亦《また》それを知っていたのである。

額田女王が中大兄皇子の妃に迎えられるらしいという噂は、一時到るところで、いろいろな人に囁《ささや》かれたが、そのうち次第にその噂は下火になって行った。併し、この噂のお蔭《かげ》で、額田は朝臣たちからも、女官たちからも特別な眼で見られるようになり、中大兄との噂は立ち消えになっても、額田を見る人々の特殊な眼だけは、そのままあとに残った。人々の口から噂が消えたのは、いくら噂をしても、額田女王の身の上にはいかなることも起こらなかったからである。

秋が深まった頃《ころ》、天皇は出雲国 造《いずものくにのみやつこ》に大きい神社を造るようにお命じになったということが、噂となって額田の耳にもはいった。この年の夏の盂蘭盆会《うらはんえ》はいつになく盛んに行われたが、盂蘭盆会のことと言い、こんどの出雲へ大きい社を建てることと言い、額田には、それが皇孫 建王《たけるのみこ》の死と無関係には思われなかった。老女帝は神にも、仏にも、建王の冥福《めいふく》を祈らざるを得ない心境にあったのである。いまや斉明天皇が考えたり思いついたりするいかなることも、建王の死と無関係ではなかった。在りし日の愛くるしい稚《おさな》い建王の姿が、斉明天皇を動かしていると言ってよかった。老女帝は亡《な》き建王のためとあらば、いかなることでも為《な》すに違いなかった。

多少、異様にすら思われた盂蘭盆会の盛んさも、恐らく誰か側近の者が囁いた言葉を取り上げた結果であったろうし、出雲国の大きい社《やしろ》の造営も、また誰かの献言に依るものであろうと思われた。併し、当然のこととして、こうした老女帝への批判も行われずにはいなかった。

——出雲では社造りでたいへんらしい。国を挙げてひっくり返っているそうだ。何でも綱を造るための葛《くず》を採るだけでもたいへんな作業らしいが、せっかく採って来た葛も、片っぱしから狐《きつね》に嚙《か》み切られてしまうということだ。綱を作っても作っても、狐に嚙み切られてしまう。大声では言えないが、役丁たちは、不思議なこともあるものだと言い合っているそうだ。

話す者も、聞く者も、こうしたことを話し合っている時は、例外なく二、三年前の〝狂心《たわぶれごころ》の都造り〟のことを思い浮かべていた。曾《かつ》てこの都で行われた正気の沙汰《さた》とは思われぬ大工事が、所を変え、現在は遠い出雲の国で行われているのだと思った。また、このようなことも噂された。

——これも大きな声では言えぬことだが、出雲では狗《いぬ》が死人の臂《うで》をくらい、その骨をこんど新しく造っているお社に置いて行ったそうだ。

ただそれだけのことであったが、意味ありげに囁かれると不気味であった。こうしたことは、明らかに土木事業を起こすことの好きな老女帝に対する批判であり、民の非難が遠い出雲国の出来事という形をとって現れているに違いなかった。

額田女王に対する関心が、遠い出雲の社造りに対する関心に変わった頃、額田は中大兄皇子と一回だけ短い会話を交わしたことがあった。額田が新しく造られている宮城の奥まった庭に植えられた萩《はぎ》の株が小さい花をつけたことを聞いて、それを見に行った時のことである。月の明るい夜であった。額田は侍女を一人伴っていた。なるほど広い庭の周辺を縁取るように植えられてある何十かの萩の株は、それぞれが花をつけて、咲き乱れている感じであった。昼のような明るい月光のもとに置くと、その小さい萩の花の群れは寧《むし》ろある華やかさで見えた。天地を埋めるように何百何千と思われる秋虫のすだく声が聞こえており、その中に萩の花の群れだけがひっそりと咲いている。

その時、額田は向こうから一人の男がやって来るのを知った。遠くからでも、それが中大兄皇子であることが判《わか》った。額田は侍女を促して、そこから立ち去ろうとしたが、その前に相手から声がかかった。

「月が美しいな」

額田は頭を垂れ、中大兄を迎える姿勢をとらねばならなかった。侍女だけが退《さ》がって行った。

「今宵《こよい》の月は美しいであろうと思ったが、案に違《たが》わず、美しい月が出た」

「は」

額田は頭を垂れていた。

「月光のもとで見る萩の花は美しい」

「――――」

「額田の手も美しく見える」

額田は前に重ねている己《おの》が手が、相手に見られていることを知った。額田は長い衣服の袖《そで》でそれを包んだ。

「汝の顔も美しく見える」

顔の方は覆《おお》うことはできなかった。せいぜい一層深く面を伏せるぐらいのことしかできなかった。

「大海人皇子と別れて、今年の秋はさぞ淋しいことであろう」

額田は〝は〟とも、〝いいえ〟とも言うことはできなかった。返事ができないためか、自分でも知らぬ間に面が上がった。中大兄皇子は少し仰ぐように月の方へ顔を向けていた。

「淋しさが癒《い》えるまで一年待とう」

額田はまた面を下げた。体が小刻みに震えていた。

「一年経《た》ったら、その美しい手も、その美しい顔も貰《もら》う」

「――」

「その美しい額も、美しい頰《ほお》も、美しい項《うなじ》も、美しい髪も貰う」

火のように熱い烙印《らくいん》が、中大兄皇子の言葉と一緒に、額田の額に、頰に、項に、頭髪に捺《お》されて行った。月光の冷たい光の中で、そこだけ焼けるように熱かった。

全く一方的な宣言だった。それだけ言うと、中大兄皇子は額田から離れて行った。月が美しいので、そこらをそぞろ歩きし、その途中額田に会ったので、ひと言ふた言言葉をかけ、そしてそのまま向こうへ歩き去って行ったという、そんな離れ方であった。

額田はひとり残されて、萩の株のところに立っていた。どこへ退がっていたのか、侍女が戻《もど》って来た。額田は侍女に顔を見られるのが躊《ため》われる気持だった。顔には小さい火傷《やけど》の跡がいっぱいできている筈《はず》である。やがて、額田は月に向かって顔を上げた。つい一刻前に中大兄が月に向かって顔を上げたように、額田も亦《また》顔を上げたのである。

額田はまともから月光を浴びて立っていた。月光に顔をさらしていると、中大兄皇子に捺された火傷のあとが、一つ一つ洗い流されて消えて行った。少なくとも額田にはそのように感じられた。

——その美しい額も、美しい頬も、美しい項も、美しい髪も貰う。

中大兄の言葉がもう一度聞こえた。額田は、それに対して、心の中ではっきりと返答を口に出した。さっきはひと言も口から出せなかったが、いまは口から出すことができた。

——額を欲しいとおっしゃるなら、額を上げましょう。頬を欲しいとおっしゃるなら、頬を上げましょう。項でも、髪でも、欲しかったら何でもお取りなさるがいい。大海人皇子さまに差し上げたように、中大兄皇子さまにも差し上げましょう。

それから額田は笑った。額田は自分が笑ったと思ったが、侍女にはそうは受け取れなかった。月の方に向けられている女主人の顔がこちらに向けられた時、侍女は思わず息を呑《の》んだ。それほど額田の面は優しく、静かで、そしてどこかになまめいたものがあった。

額田はその時思っていたのである。欲しかったら何でも差し上げましょう。大海人皇子さまとお約束ずみのことでしょうから、何をやり惜しみいたしましょう。大海人皇子さまがお抱きになったように、どうぞ中大兄皇子さまもお抱きになるがいい。でも、大海人皇子さまに差し上げなかったものは、中大兄皇子さまにも差し上げられません。それは私の心です。神の声を聞くために生まれたわたくしが、どうして人間の声に耳を傾けていいでしょう。

——心は上げられない、心だけは。

額田は歩き出した。自分の思いを、一つずつ噛《か》みしめているように、額田はゆっくりと足を運んだ。萩の株と株の間を通り抜ける時、夜露が額田の足を濡《ぬ》らした。額田は、中大兄の前に立った時、不覚にも失った神の声を聞く女としての誇りを、いまは奪《と》り返していた。額田は中大兄皇子の何人かの妃の一人として、そうした場所に自分を置くことは考えられなかったし、そんなことができる筈のものでもなかった。

有間皇子《ありまのみこ》が、狂心を装ってもなお生き永らえることのできなかった中大兄という権力に対して、自分を守る術《すべ》は一つしかなかった。心を与えないということである。額田は、この時、一年後の自分に対して、絶対に中大兄に対しての愛情を持つことを禁じたのである。大海人皇子に対してもそうであったように、中大兄皇子に対しても、そうであることを誓ったのである。それ以外に、自由に誇りやかに生きることはできなかった。嫉妬《しっと》、策謀、中傷、そうしたもののひしめき合っている世界に身を投じていいものであろうか。

額田は中大兄のことを思念の向こうへ追いやってしまうと、あとは有間皇子のこと許《ばか》りを思いながら歩いた。有間皇子という若い貴人のことを思うと、いつも哀《かな》しみが胸を走った。この夜も例外ではなかった。が、いつもそうであるように、額田の気持は、有間皇子のことを思うことに依《よ》って落ち着くことができた。有間皇子がどうしてもそこから逃れることのできなかった皇子を見舞った悲運の中に、額田の心を奇妙に落ち着かせるものがあったのである。

二

年改まると、斉明《さいめい》天皇の六年である。この年の正月に、高句麗《こうくり》からの使者乙相賀取《おつそうがす》文《もん》等百余人が筑紫《つくし》に到着した。このことはずっと遅れて都に報じられたが、百人を越す使者団の来朝は珍しいことであった。

三月になると、また北辺征討の血生臭い噂《うわさ》が流れた。朝廷では阿倍比羅夫《あべのひらふ》に、船師二百艘《そう》を率いて、粛慎国《みしはせのくに》を討たしめる命をくだしたということであった。粛慎国がいかなる国か都では誰も知らなかった。蝦夷《えぞ》の一種族であるか、あるいは蝦夷とは全く異種の種族であるか、そしてまたそれが蝦夷と同じ地方に蟠居《ばんきょ》しているのか、あるいはそれよりずっと北方に国を形成しているのか、そういうことに正しい知識を持っている者はなかった。若《も》し、そうしたことに多少でも知識を持っている者があるとすれば、極く僅《わず》かの新政の首脳者たちであったが、彼等も亦《また》、それが皇威に服さぬ蕃族《ばんぞく》であるという以外、殆《ほとん》ど詳しいことは知らなかった。北方に出征している阿倍比羅夫からの報《しら》せで、粛慎国の存在を知り、そしてそれが敵対行動をとっていることを知ると、

——粛慎国討つべし。

そういう声が廟堂《びょうどう》に起こり、それが一座の承認を得て、北方へ大和《やまと》朝廷の命令として伝えられて行くというのが実情であるというほかなかった。

五月八日に、正月筑紫に来着した高句麗の使者団が難波《なにわ》にはいって来た。使者たちは外国の使者たちのために設けられている難波館《なにわのむろつみ》で休養し、都からのお召しを待った上で、そこを発《た》って大和へ向かう筈《はず》であった。

新政の首脳者たちはすぐには外国使節を引見するようなことはしなかった。すべて唐国のとっている外国使節の遇し方を真似《まね》ていた。

高句麗の使者百余人が難波津にやって来た同じ五月に、仁王般若経《にんのうはんにやきよう》講説の勅令がくだった。全国で百カ所が選ばれそこに講壇が設けられることになった。こうしたことも新政の稔《みの》りの一つの現れで、唐国で行われていることを倣《なら》っての試みではあったが、国家として漸《よう》くかかることに意を用うる余裕が生まれて来たという見方もできた。ま

た、政府は水時計を造り、これに依《よ》って民に時刻を報せることにした。これは中大兄皇子がかねてから考えていたことで、それが漸く実行に移されることになったのである。寺々はそのために朝夕鐘を鳴らさねばならなかった。これも唐の都で行われていることを倣ったものであるが、それにしても時を告げる鐘の音が都の民の生活を明るくし、それを多少でも秩序あるものにしたことは確かであった。

同じ月に粛慎人四十七人が送られて来た。阿倍比羅夫に依って征討され、皇威に服した粛慎人たちであった。朝廷ではさっそく遠路はるばる送られて来た夷人《えびす》たちのために饗宴《きょうえん》を張った。都の民たちは、この前蝦夷たちがやって来た時と同じように、粛慎人の一団を見ようと大騒ぎをした。粛慎人は蝦夷人と同じような顔を持ち、同じような衣服を身に着けていた。顔面を濃い髯《ひげ》が覆《おお》っているところだけが異なっていた。

この粛慎人の都入りで、巷《ちまた》ではまた阿倍比羅夫についての噂が盛んになった。夥《おびただ》しい数の蝦夷人が送られて来たり、粛慎人が献じられて来たりするのは、尽《ことごと》く阿倍比羅夫の武勲に依るものであるに違いなかった。

北辺の征討軍の動静は、戦線を離れて粛慎人たちを護衛して来た武将に依って仔細《しさい》に奏された。

阿倍比羅夫は己が率いる征討軍のほかに現地の蝦夷たちをも徴し、それを船に乗せて出征した。そして海を渡り、海の向こうの上陸地附近で新たにその土地の蝦夷の二集団を己が傘下《さんか》に納めた。その地の蝦夷は、毎年のように粛慎人の来寇《らいこう》に依って大勢の民が拉《らっ》し去られたり殺されたりしていたので、悦《よろこ》んで征討軍に協力し、仕えることを申し入れて来た。阿倍比羅夫はそれら新附の蝦夷の手引きで、粛慎の船団が隠れている場所を知り、初めは物品を与えて宣撫《せんぶ》する方法をとったが、効を奏さず、ついに戦端が開かれ、来襲して来た敵を迎えて闘った。この合戦は征討軍の大捷《たいしょう》に帰したが、この戦闘で能登出身の武将馬身竜《まむたつ》が戦死した。

戦死者は相当の数に上ったに違いなかったが、馬身竜一人の死が特に報じられて来たのは、恐らくこの人物が征討軍の中でも重きをなしていた武将であったためであろうと思われた。あるいは能登方面で編成された部隊の長であるかも知れなかった。

粛慎騒ぎが一応静まった七月の半ばに、高句麗の使者の一団は帰国の途についた。高句麗人の帰国に依って里心がついたためでもあるまいが、同じ月に吐火羅《とから》人たちもこの国の滞在が長くなるので一度生国へ帰して貰《もら》いたいと願い出て来た。吐火羅人の一人は、こんど帰国しても、自分は必ずこの国へ戻《もど》って来て、大和朝廷へ仕えたいと思っている。その証《あかし》のため妻だけはこの国へ留めておくと奏上した。

天皇はこれまでこの異国の漂流者たちを始終側《そば》に侍《はべ》らせて、心の慰めとしていたので、相なるべくは彼等の願いを諾《き》き届けてやりたいと思った。この天皇の意向は、間もなく新政の首脳陣に伝えられ、廟堂で論議された。漂流人たちをその生国に送り届けると言っても、船は調えなければならなかったし、やはりそれを動かす大勢の水手《かこ》が必要であった。それに要する費用も莫大《ばくだい》なものになったし、大体、吐火羅国そのものの所在がはっきりしていないので、航海は大きい危険を予想しなければならなかった。漂流者たちの話で唐国の南方にある国であろうとは想像されたが、それも確かではなかった。大陸続きの国であるか、大洋の中の島嶼《とうしょ》であるかさえもはっきりしてはいなかった。ただ彼等の話から、この国では想像することもできぬような珍奇な物産を持つ国であるように思われ、また漂流者たちの穏やかな性格から考えて、ある程度文化の進んだ国ではないかと想像された。

廟議はなかなか一つに纏《まと》まらなかったが、結局は送使をつけて、漂流者たちをその生国に送還することに決まった。全くの無駄《むだ》かも知れなかったが、反対にまた案外大きな拾いものがあるかも知れなかった。

「送使をつけること、交易品を積み込むこと、万一に備えて、兵も乗せなければなるまい」

鎌足《かまたり》は言った。鎌足が一番この計画を積極的に支持していた。

かくして吐火羅人を送る船の人員構成は大規模なものになった。送使、吏員、水手等併せて数十人を数え、それらの人員と交易品を載せた行先のはっきりしない不思議な船は、一夜難波津から発航して行った。船は大洋へ出ると、西南への潮に乗った。あとは潮に運ばれて行くだけであった。

夏から秋の初めにかけて、額田女王《ぬかたのおおきみ》は二回、大海人皇子《おおあまのみこ》の誘いを受けた。まだ二人が特別な関係にはいらぬ前、大海人皇子はよく人を介して額田の心を誘ったが、こんども亦《また》そのような誘い方をした。そうしたところは大胆であった。

大胆だと言えば、中大兄皇子《なかのおおえのみこ》も大胆であり、大海人皇子も大胆であった。同じ母を持つ兄弟であるから、同じように大胆であっていっこうに不思議はなかったが、二人の兄弟の皇子から挑《いど》まれてみると、額田にはそういうところがやはり不安に思われた。

中大兄皇子は弟と関係を持っていることを承知の上で、額田を弟から奪《と》り上げようとしているのであり、大海人皇子は大海人皇子で、一応形の上では兄に譲っておきながら、こんどは自分の方でこっそり奪い返そうとしている。どちらも同じような大胆さを持っていたが、両方を並べてみると、額田は中大兄皇子の方へ好感を持たざるを得なかった。中大兄の方が、同じようなことをやっているにしても、どこか堂々としていた。お前の女をくれと、まっこうから弟に膝詰《ひざづ》め談判しているようなところがあり、それで話が決まってしまうと、あとは額田をそっとしておいてやろうと言うのである。か知らないが、兎《と》に角《かく》、一年だけは額田を立てるのか、大海人皇子を立てるの
額田にはそうした中大兄のやり方が小憎らしく思われた。お前は俺《おれ》のものだ、だが一年だけは待ってやる。待って貰っても、待って貰わなくても、権力者の腕の中に手繰《たぐ》り寄せられる結果は同じようなものであったが、そう言われてみると、額田は少なくとも自分が人間らしい扱いを受けているような気持になった。右から左へ手渡しされる物品ではなかった。

そして奇妙なことだが、そっとして置かれる一年が、額田には特別なものになった。決して中大兄に召される日を待っているつもりはなかったが、春が過ぎ、また夏が来るのが、そして夏が過ぎ、また秋が廻《めぐ》って来るのが、早いようにも、反対に遅いようにも感じられた。やがて萩《はぎ》の咲く季節はやって来るだろう。あのたくさんの萩の株がどれも小さい花をこぼれるようにつけたら、——額田は時々そうした自分の思いに気付いてはっとする。その時は、権力がどうすることもできぬ力で覆いかぶさって来る。

額田は顔を上げる。ふいに、思いは全く違ったものになる。さあ、何でも差し上げましょう。でも、心だけは差し上げられない。有間皇子《ありまのみこ》から生命を奪り上げたように、

そう簡単には、私の場合は事は運ばないでしょう。この世の中に一つぐらい自由にならぬもののあるのをお知りになるがいい。こういう思いに身を任せると、額田にとって中大兄皇子は敵以外の何ものでもなくなって来る。

大海人皇子からの誘いは、中大兄皇子ほど堂々としてはいなかった。

——久しぶりで、十市皇女《とおちのひめみこ》に会ってはくれぬか。このところ、物ごころがついたのか、しきりに母を恋しがっている。

そういうことが人を介して伝えられて来る。額田を恋しがっているのは十市皇女ではなくて、父親の大海人皇子であるに決まっていた。時には開き直って来ることもあれば、威《おど》して来ることもあった。額田はそうした大海人皇子に答えることは、いつも同じだった。大海人と顔を合わせた時、直接自分の口で答えた。

「——わたくしをお離しになったのはあなたではございませぬか。あなたが、わたくしをお棄《す》てになり、お譲りになったのです。お誘いを受けると、お傍《そば》に飛んで行きたい思いでございます。でも、そうしたら、またあなたは、私をお離しになり、お棄てになり、お譲りになるでしょう。こんな悲しい思いは一度だけで充分でございます。もう一度繰り返すのは嫌《いや》でございます」

お傍に飛んで行きたいという甘い言葉で、大海人皇子は満足しなければならなかった。すべては額田の言う通りであった。確かに離したのも、譲ったのも、自分のしたことで、額田の関《かか》わり知ったことではなかった。

「さあ、退《さ》がるがいい。中大兄に見咎《みとが》められると、事が面倒になる」

大海人皇子は言って、いつも自分から離れて行った。自分から額田に誘いをかけておきながら、大海人にはやはり中大兄の眼を怖《おそ》れているところがあった。

九月五日に、百済《くだら》より何人かの使者がやって来た。

難波津に上がると、急な使いの趣であるので、すぐ飛鳥《あすか》の都に赴いて、天皇に謁《えつ》したいと言った。いつもの朝貢使とは様子が違っていた。そのことはすぐ急使に依って飛鳥に報じられ、その命を待って、百済の使者たちは直ちに飛鳥に向かった。

百済の使者は朝廷に参内《さんだい》すると、思いがけないことを奏上した。

「今年の七月に、新羅《しらぎ》はわが百済と事を構え、唐国に救援を頼み、唐の大軍に依って百済の国を滅ぼしてしまいました。君臣みな俘囚《ふしゅう》となって拉《らっ》し去られ、国に遺《のこ》っている者は数えるほどでございます」

使者の言葉は、飛鳥朝の面々にはすぐには受け留められなかった。信ずべからざることが、使者の口から出たからである。そのような事は考えられなかったし、そのような事があっていい筈《はず》はなかった。

その場には老女帝を初めとして、中大兄、大海人皇子、鎌足等新政の首脳人たちは一人も欠けずに居並んでいた。一座は水を打ったようにしんとなっていた。七月と言えば、それから今日までに既に二カ月の日が経過している。

「生き残りの将軍二、三の者が二、三の地に拠《よ》り、兵を集めましたが、兵は殆ど前の合戦で尽きてしまっております。それでも寡兵《かへい》よく新羅の軍と闘い、これを奔《はし》らせ、王城《こにさし》だけは保っております。唐兵は怖《おそ》れてはいって来ないでおります。国は破れましたが、百済の遺臣等は王城を守り保ち、再び国を興そうとしております」

使者の奏上は終わったが、誰も声を出す者はなかった。

「国が亡《ほろ》んだとな」

誰かが言った。

「王も、朝臣も尽く奪い去られました」

「その乱に唐国の兵が加わっていると言うのか」

「新羅の請《こ》いで唐国が出兵して来たのでございます」

「その数は？」

「何万とも知れません」

「今後の戦況の見透《みとお》しはどうか」

「見透しとてございませぬ。国はすでに亡びました。遺臣が国を興そうとしているだけのことでございます。寡兵よく王城を保っております」

使者が退出すると、それを合図に、飛鳥朝廷は政変後最初の大事件に大きく揺すぶられた。半島において昔から最も関係が深く、親善関係を持ち続けていた百済《くだら》は、半島における往時からの権益の拠点である百済は、知らない間に亡んでしまったのである。しかも、この事件には大国唐が兵を出しているのである。

廟堂《びょうどう》では毎日のように百済問題が議せられた。

唐の国が半島へ兵を送るということは、唐の国自体にとっても大きい事件の筈であった。兵を動かすには、それだけの理由もなければならなかったし、それに対する準備の期間も必要であった。そうした事は唐国に在る者には判《わか》っていた筈であった。――いま唐国には坂合部連石布《さかいべのむらじいわしき》、津守連吉祥《つもりのむらじきさ》等が居る。無事に入唐したという報《しら》せがあったのであるから、まさしく唐土に居る筈である。何らかの形で半島出兵の動きは彼等にも感じられたに違いない。それを連絡して来ぬのは甚だ遺憾《いかん》である。

そういう声もあった。一年前に難波津《なにわづ》を発航して無事入唐した遺唐使の一行に非難が向けられたわけであるが、併し、それは無理というものであった。唐の国においても兵を動かすことは隠密裡《おんみつり》に運ばれるであろうし、外国からの使臣にそんなことを感付かせる筈はなかった。

それよりも絶えず往来のある半島の出来事が、しかもそこで起こっている一国が亡ぶような大兵乱が、この国に伝わって来ないということの方がよほど不思議と言うべきであった。いずれにしても、半島の情勢を、逐次伝えて来る機関を持っていなかったということは、大きい手抜かりと言うほかはなかった。まだ百済が亡んでしまう前なら、何らかの手の打ちようはあったかも知れぬ。百済だけは絶対に亡ぼしてはならぬ国であったのである。併し、今となって幾ら議論を闘わしても、亡んでしまった国はどうすることもできなかった。

百済に救援軍を送るべきではないかという意見も出た。百済からの使者に依《よ》って報じられて来た遺臣たちの現在の勢力というものはかいもく判らなかった。国が亡んでしまってからの、謂《い》ってみれば残党の蜂起《ほうき》であった。現在王城を確保していると言うが、いかなる守り方をしているのかも不明であった。それに半島に兵を送るとなると、大国唐と事を構えることになった。新羅《しらぎ》一国なら兵火を交えることも考えられたが、それに唐国が加担しているとなると、問題は重大であった。半島に出兵し、そこの作戦が不利に展開したら、勝ち誇った敵の大軍をこの本土に迎えねばならぬようなことになりかねなかった。

——いずれにしても、新羅は憎んでも憎み足りぬ国である。新羅だけはそのままにはしておけぬ。

いろいろなことが論じられたあとは、問題は必ず新羅が憎いというところに帰った。憎いことは憎かったが、と言って、どうすることもできなかった。政変以来、新羅は唐に通じ、その勢威をかりて、事々に我を軽んじているところがあった。朝貢の使臣が唐服を纏《まと》って来るという事件さえあったのである。

不安なうちに一カ月が経過した。十月にはいると、百済から二度目の使者がやって来た。こんどは多人数の一団だった。その大部分は、百済の遺臣たちの軍のために捕虜になった唐国の兵たちで、その数は百名を越し、いずれも、百済再興のために闘っている武将福信《ふくしん》から献じられて来たものであった。百余名の唐国の兵が献じられて来たことで、百済の再興軍が相当の力を持っており、かつ戦果をあげていることが判った。

福信からの書面には次の如《ごと》く認《したた》められてあった。

——唐人《もろこしびと》、己が兵団を率いて、国境を犯し、わが社稷《しゃしょく》をくつがえし、わが君臣を俘囚《とりこ》にす。もともと百済は日本国の天皇の護念《みめぐみ》を頼んで、一国を成した国である。今、謹んで願わくは、お国に差し出してある百済の王子豊璋《ほうしょう》を迎えて、国の主とせむとす。そして使者たちは口々に、人質としてこの国に留まっている王子豊璋を返して戴《いただ》きたい。そしてそれと一緒に援軍を差し向けて戴きたい、そういうことを奏した。

この使者の入国に依って、廟堂は再び大混乱を呈した。重臣たちは館《やかた》には帰らず、昼となく夜となく、一堂に集まって、国のとるべき態度を議した。百余名の唐国の俘囚が送られて来たと言っても、そのことで百済再興軍が優勢であると見ることはできなかった。新羅と唐の連合軍を相手にしては、所詮《しょせん》勝算があろうとは思えなかった。何十日、あるいは、何カ月持ち堪《こた》えられるかが問題であった。

王子豊璋は百済国王の子息である以上、その国が亡び、その国の遺臣たちから求められて来た以上、否応《いやおう》なしに差し出さねばならぬ人物であった。併し、豊璋を返すか返さないかということでも、議論は二つに割れた。いま豊璋を返すのは死地に追いやるようなものである。百済が亡んでしまったとあれば、豊璋はただ一人遺《のこ》された王族として、いまや貴重な存在である。無駄《むだ》に生命を落とさせるようなことはしてはならない。百済の再興は他日を期するとし、それまで豊璋の身柄《みがら》はこれまで通り、この国で預かっておくべきである。

これに対して、豊璋は預かりものである。しかも、いまその国は亡び、再興を図る遺臣たちから、国の主として迎えんと求められて来ている。返さざるを得ないではないか。そう主張する人たちも居た。

それにしても、問題は豊璋の返し方であった。何年も留めおいて、国が亡びるという大事に際して一人で返してやるのは、たとえ国は亡んだとしても、百済に対する礼を失するというものであった。若《も》しそうしたことが他国に知れたら、万世まで拭《ぬぐ》うことのできない国の恥辱になるだろう。豊璋を返すなら、当然援軍をつけてやらなければならなかった。援軍を差し向けるのが嫌《いや》なら、何か理由をつけて、豊璋を返さないでおく以外仕方がなかった。

要するに豊璋のことも含めて、問題は半島へ兵を送るべきか否《いな》かということにしぼられた。たとえ大きな危険を冒しても、百済再興を謀《はか》って半島へ出兵すべきか、百済のことは諦《あきら》めて、つまり、過去に培《つちか》って来た権益は棄てても、唐国を刺戟《しげき》しない態度をとるか、そのいずれかであった。

併し、厄介《やっかい》なことは、半島へ兵を送らず、百済の遺臣たちを見殺しにしてしまったからと言って、それでこの国が安全であるという保証はなかった。新羅と唐の連合軍は百済を屠《ほふ》った勢いを駆って、この国へ押し寄せて来ないとも限らなかった。しかも、今までの新羅との関係を考えれば、それは充分にありそうなことに思われた。新政の首脳者たちは廟堂に列している者に充分意見を出させる態度をとった。一国の運命を決することである。十二分に意見を闘わせて、その上で決定すべきことであった。

廟議の大勢はその日その日に依って変わった。一時は主戦派が大勢を左右しそうに見えたが、それに要する兵力、兵備の問題を検討する段になると、次第にその声は低くならざるを得なかった。新政の稔《みの》りは漸《ようや》く諸般の制度、施設の上に現れかけていたが、ただそれだけのことで、国力の充実というところまでは行っていなかった。半島へ兵を送るとなると、民は上から下まで塗《と》炭《たん》の苦しみを覚悟しなければならなかった。兵を徴する組織もできていたし、租を徴する制度もできていたが、それはただでき上がっているというだけの話であった。辺境の夷《い》族《ぞく》も次第に皇威に服するようになって来てはいるが、それが国力の中に組み入れられるのは、何年か先きのことである。

この十年間、いっさいを犠牲にして新しい国家体制の整備ということに力を注いで来た。朝臣も民も、そのために犠牲の生活を強《し》いられて来たのである。そして漸く、その稔りは現れ始めようとしている。政争のもととなるような暗い陰翳《いんえい》は全く取り除かれ、支配体制は確立し、国内の異民族征討に全力を投入し、着々それは実を結ぼうとしているのである。しかるに、この際、半島に兵を送るということになると、いっさいの事が十年前に逆戻《ぎやくもど》りしなければならぬであろう。

中大兄皇子《なかのおおえのみこ》は殆《ほとん》ど自分の意見らしいものを口から出さなかった。朝臣たちの考えを聞くことだけに終始していた。鎌足《かまたり》も亦《また》、自分の意見を吐かなかった。

中大兄皇子にとっては、廟堂における鎌足ほど冷たく見える人間はなかった。居住いを正して、いつも微動だにしないでいる。顔の色は平生より少し蒼味《あおみ》を帯びており、何を考えているのか、静かに半眼を閉じていることが多い。

鎌足は、この大問題を処理するのは結局は中大兄皇子であり、またそうでなければならぬと思っていた。中大兄が半島出兵の可否を裁決しなければならぬ刻《とき》はやがて来る筈であった。鎌足は、その時、中大兄の裁決に一切を賭《か》ける考えであった。出兵と決まったら、国の総力を結集し、兵団を次々に半島に送らねばならぬ。また反対に、百済の権益を放棄しても、兵を動かさないというなら、それはそれで、それに対する万全の策を講じなければならぬ。海辺の防備も厳にしなければならぬし、半島に対しても、唐に対しても、政治的な手を打って、半島で失ったものを、ほかの形で取り戻す策を講じなければならぬ。

鎌足は、中大兄の最後の裁決を待つ態度を終始変えないでいた。出兵の可否は人間の裁量では判断できなかった。彼自身、どちらをこの国の態度とすべきか、実のところ、見当が付かなかったのである。出兵したら、この国へいかなる運命が見舞うか、反対に出兵しなかったら、この国がいかなる運命に見舞われるか、神以外、誰も知らなかった。廟堂において、時折、鎌足は自分に注がれる中大兄の眼を感じていた。その時々でこの問題については汝《なんじ》はどう考えるか、そう問いかけて来る中大兄の眼であった。鎌足はいささかも表情を崩さなかった。鎌足にとっては、今や中大兄は神であった。神のくだされ給う裁決を待っているだけであった。どうして神に対して、己が小さい考えなどを具申できるであろうか。

どこから漏れるともなく、巷《ちまた》にも国がいま逢着《ほうちゃく》している大事件についての噂《うわさ》が流れていた。半島へ兵を送って新羅と合戦をするそうだとか、いや近く唐の大軍が筑紫に押し寄せるので、それと合戦する兵を集めるのだそうだとか、いろいろなことが風説となって流れていた。民にも、こんどの問題は容易ならぬものに感じられた。物騒な噂だけは流れているが、政府からはいかなる沙汰《さた》も、いかなる触れも出なかった。朝臣の重だった者は廟堂にはいったまま、もう何日も出て来なかった。飛鳥《あすか》の山野には野分《のわき》とも木枯《こがら》しともつかぬ風が吹いていた。

額田《ぬかた》も、いま国を襲った事件の大要を漏れ聞いて、知っていた。大事件には違いないらしかったが、それが実際にはいかなる性質のものかは判《わか》らなかった。宮城内は平生より寧《むし》ろ静かであった。そうしている時期に、額田は久しぶりで姉の鏡女王《かがみのおおきみ》の訪問を受け、彼女が、この夏から小さい館を賜わっていることを知った。館を賜わったということは、中大兄の寵《ちょう》を受けない立場に立ったことを意味していた。

「結局は、わたくしは、現在の身の上を有難いと思っています。大勢の妃たちと寵を争うことにも疲れました。皇子《みこ》さまをお慕いする気持には変わりありませんが、もう皇子さまとはお別れしてしまったのだと自分に言いきかせていれば、長い間には、悲しさも、淋《さび》しさも薄らいで参ることでしょう。今考えれば、大和《やまと》から出て来なければよかったと思います。でも、あの時は、どうしても皇子さまのお傍《そば》に侍《はべ》っていたかったのです。あれから、何年になりますか、もう疲れました」

鏡女王は言った。額田女王は姉に返す言葉はなかった。姉とて、自分の噂を耳にしていない筈はなかった。が、そのことにはひと言も触れなかった。額田は鏡女王の境遇の変化が、自分と無関係なものには思えなかった。中大兄は妹の自分を召す前に、姉の鏡女王を離したに違いないと思われた。

鏡女王は何年か前、大和から出て来た時とは見違えるほど面窶《おもやつ》れがしていた。そして皇子たちの妃の誰もが例外なく持っている尖《とが》ったものを、その面輪《おもわ》のどこかにつけていた。妃だけの持つ誇りとか気品とかいうものであると言えないこともなかったが、やはりそれはその生活から自《おのずか》ら生まれて来る、女同士だけに判る冷たく悲しい尖りであった。装われた冷静さの底に沈んでいる烈《はげ》しく暗いものであった。

三

何日か続いた廟議《びょうぎ》は、ふいに打ち切られた。毎日のように参内《さんだい》して御前会議の席に列していた朝臣たちが、一人一人、会議の行われていた部屋から出て来、それぞれ宮城内の庭に散って行った。朝臣たちはいずれも面窶れしている顔を、晩秋の陽《ひ》にさらし、俯向《うつむ》いて歩いて行ったり、連日の疲労を癒《いや》しでもするかのように半ば仰向いて歩いて行ったりした。中には、二人、三人と連れ立って、何か言葉少なに囁《ささや》き合いながら歩いて行く者もあった。朝臣たちは宮城の庭を突切ると、表門から出て、それぞれの館に引き揚げて行った。

斉明《さいめい》天皇の二年暮に、新築間もない岡本宮《おかもとのみや》は焼失したが、その後再度の造営が企てられ、その工事は今日まで続き、今や八分通りの完成を見せていた。前年、額田《ぬかた》が中《なかの》大兄皇子《おおえのみこ》から一方的な愛の宣告を受けた萩《はぎ》の株の植えられてある庭も、最近甍《いらか》を敷き始めている外国使節を引見する御殿の横にあった。

新しい御殿の館々が落成し、仮の御殿が取り払われた時は、宮城内の様相は一変する筈《はず》であった。

廟議が打ち切られた日、中大兄と鎌足《かまたり》はその八分通りでき上がった岡本宮の庭を歩いていた。朝臣たちの姿は見られなかった。

「兵の動員は？」

中大兄が言うと、

「こんどは都近い近畿《きんき》の壮丁《そうてい》を徴します。これまでの東北の出征軍は、一人残らず地方の者で固めております。こうしたことは公平でなければなりません」

それから、

「問題は軍船でございますが、これは、あすにでも駿河国《するがのくに》に造船の詔《みことのり》をくだします」

鎌足は言った。

「半島へ出征する兵団の指揮者は？」

「やはり、阿倍比羅夫《あべのひらふ》をおいてはないかと存じます。これもあすにでも、帰還の命を伝える使者を派します」

「お若うございます。それに皇子と名の付く方が出陣することはいかがかと存じます。やはり控えていた方が宜《よろ》しいと考えます」

「大海人皇子《おおあまのみこ》は？」

「こんどのことは、国が運命をかけているということを、最もはっきりする形で天下に知らしめる必要はないか」

「それは他の方法に依《よ》るのが宜しいと思います。半島出兵の詔をくだすと同時に、朝廷は難波津《なにわづ》へ移ります。天皇も、皇子方も、一人残らず難波津に移って戴《いただ》かねばなりません。一意出征の準備に当たります。そして年が変わりましたら、なるべく早く船団を率いて難波津を発航、筑紫《つくし》を目指します。遅くも来春早々、筑紫に本営を置きます。筑紫以外にこんどの闘いの本営を置くところはございません」

「来春早々と言うが、それまでに準備を調えることは難しいのではないか」

「準備が調う、調わないに拘《かかわ》らず、朝廷は筑紫に移らねばなりません。御船は西に征《ゆ》かねばなりません。筑紫において準備成るを待ち、その上で兵を半島へ送ることにしたらいかがでございましょう。いくら早くても、軍船を作るには半年の日子《にっし》が必要でございましょうし、阿倍比羅夫が出征地から引き揚げて来るにも、相当の日数を要しましょう。軍船出動の時期は更に少し遅れるか、と考えます」

「豊璋《ほうしよう》は？　豊璋を百済《くだら》国に送り込むのは、いつにすべきか」

「全軍団の出動の時で宜しいかと存じます。先きに送り出しても、ために半島の情勢がどうなるものでもございますまい。それまで百済の遺臣福信《ふくしん》等が、たとえほそぼそとでも、都城を保っていてくれれば上乗、若《も》し王城が敵の手中に落ちたとしても、それはそれで致し方ないと考えます。もはや既に百済の国は亡《ほろ》んでしまっているのでございます」

それから、

「それよりも、一番大切なことは、この秋《とき》に当たって、兄皇子と弟皇子のお二人が、ぴったりと心を一つにし、この大きい困難を切り抜けねばならぬことでございます」

「そんなことは判《わか》っている」

「いや、お判りになっていらっしゃるようで、必ずしもお判りになってはいらっしゃらぬ。お二方とも、烈《はげ》しい御気性をお持ちになっていらっしゃる。万が一にも、取るに足らぬような小さいことで、互いに反目なさるようなことがございましたら、それこそたいへんでございます。そうでなくて、今まで通り、仲睦《むつ》まじく御協力なさって行けば、半島の兵火など何でございましょう。取るに足らぬことでございます」

「判っている」

「いや、必ずしもお判りになってはいらっしゃらぬ。お二方、おひとりおひとりが、世にも優れた天稟《てんぴん》の資性をお持ちになっていらっしゃる。お二方の力が併されば、何ものをも焼きつくさではおかぬ天の火となりましょう。若し仮にも、いささかでも、反目なさるような事態が生じましたら、それこそお互いは傷つき、国は破れ――」

「判っている。そんなことはよく判っている」

「いや、必ずしもお判りになっていらっしゃらぬ。鎌足、さき頃《ごろ》より奇妙な噂《うわさ》を耳にしております」

「判っている」

中大兄は〝判っている〟を連発していた。実際に何もかも判っていた。鎌足が言おうとしていることも、手にとるように判っていた。

「かりそめにも弟皇子の――」

「判っている」

「お判りになっていらっしゃるなら、変な気持は今日限りお棄《す》てになって戴きませんと――」

こんどは、中大兄皇子は黙っていた。〝判っている〟と言いきってしまう自信はなかった。

「考えておく」

中大兄は言った。

「お考えになるだけでは困ります」

「考えて、汝《なんじ》の心が満足するように事を取り計らうことにする」

「確《しか》と、鎌足、いまのお言葉を胸にしまっておきます。どうぞ萩の咲き乱れているお庭で、鎌足に仰《おお》せになりましたことをお忘れになりませぬように」

萩と聞いて、中大兄皇子ははっとして辺りを見廻した。なるほど萩の植わっている庭に違いなく、萩の株は、小さい可憐《かれん》な花をいっぱいつけている。秋はいつか更《ふ》けているのである。

「早いものだな、もう一年経《た》ったか」

中大兄は口に出して言った。口に出しても、鎌足には判る筈《はず》はなかった。

「一年と申しますと」

「出雲《いずも》の国に大社を造る詔勅をくだしてから一年経っている」

「まことに」

「丁度、この庭の萩が咲きこぼれている時であった」

「左様、そうおっしゃられてみれば、あれは、一年前の丁度今頃――、あのお社《やしろ》の造営も一時中止したいところでございますが、他のことと違って、あれだけは――」

「いかに国の総力を結集すると言っても、出雲の大社の造営を取りやめるには当たるまい。それも亦《また》戦力に繋《つな》がることであろう。何もかもが無駄《むだ》にはなるまい」

中大兄は萩の庭をゆっくり歩いていた。萩の庭で約束した相手は鎌足だけではなかった。一年前、額田とも約束している。たとえ一方的な宣言であるとしても、やはりあれは約束というものであろう。額田がそうとらなくても、やはり約束と言うべきものだ。自分で自分に約束したのである。ただ厄介《やっかい》なのは、鎌足と額田の両方に約束したことが、丁度正反対なことなのだ。

「何をお笑いになっていらっしゃいます」

鎌足の声で、中大兄は表情を強《こわ》ばらした。

「何も笑ってはおらん」

「いや、おひとりでお笑いになっていらっしゃる。この国の存亡に関わる危急の時、何を考えてお笑いになっていらっしゃるか存じませぬが、まあ、お笑いになれるくらいなら結構なことでございます」

「いや、笑ったりはせぬ、そんな余裕の持ち合わせはない。――俺《おれ》は半島出兵の詔勅に綴《つづ》る内容について考えている」

瞬間、中大兄の顔も心も別人のそれになった。詔勅の内容を考えていると口に出した瞬間から、中大兄は別人になっていた。額田のことも消え、鎌足のことも消えていた。この何日か、考えに考えた末に、半島に出兵することを決意し、全く自分一個の考えでそれを宣言したが、いまや、その宣言を、詔勅の形で、国民のすべてのものに伝えなければならなかった。

師《いくさ》は起こさなければならなかった。いかに大きい犠牲を払おうと、なお師は起こさなければならなかった。

「詔勅は飾りなき雄勁《ゆうけい》な文章で綴らなければならぬ」

中大兄は言った。鎌足は足を停《と》めて、威儀を正すようにして、中大兄の顔を見入った。中大兄の口から出る言葉をひと言も聞き洩《も》らすまいといった面持《おももち》であった。中大兄皇子は、つい今まで自分が意見していた若い皇子ではなかった。今や、皇子は神であり、皇子の声は神の声に他ならなかった。

「他国から闘いの救援を求めて来た例は、この国の歴史に屢々《しばしば》見るところである。亡ぶ国を救《たす》け、それを存続させた例も、これまた歴史に見るところである。百済国は存亡の危機に瀕《ひん》して、わが国を頼って来た。どこにも頼むところないためである。民は戈《ほこ》を枕《まくら》にし、胆《い》を嘗《な》め、敗戦の苦しみの中から救いを求めて来た。神ですらその志を奪うことはできぬ」

　ここで中大兄は言葉を切った。そしてまた萩の庭をゆっくりと歩き出した。鎌足も亦、そのあとについて歩いた。

「わが股肱《ここう》と頼む武人たちよ。百済を救うために半島に出陣せよ。白道より共に進むべし。雲の如《ごと》く会い、雷《いかずち》の如く動くべし。敵国になだれ入り、その王城を屠《ほふ》り、百済をその苦境より救うべし。わが股肱と頼む有司たちよ。充分なる用意と準備を以《もっ》て、百千の精鋭と百千の軍船を発遣せしむるために、それぞれ己《おの》が本分を尽くせ」

　中大兄はあとを続けて言おうとしたが、それをやめた。心は昂《たかぶ》っていたので、半島への出兵を決意した自分の気持を、うまく言葉に出して言えなかった。

　また、このあとを続けて鎌足に聞かせる必要もなかった。鎌足は自分の言葉の足りないところを補い、自分の言葉の熟していないところを熟させ、その上でそれを適当な部署へと廻すだろう。恐らく今夜一晩のうちに、雄勁な詔文となり、早ければあすにも、百官の朝臣はもとより、国の津々浦々の役人にも伝えられるであろう。辺境で柵《さく》に拠《よ》っている武将たちも、何日かの後には、その詔勅によって、新しい行動を起こすだろう。

　中大兄皇子は、鎌足と別れると、なおも萩の庭をひとりで歩いていた。一度、中大兄の心の中にはいって来た額田であったが、もはや中大兄の心の中には額田のはいって行く席もなければ、空処もなかった。

中大兄はさっき鎌足が言ったことを、もう一度思い浮かべて、それを一つ一つ検討して行った。詔勅の発表と同時に、朝廷は難波津に移らねばならぬ。そう鎌足は言った。併し、いくら急いでも、十二月にはいってのことになるであろうし、それも月の終わりのことになるだろうと思う。このことの采配《さいはい》は大海人皇子に任せねばならぬだろう。

たとえ準備不足でも、年を越したら御船は西に征《ゆ》かねばならぬ、と鎌足は言った。これも、そうすべきであろう。この方は鎌足の考えている時期よりずっと早めねばならなかった。年が改まったら早々に、五日でも、六日でも、御船は難波津を発して西に向かわねばならぬ。是が非でも、そうしなければならぬ。この采配も亦大海人皇子に託すべきであろう。大海人以外に、これをやってのける人物はない。

筑紫からの軍船の出動は、半年あとになってもいいと鎌足は言った。この鎌足の考えには訂正するところはなさそうだ。併し、大唐国を相手に干戈《かんか》を交える以上、準備期間は倍にすべきだろう。一年の準備期間でも決して長いとは言えないのだ。その一年間に船を作り、兵を筑紫に集める。この采配も亦、——ここまで考えて、中大兄皇子は足を停めた。

――やはり大海人皇子を措《お》いては、適当な人物はなさそうだ。

中大兄は眼を瞑《つむ》った。鎌足が喋《しゃべ》ったことで、最も正しいことは、大海人皇子と仲違《なかたが》いするようなことがあってはならぬ。若《も》しあったら、国が破れるだろうという指摘であったと思う。確かにその通りであるに違いなかった。額田をその腕から奪《と》り上げた弟の皇子が、中大兄にはやはり何ものにも替え難い協力者に思えた。

廟議が打ち切られてから一日おいて半島出兵の詔《みことのり》がくだった。
――乞師請救　聞之古昔　扶危継絶　著自恒典　百済国窮来帰我　以本邦喪乱
靡依靡告　枕戈嘗胆　必存拯救　遠来表啓　志有難奪　可分命将軍　百道倶前
雲会雷動　倶集沙㖨　翦其鯨鯢　紓彼倒懸　宜有司　具為与之　以礼発遣
中大兄が鎌足に話した内容が、中大兄が望んだように雄勁な文章に綴られてあった。
晩秋の静かな日であった。廟堂に列していた者は、既にこのことあるを知っていたが、それは限られた極く僅《わず》かな者だけで、百官の朝臣の大部分の者が、初めて事態が容易ならざる方向に展開したのを知ったのであった。
詔のくだった日は官吏や武臣たちの表情が改まったぐらいのことで、巷々《ちまたちまた》は静かであったが、それから二、三日すると、半島出兵のことは都の民たち全部の知るところとなった。静かな晩秋の日は続いていたが、その静けさが都の人々には異様なものに感じられた。民たちは到るところで半島出兵について噂《うわさ》し合ったが、具体的にそれが自分たちの生活にいかなる影響を持つかは判らなかった。たいしたことはないようにも感じられたし、これからたいへんな時代が来るようにも感じられた。詔がくだってから何日かは都にも何の変わりもなかった。兵団もはいって来なければ、兵団も出て行かなかった。官吏たちの朝廷に出仕する姿に多少緊張したもののあるのは見受けられたが、ただそれだけのことで、相変わらず朝と暮れ方に、時刻を報ずる鐘の音が寺々からは撞《つ》き出されていた。その鐘の音も別段平生と変わりあるものとは思われなかった。

都がこうした静けさを保っている間に、半島出兵のことは、一個の石に依って池の面に起こされた波紋のように、近江《おうみ》に、信濃《しなの》に、若狭《わかさ》に、駿河《するが》に、伊豆《いず》に、能登《のと》に、武蔵《むさし》に、播磨《はりま》に、筑紫《つくし》にというように、次々に地方地方に伝えられて行ったのである。急使は八方に馬を飛ばせていた。野分《のわき》の吹き荒《すさ》んでいる山野を走り、時雨《しぐれ》の落ちている平原を走り、雪模様の灰色の空が押しかぶさっている北陸路の海沿いの道を、走りに走っていた。日本列島の到るところで、何百人かの急使たちはそれぞれに馬を駈《か》けさせていたのである。

容易ならざる事態の前触れは、ゆっくりと、併し確実な足取りでやって来た。十一月の初旬から、近畿一帯の地に兵の徴集が行われ始めた。国府の手で農村からも、山村からも、若い男たちは兵として徴せられ、国府のある所在地に集められた。都も都附近も例外ではなかった。戸籍はでき上がっていたので、逃げかくれはできなかった。徴せられるのは民の若者たち許《ばか》りではなかった。父を役人に持っている若者たちにも、次々に白羽の矢が立った。労役に徴せられる場合は、金で代えたり、米で代えたりすることもできないわけではなかったが、こんどはいっさいそういうことは許されなかった。金のある家も、役人の家も、貧しい民の家と同じように、若者があれば、それを差し出さなければならなかった。若者が二人ある家で、二人とも徴せられる場合もあり、三人の若者を持つ家で一人しか徴せられぬ場合もあった。そうした不公平さがないわけではなく、それがあちこちで問題になって混乱を起こしたが、根本的にはこんどの徴兵は民、役人の区別なく行われていると言ってよかった。

壮丁の徴集は忽《たちま》ちにして、都の巷々の表情を変えた。巷の男女たちは申し合わせたように怯《おび》えた不安な眼を持つようになり、その動きも何かなしに慌《あわただ》しく感じられた。

この年の冬は早くやって来た。十一月の中頃から白いものが舞った。

十二月になると、もう一つ否応《いやおう》なしに民に非常事態の認識を迫る触れが出た。それは近く天皇が難波《なにわ》の宮に幸《みゆき》し、そこで政務を摂《と》るという発表であった。この発表があってから、巷の様相は更に一変した。都のあちこちを、慌しく動き廻っている朝臣たちの姿が目立った。勿論《もちろん》遷都《せんと》ではなかったが、半島出兵のための臨時の措置で、文武百官の朝臣たちは、家族はそのままにしておいて、自分だけ居を難波に遷《うつ》さねばならなかった。

そして、それに追い打ちをかけるように、政府が難波の宮に移っているのはほんの僅かの期間のことであって、できるなら年が改まらぬうちにでも、政府は老女帝を奉じて、筑紫に移りたい意向らしい、そういうことが噂となって流れた。これだけは単なる噂であろうと一部には受け取られていたが、間もなくそれが噂でないことが判った。難波津に居残る者の人選が行われたからである。その他の大部分の者は難波を離れて、他のどこかへ移らねばならぬことを、暗に言い渡されたようなものであった。

十二月の中旬にはいると都はごった返した。もはや官吏にも、民にも、半島出兵は遠い他国のことでも、他人の身の上のことでもなかった。誰も彼もがその騒ぎに捲《ま》き込まれていた。親子の別れもあれば、夫婦の別れもあった。またこの頃から、毎日のように兵の集団が都にはいって来たり、都から出て行ったりした。難波へ通ずる街道にも兵の集団は切れることなく続いた。

噂は雑多なものがあった。難波津の港は軍船で埋まっているとか、兵と水手《かこ》とが集団で争ったとか、百済の戦線から何百という敗残の兵が逃げ込んで来たとか、またその敗残兵たちは上陸を許されないで半島へ引き返して行ったとか、どこまでが真実で、どこまでが風評であるか判らなかった。ただ一つはっきりしていることは、難波の旧都が急にそこに集まった人たちで脹《ふく》れ上がり、混乱を極めているということであった。

十二月の中旬から、都の寺々では鎮護国家の法会《ほうえ》が営まれ、仁王般若経《にんのうはんにゃきょう》が誦《ず》せられ、のべつにそのための鐘は鳴らされ出した。そうした中を毎日のように鵞毛《がもう》に似た雪は舞った。


天皇の難波御幸が、十二月二十四日に決まったことの発表があったのは、その十日程前であった。

額田《ぬかた》は自分が難波に行って、そこに留まるか、更に筑紫に向かうことになるか知っていなかった。天皇が難波に留まれば、当然額田も難波に留まらねばならなかったし、御船が西行すれば、額田も亦《また》天皇と一緒に筑紫に赴かねばならなかった。併し、額田はいくら半島出兵という大事を控えていても、老女帝が、筑紫に向かうというようなことがあろうとは考えられなかった。中大兄《なかのおおえ》、大海人《おおあま》、鎌足《かまたり》の政府の首脳者たちは半島の出征軍を指揮しなければならぬので、筑紫に居を移すことになるであろうが、老女帝が二人の皇子たちと一緒に西行するとは思われなかった。

それにしても、額田は飛鳥《あすか》の都を離れると、いつ戻《もど》って来られるか判《わか》らなかったので、額田は額田で御幸の前を忙しく過さねばならなかった。父と母に会っておくために、大和の郷里の村へも帰省しなければならなかったし、このままここに留まらねばならぬ姉の鏡女王《かがみのおおきみ》とも一緒の時間を持たねばならなかった。そしていかに宮仕えとは言え、額田にも何かと身の廻りのことで整理しておかねばならぬことがあった。半島出兵は額田にも無関係ではなかったのである。

額田は郷里への帰省を一番あと廻しにし、難波行きの準備を調え、姉の鏡女王の館も訪ねた。そして郷里の大和へ帰省したのは、御幸を三日ほどの先きに控えた時であった。

郷里の家に額田の輿《こし》が着いた時から、雪が降り出した。これまで、毎日のように白いものは舞っていたが、それとは全く異なって、湿気を帯びた重い雪がほどろほどろに大和平野に落ち始めたのである。額田は短い時間しか郷里の家では過せなかった。もともと日帰りの予定で出て来ていたが、雪が落ち出したので、なおさら心が急《せ》いた。

大雪にでもなった時の途中の難渋が思いやられた。

まだ暮れるには早い頃《ころ》、額田は両親に送られて、自分が生まれた家を立ち出でた。輿は雪の中を飛鳥の都を目指して進んだ。たいした道のりではなかったが、輿はところどころで休んだ。輿が休む度に、額田は垂れをめくってみた。見渡す限りの白い雪の原であった。そして天地をこやみなく小さい雪片が降り込めている。

何度目かに輿が停《と》まった時、人声がして、外部から声がかけられた。

「急の御用事ができまして、お迎えに上がりました」

額田は垂れをめくった。自分の乗っている輿にぴたりと寄り添うようにして、もう一つの輿が置かれてあり、一人の役人が頭を垂れて立っていた。その役人の頭髪にも、肩にも、白いものが置かれてあった。

「いずこからのお使いでございましょう」

額田は訊《き》いたが、すぐ自分を迎えに来ている輿が王宮から差し廻されて来たものであることを知った。輿の作りも異なっていたし、役人の身なりも異なっていた。

「承知いたしました」

額田はすぐ己《おの》が輿から出て、もう一つの輿に乗り移った。三日先きに難波御幸を控えているので、何か自分を必要とする急の用事ができたのであろうと思った。そういう用事ができたとしても、いっこうに不思議はなかった。

こんどの輿は休むことなく動いていた。額田を迎えた役人は騎乗で輿に続いている。

やがて、輿は都にはいった。都も亦《また》すっかり雪をかぶって、都大路には全く人影というものはなかった。額田は己が館にはいって、服装を改めて参内《さんだい》するつもりで、そのことを役人に申し入れたが、

「何分、火急の御用事かと存じますので」

そういう役人の返事だった。

輿は、これまたすっかり雪で化粧直しされた宮城の苑内《えんない》へはいり、そのまま奥深く運ばれて行った。

輿が降ろされたところは、まだ半造りのままで放置されなければならぬ運命を持った岡本宮の中で、どうにか宮工たちの手を離れる幸運を持った僅《わず》かの館の中の一つの前であった。額田は不思議なところに降ろされたという気持だったが、何かこの新しい御殿の一棟《ひとむね》で、御幸を前にしての神事でも行われるのであろうかと思った。

門をくぐると、その門をまん中にして、左右に廻廊がのびて、館の前の広場をぐるりと包んでいる。広場にはまだ一本の樹木も植えられてないし、当然門から館の正面へと伸びていなければならぬ石畳の道もできていなかった。

額田は暫《しばら》く、門をくぐったところで足を停めていた。きのうまでまだ普請場《ふしんば》の感じのぬけていなかった新造の館は、いまはすっかり様子を改めていた。窓の外囲いは外され、そこらに敷きつめられていた莚《むしろ》は取りのけられていて、今や、いかなる貴人がはいっていると言っても、さほど不思議でなく思われる。館許《ばか》りでなく、館に通じている廻廊も、不要物は片付けられ、通路はきれいに掃除されてある。

ただその廻廊が包んでいる前庭に一本の樹木も、一個の石も置かれていないことが物足りぬ感じだが、いまはそこを雪が埋めていた。庭はふかぶかと雪に覆《おお》われ、その上になお雪片がこやみなく降り積んでいる。

額田女王が廻廊を歩き出した時、老女が一人、どこからともなく姿を現して出迎えた。これまでについぞ見掛けたことのない老女であった。

老女はひと言も口から出さず、頭を下げると、額田の方に会釈《えしやく》して、どうぞこちらにお運び願います、といった風に、先きに立って案内した。額田はこのあたりから、少し様子が変だと思うようになっていた。館は異様な静けさで包まれている。

廻廊を通って、館の中にはいった。途端に温気《うんき》が氷のように冷え込んでいる額田の体を包んだ。部屋の中には調度が置かれてあった。高い卓も置かれ、卓を廻《めぐ》って何脚かの椅子《いす》も配されてあった。床には大きい唐国《からくに》の花瓶《かびん》も置かれ、燭台《しよくだい》も置かれてあった。つい二、三日前までは、一応でき上がったというだけで、閉めきられてあった館の筈《はず》であった。それが、いまは人の住める部屋になっている。いつこのようになったか判らなかった。

額田は温められている部屋の入口に一歩踏み込んで、そこに立っていた。一体、これはどうしたということであろうか。老女はいつか姿を消し、代わって、これも一度も見掛けたことのない侍女が現れた。この侍女も亦ひと言も余分なことは言わず、ただ恭《うやうや》しく果汁を運んで来た。額田は椅子の一つに腰を降ろして、それを飲んだ。

その同じ侍女の手で、燭台に灯がともされた。その時気付いたのであるが、窓から見える雪の前庭にはいつか夕闇《ゆうやみ》が来ようとしている。耳を澄ますと、雪片の落ちる音が聞こえている。しんしんと雪は降り続いているのである。

額田はいつか落ち着きを取り戻《もど》していた。自分はいま、中大兄に迎えられたに違いないと思った。中大兄は一年待つと言ったが、その一年は過ぎて、萩《はぎ》の季節はとうに終わって、いまは雪が落ちているのである。額田はこのようにして、中大兄に迎えられる時が来ようとは思っていなかった。半島への出兵騒ぎで、中大兄の心から額田のことなどは飛び去ってしまっている筈であった。難波御幸はあと二、三日に迫っているのである。それなのに、このようなことがあっていいものであろうか。

併し、額田には、自分が中大兄に迎えられたとしか考えられなかった。それ以外に、このような日に、このような場所に招じ入れられることは考えられなかった。この新造の御殿の館には、いま一体誰が居るのであろうか。額田は自分をここに案内して来た老女と、果汁を運んで来た侍女の二人にしか会っていなかった。

額田は暫く一人にしておかれた。すると、果たして、誰にも案内されず、ただ一人、中大兄皇子が姿を現した。新政の権力者の現れ方とは受け取れぬ唐突な現れ方であった。額田は立ち上がって、中大兄を迎えた。

「宮が出来上がった暁は、ここを額田の館にするつもりでいた。併し、こんどの騒ぎで、ここも当分使うことはできなくなった。宮の普請も打ち切らねばならなくなった。だが、せめて一夜だけでも、額田にここで過して貰《もら》おうと思って調度を入れてみた。ゆっくりと休んでみるがよかろう。今のところ、本式に額田がここにはいるのは何年先きのことか見当が付かぬ」

中大兄は立ったままで言った。屈託ない言い方だった。そして、

「自分はこれから宮中に伺候《しこう》せねばならぬ。為《な》さねばならぬことは山のようにたまっている。大勢の者が自分を待っている。今夜はこの雪では冷え込みがひどいだろう。風邪をひかぬように注意したがよい」

それだけ言うと、中大兄皇子はすぐ額田の方に背を見せた。中大兄が去ってから気付いたのであるが、その衣服の一部が濡《ぬ》れていたところから見て、中大兄はいま宮中からやって来て、すぐここに顔を見せたのであろうと思われた。そして言うだけのことを言うと、すぐ帰って行ったのである。

額田は、中大兄が立ち去ってからも、なおそのまま、そこに立ちつくしていた。額田は自分が頭を下げただけで、ひと言も口から出さなかったことを思った。言うべきことはあったのであるが、それを口にする暇もなかったし、たとえその暇があったとしても、どのように自分の考えを整理して述べるべきか、用意はできていなかった。思えば、中大兄皇子は権力者らしく、何もかもが一方的であった。一年前の愛の宣告が一方的であったように、この場合も亦一方的であった。この館《やかた》に額田を住まわせようということも自分一人の考えであったし、そこで一夜だけ額田を過させようというのも自分一人の考えであった。

額田はこんどの半島出兵で中大兄との事は無期延期になったと思い込んでいたし、たとえ中大兄の召しを受けるようになっても、その場合は額田は額田として取るべき態度があった。このような館に住むことなどは、どんなことをしても辞退しなければならぬものであった。妃として遇されることからは、身を守らねばならなかった。

──お館に住まわせて戴《いただ》くことは有難いことでございますが、それだけはお許し戴きます。額田は神に仕えております身、わがままをお許し願って自由にさせておいて戴きとうございます。

額田はこう言うつもりであった。中大兄と関係を持った女で、妃として遇されることを拒む者が他にあろうとは思われなかった。それだけに、額田は自分の希望が容《い》れられるに違いないと信じていた。妃としてのあらゆる競争を棄てることであり、そうした事から遠く離れたところに身を置くことであった。

併し、今の場合、一夜、ここで過せというなら、ここで過していいだろうと思った。それをさえ拒む必要はなさそうであった。確かに中大兄が言ったように、この館が問題になるような時の来るのは、何年先きのことか判らなかった。これから国の運命をかけての闘いの時代にはいって行くのである。

老女が再び姿を現した。湯を浴びて、衣服を着替えるように言った。老女の顔は能面の如く無表情であったが、言葉はこれ以上の鄭重《ていちょう》さはないといった鄭重なものであった。

額田は言われるようにした。長い廊下を渡って行った。廊下には適当な間隔で灯がともされてあって、突き当たりに湯桶《ゆおけ》の置かれてある真新しい浴室があった。

額田は湯を浴びた。浴室から出ると、衣類を入れた籠《かご》が用意されてあった。額田はそれを纏《まと》った。一夜だけの妃であった。それを纏うのにさして抵抗は感じなかった。先刻の侍女とは別の、新しい二人の侍女がはいって来た。頃合《ころあい》を見計らっての現れ方であった。額田は衣類を身に着けるのに自分の手を煩《わずらわ》すことは要《い》らなかった。二人の侍女に任せておけばよかった。この侍女たちも亦《また》余分の言葉はひと言も口から出さなかった。

額田は椅子に腰を降ろした。その頃からまた別の二人の侍女が現れた。四人の侍女たちに依《よ》って、髪が梳《す》かれ、顔が粧《よそ》われた。一人が鏡を差し出して、額田の前に立っている。この頃になって、額田は不安なものを感じ始めていた。自分にとって、今夜は特別なものになるのではないかという思いが、ちらちらと顔を覗《のぞ》かせ始めた。併し、さっきの中大兄皇子の言葉を思い出すと、そのようなことがあろうとは思われなかった。額田は自分が、自分一人で過すために、この館に運び込まれたに違いないと、改めて自分に言い聞かせた。

額田は部屋に戻ると、またそこで自分一人の時間を持った。こやみなく降る雪に包まれた夜の館は静かであった。不気味なほど静かであった。

やがて二人の侍女に依って、食膳《しょくぜん》が運ばれて来た。二人は食膳に向かう額田の席から少し離れたところに立っていた。そして途中で気が付いてみると、更に二人の侍女が部屋の端《は》しの方に立っていた。それらの侍女たちが、さっき自分の着替えや化粧を手伝った侍女たちと同一人物であるかどうか、額田には判《わか》らなかった。部屋の灯火はあかあかとともされてはいたが、それでも女たちは、それぞれ半分の戸が影を持っていた。

額田は四人の侍女の居る部屋が、全く無人の部屋の静けさを持っているのを知った。額田はそうした部屋の中で、自分が不思議に落ち着いているのを感じていた。居るべからざる館に居るような思いはなかった。

もう何年も、こうして同じ生活をしているかのような思いを持ち、またそのように振舞った。いささかの不自然さも感じなかった。何か不思議なものが、額田を支えていた。それは自信と呼んでいいものであったが、それがいつどこから来て、自分の心の中に居坐ったか判らなかった。強《し》いて、それを探せば、さっき侍女の一人が支えていた鏡の中に映った自分の顔が、多少の役割を果たしているかも知れなかった。額田はその鏡の中に映った自分の顔に満足していた。いままでの自分の顔にこのように満足したことはなかった。

また、額田は中大兄皇子に、このように遇されたことにも満足していた。一夜だけの妃であったが、それが一夜だけと限られていることに依って、不思議に誇り高いものを感じていた。自分は再びこの館にはいる日を持たないであろう。ここは額田が今宵《こ》《よい》だけを過し、そして棄てる館であった。

併し、侍女たちは必ずしも石の像のように、黙って立つために、ここに侍《はべ》っているわけではなかった。額田の相手をし、額田を退屈させないように額田に仕える役目を、四人の侍女たちそれぞれが持っていたのである。併し、侍女たちは、自分たちの心に反して、そうすることができなかったのである。侍女たちには、自分が話しかけることができないほど、額田は誇り高く、優しく、美しく見えていた。ふいにこの館の主人《あるじ》になった女性を黙って見守っている以外仕方なかったのである。

額田は就寝する前に、侍女の一人に扉《とびら》を開けさせて、夜の戸外を見た。灯火の光が闇《やみ》の一部を照らしたが、真白い雪の面が、少し青味を帯びて浮かび上がったに過ぎなかった。

「今年最初の雪でございますが、たいへんな大雪となりました」

老女が言った。雪は依然としてまだ降り続けていた。灯火の光の帯のところだけ、雪片の落ちるのが見えた。時折、この館の廻廊の外で、樹木の枝から落ちる雪の音がしている。

突然、異様な叫びが聞こえた。

「何でしょう」

額田が言うと、

「何か存じませんが、鳥の鳴き声ではございませんでしょうか」

老女は言ったが、確かに鳥の声のようであった。その異様な叫びがもう一つ聞こえたと思うと、それに続いて、大きく羽搏《はばた》いて飛び立って行く音が聞こえた。

その夜、額田は二回眼覚めた。二回とも雪の中に羽搏き、飛び立って行く野鳥の鳴き声に眠りを覚まされたのである。二回目の時、額田はなかなか眠りにはいって行けなかった。何刻か判らなかったが、館を包んでいる夜の闇は深かった。

ふと、額田は胸さわぎを覚えて、半身を起こした。何事かが起ころうとしていると思った。額田は暫く耳をすませて、そのままの姿勢を保っていたが、別段戸外では何事も起こる気配はなかった。また野鳥の羽搏きの音と鳴き声が聞こえた。額田の胸さわぎはまだおさまっていなかった。別段、刺客に襲われるようなそんな立場にはなかったが、そのような性質の不安を覚えたのである。額田は暫くすると、寝台から降りた。部屋には一つの灯火だけがともされてあったが、額田はそれを消そうと思ったのである。

そして、まだ燭台のあるところまで行かないうちに、額田はぎょっとして足を停めた。廻廊への出口の扉がふいに外から叩《たた》かれたからである。

扉を叩く音はすぐやんだが、すぐまた叩かれた。こんどは荒々しい叩き方であった。

「どなたです」

額田が言うと、

「開けてくれ」

明らかに中大兄の声であった。

「お待ち戴きます」

額田は衣類を改めようと思ったが、

「すぐ開けてくれ」

それと一緒に扉はまた荒々しく叩かれた。

額田は扉を開けた。それと一緒に全身雪にまみれた中大兄がまろび込んで来た。普通の恰好《かっこう》ではなかった。中大兄はあたり構わず雪を払い落としながら、

「何でもなく、ここまで来られると思ったのは不覚だった。戸外は吹雪《ふぶ》いている。すんでのところで、苑内でこごえ死ぬところだった」

満更誇張《まんざら》して言っているわけでもなさそうであった。唇《くちびる》は紫色になっている。額田は中大兄の背の雪を落とそうと思って背後に廻ろうとしたが、途中で中大兄の手ですくい上げられた。あっという間のでき事だった。雪が額田の頬《ほお》に、首に落ちた。額田は恐ろしく冷たいものに抱きすくめられて、身動きができなかった。

四

雪は一夜でやんだが、都はふかぶかと白いものに包まれた。

その雪が消えない二十四日、老女帝は難波宮《なにわのみや》に幸《みゆき》した。額田《ぬかた》も天皇に侍して、難波に移った。飛鳥《あすか》から難波へかけての山野は雪に覆《おお》われており、この国の遭遇している運命の多難さを思わせるように、この最初の旅は難渋を極めたものであった。香山《かぐやま》も耳成山《みみなしやま》も畝傍山《うねびやま》も雪で真白であった。短い旅ではあったが、天皇が半島出兵のために、都を立ち出でるのであるから、正しくは出陣と名付くべきものであった。が、そうした出陣の威儀も行装の美々しさも、雪のために調えることはできなかった。

天皇の幸に続いて、それから毎日のように、幾つかの集団が、同じように悪路に悩まされながら、飛鳥から難波に移った。兵の集団の場合は、それに付き添うようにして、雪の道を歩いて行く女たちの姿が見られた。徴された若者の母や妻や娘たちが、異国の戦野に送られる身近い者を、難波まで送ろうとしているのである。女たちの集団は兵団が停《と》まれば停まり、兵団が動き出すと動いた。

天皇の幸の翌日、中大兄皇子《なかのおおえのみこ》も難波に移った筈《はず》であったが、額田は中大兄の姿を見掛けることはなかった。難波の宮は、老女帝の館だけを除いて、それこそ蜂《はち》の巣をついたように混乱を極めていた。

遷都《せんと》以来、丁度六年の歳月が経《た》っていた。難波の旧都は六年ぶりで、突然はいって来た人間たちで賑《ふく》れ上がった。暮も正月もなかった。旧都の半分は廃墟《はいきょ》のようになっていたが、その廃墟のあちこちに兵たちは屯《たむろ》していた。兵たちは昼間はそれぞれの任務を果たすために、あちこちに散っていたが、夜になると屯している場所に戻《もど》って来た。毎夜のように廃墟には、兵たちの焚《た》く火が何百となく見られた。

港は、夥《おびただ》しい数の軍船で詰まっていた。平時は半島から来ている船の十艘《そう》や二十艘はいつも見られたが、いまは一艘の異国の船も碇泊《ていはく》していなかった。異国の船は尽《ことごと》くどこか他の港に移されたという噂《うわさ》であった。

明くれば斉明《さいめい》天皇の七年である。難波の宮では新年の賀宴が開かれたが、形式的のもので、その宴に列した朝臣たちの数も少なかった。この賀宴の席で、中大兄皇子に依《よ》って、筑紫《つくし》への出動が六日に決まったという発表があった。

六日というのは、確かにこの一月六日のことであろうか、一座の者からそういう質問が発せられたほど、この一月六日の筑紫へ向けての発進は、その場に居た朝臣たちにとっては衝撃であった。朝臣の多くは、筑紫へ移動する前に、もう一度家族の居る飛鳥へ戻れるものと許《ばか》り思っていたので、そうした朝臣たちにとっては苛酷《かこく》な命令というほかはなかった。

中大兄皇子は、併《しか》し、一日も早く筑紫に移ることの必要を感じていた。必ずしも、半島への出兵を急いでいるわけではなかった。それより、こんどの措置のねらっているものは、早急な戦時体制への切り替えであった。政府が難波に留まっている限り、朝臣にとっても、民にとっても、半島出兵はまだまだ遠い先きのことであった。併し、天皇を初めとして、政府も兵もみな筑紫に移ってしまえば、それに依って、役人も、兵も、民も、否応《いやおう》なしに時局への認識を改めなければならなかった。半島出兵は国が直面している現実の問題となる筈であった。そのようになって初めて、軍船を造ることもできれば、武器を造ることもできた。兵を徴することもできれば、民をして、苦しい生活に耐えしめることもできた。

政府の首脳者たちは半島への出兵の時期をこの年の秋に予定していた。そして、それまでの一年近い歳月の間に、異国における戦闘のすべての準備をしなければならなかった。半年や一年で造り得る軍船の数も、武器の量も知れたものであった。併し、知れたものでも棄《す》てておくことはできなかった。何年かかることを、半年か一年でやってしまわなければならなかった。それには、御船が西に行くことが必要であったのである。御船既に西行せり。この言葉は、あらゆるところで、それが囁《ささや》かれる度に、殆《ほとん》ど信じられぬくらいの大きい力を発揮する筈であった。

額田女王《ぬかたのおおきみ》も亦《また》忙しかった。飛鳥を発《た》つ時は、老女帝に侍して、自分も亦何となく難波に留まるようになるのではないかと考えていたのであるが、新年の賀宴の発表に依って、そうした考えはいっきに払い落とさざるを得なかった。老女帝の身のまわりの準備だけでも多忙を極めた。儀式用の式服、礼服の梱包《こんぽう》だけでも、夥しい数になった。ましで四季それぞれの衣類を携行するとなると、気の遠くなるような量になった。そうした旅支度に追われている最中、額田は中大兄皇子の許《もと》に伺候《しこう》した。老女帝の西行の準備のことで指示を仰がねばならぬことがあった。難波に来てから新年の賀宴の席で、一度中大兄に会っていたが、勿論《もちろん》言葉を交わせるような近い席ではなかった。額田は、できるなら中大兄皇子と会うことは避けるべきであると思っていたが、老女帝に関する用件で、どうしても中大兄に会わなければならなくなったのである。額田は中大兄に対していかなる感情を持つことも、自分に禁じていた。これは、雪の夜のことのある前から、何十回となく自分に言いきかせていたことであり、それは皇子と一夜を明かしたあとのいまも、少しも変わってはいなかった。一夜、その腕の中に抱きしめられたぐらいのことで、一体、何が変わるというのであろうか。大海人皇子《おおあまのみこ》に抱かれたと同じように、中大兄皇子に抱かれただけのことであった。

そろそろ夕闇《ゆうやみ》が迫ろうとしている時刻であった。額田女王は中大兄皇子の姿を求めて難波の宮の館々《やかたやかた》を経廻《へめぐ》った。どの館もそれぞれ大勢の男女が出入りして混乱を極めていた。

「中大兄皇子さまはどこにいらっしゃいましょうか」

額田は到るところで、同じ言葉を口から出した。

「皇子さまはいまここに居られましたが」

とか、

「もうここにお見えになる筈です」

とか、どこでも同じような返事が返って来た。併し、その返事を当てにしていると、とんでもないことになった。中大兄はその辺りに居るわけでも、またそこへ姿を現すわけでもなかった。額田が中大兄の姿を求めて歩き廻っているように、中大兄は中大兄で、館から館へと歩き廻っているとしか思えなかった。

そのうちに、苑内《えんない》のあちこちで篝火《かがりび》が焚《た》かれ出した。それぞれの篝火の附近だけに人の動きが見られた。どうしてこのように動き廻らねばならないのかと思われるほど、男も、女も動いていた。篝火が焚かれ出す頃《ころ》から、苑内には警備の兵たちがはいって来た。兵たちはいずれも、ものものしく武装して、要処要処に配されていた。

額田は中大兄の館を二度訪ね、二度目にそこに中大兄の姿が見られないのを知ると、中大兄を捉《とら》えることは半ば諦《あきら》めた気持で、そこを出た。中大兄の館の上手《かみて》から外国の使節を引見するために造られた御殿の廻廊が伸びているが、そこも亦《また》人の往来が烈《はげ》しかった。ところどころに燭台《しょくだい》が置かれてあり、そこに一人ずつ兵が立っている。額田はこの御殿を通り抜けて、老女帝の御座所になっている館に引き返すつもりであったが、長い廻廊を突き当たりまで行った時、ふと足を停めた。そこは高殿《たかどの》への上り口になっている。

若《も》しかしたら——、そんな気持で、額田はめったに人の上がらぬ高殿への階段に足をかけた。廻廊からほんの僅《わず》か外れただけで、人の気配というものは全くなく、足許《あしもと》には暗い闇が這《は》い寄っている。広い難波の宮の中で、ここだけが混乱の中からはみ出している感じだった。

額田は折れ曲がった階段を上り詰めたところで、足を停めた。

「誰か」

ふいに声をかけられた。

「額田でございます」

額田には相手が誰であるか判《わか》っていた。

「よくここに居ることが判ったな」

その中大兄の言葉に対して、

「皇子さまがどこにいらっしゃろうと、額田にはすぐ判ります」

額田は言った。足が疲れるほど中大兄を探し廻ったことなどは、おくびにも出さなかった。額田は意識して、そのような言い方をしたのではなかった。高殿へ上って来て、中大兄から声をかけられた時、やはりここに中大兄皇子は居たのであるという思いを持った。他の誰にも判らなくても、自分だけには判るのだ。どこに身をおかくしになっても、この額田の眼からお逃れになることはできません。口には出さなかったが、そんな気持だった。

額田は中大兄の体を沈めている高殿の闇を見守っていた。

「港が見える」

　中大兄は言った。その言葉で初めて気付いたのであるが、漆黒《しっこく》の夜空に降るように星はばら撒《ま》かれており、その星空の果てに、灯火の固まっている地帯が見えていた。港であるに違いなかった。港も亦この宮城の内部同様に、あるいはそれ以上に、人と荷物で混乱を極めている筈であった。何百人の労務者や兵たちに依って、積荷の徹宵《てつしょう》作業が行われているに違いなかった。海も港湾も見えず、灯火だけが固まって見えている。その港の騒擾《そうじょう》であるか、宮城内の騒擾であるか、時々どよめきのようなものが、ここまで上って来ていた。

「大海人皇子には、まだ話してない。わざと話さないわけではない。二人とも忙しくて、そんなことを話している暇がないのだ」

　中大兄は言った。自分と額田とが持った新しい関係について、額田の譲渡者である大海人皇子に、まだ何も伝えてないという意味であった。

「そんなことは、何もお伝えになる必要はないかと存じます」

　額田は言った。

「無断で、いきなり汝《なんじ》を妃として公《おおや》けにすることはできぬ」

「額田は妃として戴《いただ》くことを望んではおりませぬ。雪の夜、お館を頂戴《ちょうだい》いたし、妃としてお仕えいたしました。あの一夜だけの妃で充分満足でございます。いまは新しい一人の妃でもお蓄えになる時ではないでございましょう。妃たちの間にどんな小さい波紋でもお立たせになってはなりませんし、大海人皇子さまとの間も、これまで以上に御親密でなければならぬと存じます。額田はこれまで通りにしておいて戴きとうございます。天皇にお仕えしている侍女、神事に奉仕する巫女《みこ》、そして――」

「そして、――？」

「誰も知らない、皇子さまだけが御存じの、額田は皇子さまのおいのち」

額田は言った。中大兄皇子の返事はなかった。そして暫《しばら》くしてから、

「星がきれいだな」

中大兄は言って、

「すべて、汝の望むようにしよう。いま、汝は余のいのちになると言ったが、いのちにはなれまい。余のいのちは余が持っているものだ。余から離れていて、余のいのちにはなれぬ。だが、まあ、それもいいだろう。――自由にしているがいい。要《い》る時は声をかける、要らない時はほっておく」

最後の言葉は投げ出すように口から出された。額田とて本気で言った言葉ではなかった。どうして自分が中大兄のいのちになどなっていいであろうか。額田は顔を上げ

て、中大兄を包んでいる闇を見詰めた。とうとう中大兄を憤らせてしまったかも知れないと思った。すると、

「余がいま、なぜここに立っていると思うか」

中大兄の声が聞こえた。

「連日、山のようなお仕事でお疲れになっていらっしゃるからでございましょう」

額田は言った。

「疲れてはおらぬ。今頃から疲れたのでは困る。船団発航を神に告げる出陣の儀式を、筑紫までの航海の途中挙げねばならぬが、それを闇の夜にすべきか、月明の夜にすべきか考えていたのだ」

「月の美しい夜が宜《よろ》しいかと存じます」

間髪を容《い》れず、額田は言った。

「いかなる理由で」

「その時の凜々《りり》しい皇子さまのお姿を拝したいからでございます。このような闇の夜では、皇子さまのお声しか聞けません」

「よし、月明の夜を選ぼう。船団は矢のように早い潮の流れに乗る。潮も光り、船団も光る」

そして、

「行け、もう一つ考えねばならぬことがある」

額田は中大兄を一人にするため、そこを離れた。中大兄の指令を仰がねばならぬ用件のあるのを忘れたわけではなかったが、いまの中大兄をそのようなことで煩《わずら》わすのを避けたのである。

御船西征の正月六日は、朝から身を切るような寒い風が吹いていたが、冬空は一点の雲もなく晴れ渡っていた。難波《なにわ》の港には軍船がひしめき合っており、早朝より兵の乗船は始められていた。港湾には一面に小さい三角波が立っており、ためにそこを埋めている軍船は、大きい船も、小さい船も、いつそこに視線を投げても、一様に揺れ動いていた。そして海面には冬の陽《ひ》が散っていた。風に吹きちぎられでもして落ちているように光は細片となって波間に散っていた。船団の発航には寒い風が吹いていることを除けば、まあ上乗の日と言わねばならなかった。

兵を満載した大小の船は次々に、港湾の半分を埋めている蘆《あし》の地帯の向こうへ移動して行った。その度に、岸の見送りの集団からは喚声が上がった。出征して行く軍船の船出であるから、同じ喚声にしても、荒々しく、雄々しいものがあっていい筈であったが、むしろ遣唐船の見送りの時よりひっそりしていた。喚声のどよめきの中には、必ず絶叫に近い女の金属性の叫びが混じっており、それが聞く者の胸に冷たく突き刺さった。

午刻《ひるどき》近い頃から、政府の首脳者、朝臣たちの乗船が始まった。大型船の一艘《そう》に、大《おお》海人皇子《あまのみこ》とその妃たちが、兵と朝臣の集団に前後を挟《はさ》まれるようにして乗り移った。その時、額田は老女帝に侍して、波止場に幔幕《まんまく》を張り廻《めぐ》らして作られた御座所近くに居た。大海人皇子、中大兄皇子たちの、それぞれの乗船が終ってから、老女帝の乗船の番になる筈であった。それまでには多少の時間があった。

額田は御座所近い席から、大海人皇子一族の乗船の模様を己《おの》が眼に収めていた。突堤から船へかけてある板の橋を、何人かの妃たちが危っかしい恰好《かっこう》で渡って行くのが見えた。一人が橋を渡るのも容易なことではなかったが、それが何人も居た。衣服の白い布片が空に舞い上がったり、首に巻きついたりし、裳《もすそ》は裳で、また風にあおられている。遠くから見ると、傷ついた天女が風の中で歩き悩んでいるように見えた。そしてその天女の前後を女官たちが固めているが、彼女たちも亦所詮《またしょせん》傷つける天女の片割れでしかなかった。やたらによたよたし、やたらにふらふらし、それでもどうにか、次々に船の中に吸い込まれて行った。

額田は遠くからでも、いま大勢の妃の中の誰が船に乗り移ろうとしているかが判った。臨月の大きな腹を持っている若い天女もあった。中大兄の皇女で、大海人の妃となった大田皇女《おおたのひめみこ》であった。額田は、若い妃たちに特別な感情は持たなかった。大海人皇子も、この天女たちの一団を引き連れて行くのでは、さぞ大変であろうと思われた。どう見ても、合戦とも、出陣とも、無関係な情景であった。

併《しか》し、これを遠くから見ている見送りの民たちには、やはり異常なものがいまこの国を襲おうとしていることを感じないわけには行かなかった。確かに容易ならぬ事態が起こっているのである。あのようにして、身分高い弱々しい女たちが、きのうまでの御殿の何の苦労もない満ち足りた生活の中から引き出され、潮の上を漂い、どこか遠い西国《さいごく》へ連れて行かれるのである。そこでは合戦が待っているのであろう。実際には合戦はないかも知れないが、合戦の生臭い息吹《いぶき》のむんむんしているところであるに違いない。民たちは、自分の夫や息子たちが徴せられたことの悲しみを、この時だけ向こうへ押し遣《や》ることができた。

大海人皇子一族の乗船が終わると、その船は蘆の原の向こうの水域に移動して行き、あとには、中大兄一族の乗り込む船がやって来た。ここでも、また天女たちの危っかしい乗船の情景が展開された。中大兄は大勢の妃を持っていたが、筑紫《つくし》に同行するのはその一部であった。額田は一人一人に眼を当て、妃たちの名を心の中で拾っていた。倭姫王《やまとのひめおおきみ》の姿もあれば、志貴皇子《しきのみこ》を生んだ道君伊羅都売《みちのきみいらつめ》の姿もあった。常陸娘《ひたちのいらつめ》の姿もあれば、川島皇子の母である色夫古娘《しこぶこのいらつめ》の姿もあった。大海人皇子に属する天女たちの場合と違って、額田はそれに対して多少違った心の動き方を覚えていた。天女は天衣を翻《ひるがえ》し、細い腕を触角のように振り廻している。時々、額田は、ああ、危い！　と思う。確かにいつ橋の上から落ちても不思議はなかった。併し、よくしたもので、なかなか落ちなかった。ああ、危い、もう少し！　額田は一度心の中で叫んだ。もう少しと言うのは、もう少しで落ちるのにという気持であった。あれだけ大勢の天女たちが居るのであるから、一人ぐらい潮の中に落ち込む天女が現れてもよさそうなものであるが、それが、なかなか現れなかった。額田はそうした自分の気持に気付くと、すぐそれを追い遣った。

大勢の天女や侍女たちが乗り込み、これまた夥《おびただ》しい数の荷物の積み込みが終わり、最後に朝臣や兵たちが乗った。

額田は中大兄皇子の姿を待っていた。自分の眼に狂いがない限り、中大兄はまだ乗り込んでいないと思った。若《も》しかしたら、中大兄皇子はあの船に乗り込まないかも知れない。皇太子として天皇がお乗りになる船に乗るのかも知れない。そうしたことはないとは言えなかった。充分ありそうなことにも思われた。避暑や避寒のための旅立ちではなくて、異国へ出兵するための西征なのである。

併し、額田のこの期待は裏切られた。中大兄は何人かの朝臣と共にやって来ると、一番最後に悠々《ゆうゆう》とした足取りで船に乗り込んで行った。額田はこの時、脹《ふく》れ上がりかけていた自分の心が、急にしぼんで行くのを感じた。波止場附近の潮の色も急に輝きを失い、海面の波立ちも冷たく黒っぽいものに見えた。

急に周囲はざわめき出した。老女帝と、それを取り巻く一団の乗船の刻《とき》が来たのである。鎌足《かまたり》がやって来て、いっさいの采配《さいはい》を振った。孝徳天皇の后《きさき》であった間人皇女《はしひとのひめみこ》もこの船に乗るらしく、華奢《きゃしゃ》な美しい姿を見せ、朝臣たちも兵も、波止場に居並んでいた。どこからも喚声の起こらぬ静かな乗船であり、船出であった。港湾には、まだたくさんの船が浮かんでいた。これから兵たちが乗る船もあれば、武器だけを積載する船もあった。

その日の夜半、船団は港湾を出て、西を目指して潮に乗った。文字通り空っぽになった難波の旧都では、いつ果てるともなく、幾つかの寺で撞《つ》き鳴らされている鐘の音が殷々《いんいん》と鳴り響いていた。鐘はその間隔を次第に間遠にはするが、これから何十日も、撞き続けられるということであった。

八日、西征の船団は大伯海《おおくのうみ》に到着した。ここは西行する船が必ず碇泊《ていはく》する小豆島《しょうどしま》の北方の海域であった。ここで大海人の妃大田皇女が女児を出産したが、このことは次の碇泊地に行った時に伝えられて来た。

船団は瀬戸内海を備中《びっちゅう》の海岸に沿って進んだ。ところどころで、船は港にはいった。食糧を積み込む船もあれば、新たに兵を積み込む船もあった。

十四日に、船団は伊予の熟田津《にぎたづ》に到着した。熟田津は西征の行路からは外れていたが、そこは老女帝が曾《かつ》て夫の舒明《じょめい》天皇と共に来遊したことのあるゆかり深い地であって、石湯《いわゆ》の行宮《かりみや》があった。中大兄は春が来るまで老女帝をその温泉の湧《わ》き出ている地で過させようと思ったのであった。筑紫に到着することは急がなかった。難波津を発《た》ち、御船が西征の途についたということで、西征の第一の目的は達していた。西征自体に意味があったのである。

筑紫に到着すると、それからは本格的な出兵準備に取りかからねばならなかった。兵の訓練も行わねばならなかったし、新たに筑紫から兵も徴さねばならなかった。その間に、新造の軍船は次々に集まって来るであろうし、武器も集まって来るであろう。東北の出征軍も亦《また》、異族征伐を中止して、筑紫にやって来る筈《はず》である。阿倍比羅夫《あべのひらふ》も姿を見せることになる。その上で、半島と連絡をとって、そこへ兵団を投入する時期を決定する。好むと好まないに拘《かかわ》らず、大国唐と事を構える以上、半島出兵が短期間で終わろうとは思われなかった。何年も、何十年もかかるかも知れない。そのためには、半永久的な行宮の造営も必要になって来る。政府の機関がそっくり引越して来たのは、腰を据《す》えて、ここで半島の経営に当たるためであった。

従って、中大兄皇子は、兵団の筑紫到着を決して急いではいなかった。それより大兵団の根拠地として、夥しい数の兵を収容しなければならぬ筑紫に、食糧や物資の面で充分の準備と用意をさせておく方が重要な問題であった。中大兄はこうしたことで、三月まで船団の大部分を熟田津に停め、一部だけを筑紫に先行させることにしたのであった。

熟田津の石湯の行宮に滞在中、額田は老女帝にお供して、附近の山野に遊んだ。老女帝は昔ここに遺《のこ》しておいた物などを見て、悦《よろこ》んだり、涙を流したりした。建王《たけるのみこ》の死以後、すっかり心弱くなっている女帝は、出征途上立ち寄った熟田津でも、また心は慰められないようであった。

三月にはいって、突如熟田津滞在は打ち切られることが発表になった。船団は熟田津を出て、一路筑紫を目指すことになったのである。

全船団が発航する当夜、老女帝の御座船《ござふね》において、出陣を神に告げる儀式が執り行われた。月明の夜であった。額田は、中大兄皇子が自分の言葉を忘れないで、月明の夜を選んだことを思った。難波発航以来、額田は中大兄皇子とも、大海人とも、ひと言も言葉を交わしていなかった。天皇と、それに仕えている者たちだけが石湯の行宮で起居していたが、中大兄も大海人も船に寝泊まりしていた。鎌足も亦同じであった。行宮で起居しようと思えば、それができないことはなかったが、新政の首脳者たちはそれを自分に許さなかったのである。難波を発ってからは、既に戦時であった。額田は月光に照り輝いている潮のゆったりとした動きを見守りながら、久しぶりで中大兄と言葉を交わしたような気になっていた。

儀式は月の出を待って行われた。その席には中大兄、大海人、鎌足を初めとして、主な朝臣たちの尽《ことごと》くが居並んでいた。中央に祭壇が祀《まつ》られ、神に出陣を告げる儀式は厳かに営まれた。そしてそれが終わると、出陣を祝う祝宴が開かれた。

額田は老女帝の横に座を占めている武装した中大兄皇子の姿に眼を当てていた。月光は中大兄の席までは届いていなかったが、中大兄の姿は一軍の総帥《そうすい》としての堂々たる貫禄《かんろく》を持って見えていた。難波を発ってから三カ月経《た》っているが、その間に中大兄はすっかりその面を変わったものにしていた。眉《まゆ》も眼も鋭く、頬《ほお》の線は厳しいものになっている。武具を纏《まと》っているためもあろうが、体までひと回り大きくなっているようであった。

こうした席の慣例ではあったが、額田にこの月明の出陣について作歌するようにという詔《みことのり》がくだった。額田は予《あらかじ》め何首かの歌を用意して来ていたが、この時、そのすべてを棄《す》てることにした。

額田は、今なら中大兄皇子の心の中に自分ははいり込めると思った。中大兄に代わって、そのいまの出陣の心情を歌に綴《つづ》ろうと思った。額田は、自分のために中大兄皇子が選んでくれたに違いない月明の海に眼を当てていた。長いこと身動きしなかった。

額田は席を立つと、老女帝に向かって、歌を捧《ささ》げた。

熟田津《にぎたづ》に
船乗りせむと
月待てば
潮もかなひぬ
今は榜《こ》ぎ出でな

熟田津に出動の時を待っていたが、明るい月も出た。潮の加減も申し分ない。さあ、全船団よ、今こそ漕《こ》ぎ出せ。

額田は二回詠《うた》い終わると、席に戻《もど》った。一座の反応を確かめようなどという気持はなかった。額田は中大兄皇子の心になりきっている自分を感じていた。女帝の命で作った歌であったから、歌の調べは女のそれであったが、盛られている心は中大兄以外の誰のものでもなかった。全船団はいっせいに潮の上を動き始めていた。潮も光り、船団も光っている。実際には船団は動き出してはいなかったが、額田にはそれがはっきりと、現実の一情景として見えていた。

額田は自分が作った歌の中に全身で没入していた。中大兄の心の中にすっぽりとはいっている自分を感じていた。中大兄の全部が自分の中にはいり、自分の全部が中大兄の中にはいっている。三十六歳の雄々しい総帥は月の出を合図に全船団に出動の命令をくだしたのである。短い時間が過ぎた。額田はどうして自分が中大兄皇子になりきることができたか、判らなかった。ただ、額田は、自分をそうさせたものが、愛とは違うものであることを信じていた。絶対にこれだけは信じなければならぬといった強さで、そう信じていた。自分は中大兄の心を借りて、神の声を詠ったのである。愛などというものと無縁であればこそ神の声を聞けたのである。船団出動の幻覚が消えた時、なぜか額田の頰を涙が落ちた。

鬼火

一

船団が娜大津《なのおおつ》（博多港）に到着したのは三月二十五日であった。難波《なにわ》の旧都を発航したのは一月六日であったので、途中熟田津《にぎたづ》に碇泊《ていはく》していたにせよ、兎《と》に角《かく》、目的地に到着するまでに二カ月半以上の日子《にっし》を要したことになる。いつか冬は終わり、春が来ていた。

斉明《さいめい》天皇はすぐ磐瀬行宮《いわせのかりみや》にはいった。額田《ぬかた》も亦《また》、その行宮で老女帝にお仕えすることになった。旅の疲れが出たのか、筑紫《つくし》に着いてからの女帝は眼に見えて心気衰え、それが額田には案じられた。都の生活に較《くら》べると、すべてが不自由勝ちであることは仕方なかった。眼に映える山のたたずまいも都の山のそれとは違っていた。春は来ていたが、都の春の趣きはなかった。額田は自分にもそうしたことが感じられるくらいだから、老女帝はどのように都恋しさの気持をお持ちになっているのであろうかと思った。併《しか》し、天皇はひと言もそのことを口から出さなかった。建王《たけるのみこ》のことは、朝に夕に思い出して歎き悲しんでいたが、都を遠く離れた現在の生活についてはひと言の不平も述べなかった。皇太子中大兄皇子《なかのおおえのみこ》がこれから全力を以《もっ》てその中にはいって行こうとしている大事業を思えば、都を遠く離れているぐらいのことが何であろうか、女帝はそう思われているに違いなかった。そうした老女帝が、額田には誰よりも凜々《りり》しく思えた。

額田は時に女帝が、二人の皇子のことについて語るのを聞くことがあった。女帝は自分のあと中大兄皇子が即位し、いつかそのあとを大海人皇子《おおあまのみこ》が継ぐものと思い込んでいる風で、半島の経営は中大兄皇子によって新しい段階にはいり、大海人皇子に依《よ》って完成されるだろうというようなことを、老女帝らしい言葉で述べた。

女帝は、また二人の皇子の性格について話すこともあった。どちらが火で、どちらが水であろうか、そういう質問を受けると、額田は返事に困った。

「お二方とも、共に火であり、水でございましょう」

そう答えるよりほか仕方なかった。額田は心の中では、どちらかと言えば、中大兄が火であり、大海人皇子が水ではないかと思っていた。中大兄の火はあらゆるものを焼きつくし、一物も残さないだろう。それに較べると、大海人皇子の水はあらゆるものをいったんは呑《の》み込んでも、いつかまた引いて行くだろうと思う。中大兄皇子のように、すべてのものを跡形なく失《な》くしてしまうことはない。

そのいずれが好もしいかということになると、額田は中大兄の火の方に惹《ひ》かれた。自分もうっかりしていると、跡形ないまでに焼きつくされてしまいかねないと思った。併し、額田はその火に対して身を守っていた。筑紫に移ってからも、額田は中大兄の召しを受けた。召しを受ける度に火に焼かれた。体は火に焼かれて灰になったが、その灰の中から焼かれないものが出て来た。心であった。少なくとも額田自身はそう信じていた。

額田は中大兄に対しても、大海人皇子に対したと同じ態度をとっていた。召しを受ければ拒みはしなかったが、併し、いつも中大兄皇子を窘《たしな》めることを忘れなかった。

「大海人皇子さまがお気付きになったらたいへんなことになります。もうお目にかかるのは、これ限りにいたしましょう」

「大海人、大海人と言うな、汝《なんじ》は大海人皇子から堂々と譲り受けている」

「譲り受けているとおっしゃっても、大海人皇子さまは、まさか現在このようなことになっていようとはお思いになってはいらっしゃいませぬ」

「それなら、改めて大海人に汝のことを告げる」

「お告げになるのも宜《よろ》しゅうございますが、若《も》し大海人皇子さまが御不快になるようなことがありましたら、その時はどういたしましょう。皇子さまの一番のお力は大海人皇子さまをおいてはほかにございません。これから国の運命を賭《か》けたお仕事をなさろうと申しますのに」

半島出兵のことを持ち出されると、中大兄はいつも黙った。そしてそれまで額田のことを考えていたのに違いなかったが、それが一瞬にして切り替えられた。

「そう、いかにも、汝どころではない」

汝どころではないという言い方をされても、額田は嫌《いや》ではなかった。自分のことを考えている中大兄より、半島出兵の困難な事業に立ち向かって行く中大兄の方が魅力があった。

「わたくしのことなど、大体、お考えになりますのが――」

「いつも考えているわけではない。考えることがなくなった余暇に、汝のことを考える。せいぜい余暇に、汝のことを考える。せいぜい余暇のことだ」

「そうした余暇もお持ちにならぬようになさいませんと」

「たまには、汝のようなものでも欲しくなることがある」

「お妃さまたちがいらっしゃいます。わざわざ遠い都からお引き連れになって来ていらっしゃいます」

「一体、そういう汝は余にとって何者なのだ」

中大兄は、一度はこういう言葉を口から出す。曾《かつ》ての大海人皇子と同じだった。ただ、大海人皇子の場合は、いきなり佩刀《はいとう》に手がかかった。中大兄皇子の場合は違っていた。じっと額田の眼を覗《のぞ》き込んで来る。

「一体、汝は何だ」

「皇子さまのおいのち」

「そんないのちはない」

「では、何でありましょう。——皇子さまのおこころ」

「そんなこころはない」

「おいのちでも、おこころでもないとしたら、一体何でありましょう」

「それは、こちらで訊《き》くことだ」

「それでは、本当のことを申し上げましょう」

「今までのは、嘘《うそ》だと言うのか」

中大兄皇子は、ここでも亦《また》じっと額田の眼を覗き込んで来る。それには答えないで、

「額田はきっと、皇子さまに神のお声をお告げする巫女《みこ》でございましょう。額田は、そのためにこの世に生を享《う》けて来たのでございます。いくらお抱きになっても差し上げられぬものがございます」

「それは何だ」

「皇子さまをお慕いする心です。人間を慕うような心を持ったら、神さまのお声は聞こえなくなります。そうなったら、どうして、皇子さまに神の声をお告げできましょう。お褒《ほ》めに与《あずか》った熟田津の歌は、神のお声が皇子さまの心に宿って生まれたものでございます。そうすることのできたのも、額田が皇子さまをお慕いする心を持たなかったればこそ」

額田は言う。こう言う時は、額田は真剣だった。本当にそう考えていた。自分は神の声を皇子に告げるために生まれて来たのである。こう思う時、額田は自分を中大兄の妃たちより優位に置くことができた。

四月、百済《くだら》の再興軍の総帥《そうすい》福信《ふくしん》より使者が派せられて来た。王子豊璋《ほうしょう》を何度目かに乞《こ》うて来たのである。

五月九日に、老女帝は磐瀬行宮から程遠からぬ地に造られてある朝倉宮に遷《うつ》った。額田も亦帝に侍して、前の宮より幾らか眺《なが》めの美しい新しい宮に移った。

併し、この新しい宮殿に移ってから、怪異が次々に起こった。突然殿舎の一角が崩れ落ちたり、王宮の中に鬼火が現れたりした。額田はこの鬼火なるものは見なかったが、鬼火を見たという者は何人かあった。また宮に仕えている近侍の者たちで病にかかる者が多くなり、中には死ぬ者もあった。

流言が飛んだ。この宮殿を造った木材は朝倉社の神体として祀《まつ》られてある山から切り出されたものであり、そのために神の怒りに触れたのである。そういうようなことが言われた。実際に神木が行宮の造営に使われているかどうかは不明であったが、怪異が続いていたので、人々にはそのようなことがあったものと信じられた。

併し、また別の見方もできた。殿舎の一部が崩れたのは、故意か過失か知らないが、朽《く》ちた木材が使われてあったためであり、病が流行するということは、都でも屢々《しばしば》あることで、筑紫に限ったことではなかった。それに都から来た者たちには、風土の違いもあれば、慣れない土地の生活のための体の弱りもあった。こういう考え方も成り立った。鬼火だけは理屈のつけようはなかったが、実際にそれを見たという者を問い質《ただ》してみると、その鬼火なるものも甚《はなは》だ怪しかった。

こうした鬼火の噂《うわさ》が行われている最中に、耽羅《たんら》（済州島《さいしゆうとう》）は王子阿波伎《あわぎ》を国使として、貢物《みつぎもの》を奉って来た。耽羅の朝貢は初めてのことであった。明らかにこの国の半島出兵の噂が耽羅に伝わり、そのために耽羅がとった措置と見てよかった。耽羅は己《おの》が国が兵火の及ぶ圏内にあるために、万一のことを慮《おもんぱか》って、大和《やまと》朝廷に誼《よし》みを通じて来たのであった。

七月二十四日に、突然容易ならぬ事件は起こった。老女帝が朝倉宮に崩じたのである。誰もが予想していない突然の崩御であった。額田は多年老女帝の傍《そば》近く仕えていたので、その打撃は大きく、悲しみは深かった。

併し、老女帝の喪に依《よ》っても、半島出兵の準備は休みなしに続けられなければならなかった。同じこの月に、唐軍と、唐の支配下にある突厥《とつけつ》（トルコ系の遊牧民族）の軍が、水陸両道より高句麗《こうくり》の城下に到ったという報があった。新しい展開を見せて、漸《ようや》く半島の形勢は重大なものになろうとしていた。

老女帝の崩じた日、中大兄皇子は皇太子のままで、亡《な》き帝に代わって政《まつりごと》を執《と》ることを天下に布告し、直ちに長津宮に遷《うつ》った。八月一日、中大兄皇子は天皇の喪の儀に従って、磐瀬宮に赴き、そこで十月七日までの日を過した。

半島の出兵は、こうした非常の最中にも予定を早めて行われねばならなかった。半島の形勢が一日も楽観を許さないので、先発隊として前軍を出動させることにし、前将軍に阿曇比羅夫連《あずみのひらふのむらじ》、河辺百枝臣《かわべのももえのおみ》等の任命があった。併し、指揮者の発表があったのみで、その進発は一日延ばしになっている恰好《かっこう》で、いっこうに出動の命令はくだらなかった。

亡き老女帝の喪の儀が終わると、柩《ひつぎ》は海路大和に帰ることになった。柩を奉じて大和へ帰る役は大海人皇子が受け持った。額田も亦、柩のお供をして、大和へ向かわねばならなかった。

中大兄皇子も同じ船に乗って、途中の港まで柩を送った。いよいよあすは母帝の柩と別れるという夜、中大兄皇子は亡き母帝を偲《しの》んで詠《うた》った。

君が目の
恋《こほ》しきからに
泊《は》てて居て
かくや恋ひむも
君が目を欲《ほ》り

皇子の心優しい面の現れた歌であった。母帝にもう一度お目にかかりたい許《ばか》りに、柩と同じところに泊まっているのであるが、それにしても、こんなにもお目にかかりたいものであろうか。そういう歌の心であった。この歌を示された時、額田は溢《あふ》れて来る涙をとめることはできなかった。額田自身の老女帝を慕い、老女帝の死を悲しむ心が、そっくりそのままそこに詠われているように思われた。

老女帝の柩は、中大兄皇子と別れると、一路難波を目指した。柩の船が難波に着いたのは十月二十三日だった。それから柩は飛鳥《あすか》の都にはいり、飛鳥川原《かわら》の行宮で殯《もがり》した。いっさいのことは大海人皇子の手で取りしきられた。

大海人皇子は母帝の御魂《みたま》を送ると、直ちに筑紫に帰らねばならなかった。半島の戦雲は急で、一日も都に留まっていることは許されなかったのである。額田も亦《また》、大海人皇子の一行に加わって、難波津で乗船、筑紫を目指した。

都に滞在している僅《わず》かの間に、額田は巷々《ちまたちまた》にいろいろな風評が行われていることを知った。どういうものか、どれも半島出兵に対して暗い見透《みとお》しを持っている噂《うわさ》であった。巷には、意味のよく判《わか》らぬ童謡《わざうた》が歌われていた。何のことを歌っているのか、正確なことは判らなかったが、その歌の調子にも、歌の詞《ことば》にも、聞く者の心を底から冷え上がらせるような暗いものがあった。
――背を曲げて百姓が辛苦して作った山田の稲を、雁《かり》がやって来てはみんな食べてしまう。追っても追っても、やって来て、みんな食べてしまう。百姓はみんな泣いている。こうしたことになるのも、天皇が狩猟を怠《おこた》って、憎い雁どもをはびこらせてしまったためだろう。大体、天皇の御命令の言葉には力がない。ああ、雁がねに、みんな稲は食い荒らされてしまう。

このような意味にとれる童謡であった。政府の施政が間違っているために、農夫許《ばか》りが苦労して、その収穫はみんな悪役人に持って行かれてしまう。そういう意味にとれた。またそうしたことに託して、半島出兵を難じているようにも受け取れた。いずれにしても、若い働き手を兵に徴せられた民の生活の苦しさが、このような童謡を生んだのに違いなかった。

また筑紫の朝倉宮の例の怪異の噂も、何倍かに誇張されて伝えられていた。ちょろちょろと青い光を出して燃えているたくさんの鬼火に取り巻かれた宮の中で、老女帝は息を引き取ったのだというようなことが言われていた。そして、大皇の突然の崩御も、施政と結びつけられたり、半島出兵問題と結びつけられたりして、あれこれ噂されていた。

額田にはすべてが悲しく思われた。中大兄皇子《なかのおおえのみこ》が立ち向かっているものが、都へ戻《もど》ってみると容易ならぬものであることが判った。必ずしも民たちから支持されているわけではなかった。これまでは、そうした批判や非難を、老女帝が皇子に代わって引き受けていたのであるが、老女帝の亡《な》き今後は中大兄が一手に引き受けねばならなかった。そうした点では、弟の大海人皇子の立場の方がらくだった。

難波から筑紫までの船旅において、額田は何回か大海人皇子と顔を合わせた。さすがにこんどの旅が普通の旅ではなかったので、大海人皇子も浮いた言葉を額田にかけることはなかった。

真冬の鋭い月光が潮の上に照っている夜、額田は大海人と二人だけで語る短い時間を持った。めったに二人だけになることはなく、いつも誰か第三者の姿があったが、十《とお》その夜は珍しく二人だけであった。二人だけになっても、別に不思議はなかった。市皇女《ちのひめみこ》の父親と母親であった。

「その後、変わりはないか」

大海人皇子はそのような言い方をして、

「中大兄皇子とは、どのようなことになっているか」

と訊《き》いた。

「どのようなことにもなっておりません」

額田は答えた。

「どのようなことにもなっていないということは、余り信用しない。中大兄皇子が求めなければ別だが、求めれば、ふらふら靡《なび》いて行くだろう。生まれ付き、そういうところがある」

大海人皇子に言われると、確かに自分にはそういうところがあるだろうと、額田は思った。

「何を嬉《うれ》しそうな顔をしている」

「嬉しそうな顔などしてはおりません」

併《しか》し、いま、自分はそうした顔をしていないものでもないと、額田は思う。

「俺《おれ》はさっきから考えている。汝《なんじ》を飛鳥《あすか》に置いて来るべきだった。何のために、わざわざ筑紫へなど連れて行くことになったのだろう。母帝にお仕えしていた額田だ。母帝の眠っておられる飛鳥に留まっているべきだったのだ」

「そうだったかも知れません。でも、もう今では遅すぎます」

「また、嬉しそうな顔をしている」

こんどは、額田は意識して表情を改めた。やはり、嬉しそうな顔をしていたかも知れないと思ったからである。

「俺は兄の皇子と、額田を争った。そして敗けた」

大海人は言った。真面目《まじめ》な口調だった。

「どうして、そのようなことを仰《おお》せられます」

「本当であってみれば仕方ないことだ」

「なぜ、そんな、敗けたなどと」

「敗けた！」

額田は身を少しあとにずらした。まさか斬《き》られるとは思わなかったが、そんなことを思わせる気配があった。緊張した空気はすぐ破れた。

「俺は額田の体を奪《と》った。子供を生ませた。――それだけだ。然《しか》るに、中大兄は汝の心を奪った」

「いいえ」

額田は真剣に首を振った。

「そんなことはありません」

「ないと言うか」

「ありません」

「体は奪ってあるかも知れぬ。ないかも知れぬ」

それに対しては、額田は返事をしなかった。

「体を奪ろうと、奪るまいと、たいしたことではない。中大兄は汝の心を奪っている」

「いいえ」

額田の首の振り方は真剣だった。

「心など差し上げておりません。心だけは」

「心だけはと言ったな。それでは体は与えてあるのか」

額田は憤った振りをして立ち上がった。そして、

「中大兄皇子さまは、いま額田どころではございません。心の全部が半島に飛んで行っていらっしゃいます。八月の前軍に引き続いて、いまは中軍、後軍の出動の時期を窺《うかが》っておいでになります」

「よく判るな」

「誰にでも判ります」

「いや、誰にでもは判らぬ。額田だけには判る」

「どうしてでございます」

「額田は熟田津《にぎたづ》で、中大兄に代わって、歌を作った」

「いいえ、あの時、わたくしは亡き帝に代わって」

「そんなことを言っても、この大海人は欺《あざむ》けぬ。額田は兄の皇子に代わって、あの時、その心を詠《うた》ったのだ。まさか、あの歌を忘れはすまい」

「覚えております」

「その歌を、もう一度聞かせてくれ」

「――――」

「詠え」

「――熟田津に　船乗りせむと　月待てば　潮もかなひぬ　今は榜《こ》ぎ出でな」

額田は低い声で、曾《かつ》て自分が作った歌を詠った。額田は不思議な昂奮《こうふん》に襲われていた。あの時も、そうであったように、百千の軍船が潮の流れに乗って移動して行くのが見えた。月光の散っている暗い潮の上を、次から次へと大船団は移動して行く。額田は大海人皇子のことは忘れて、大きい感動に身を任せていた。

幻覚が消えると、額田はひどい疲れを覚えた。

「その歌は、中大兄皇子に代わって詠った歌だ。俺にはよく判る」

こんどは、額田は黙っていた。言い張っても、無駄《むだ》だと思った。大海人皇子の指摘の通りに違いなかった。

「汝は中大兄皇子に心を奪られている」

「いいえ」

「それでなくて、そんな歌が作れるか」

「おっしゃるように、中大兄皇子さまのお心を詠ったのかも知れません。でも、あなたのおっしゃるように、中大兄皇子さまに心を奪られていたら、このような歌を作れないと思います。奪られていないからこそ――」

額田は言った。権力で召されれば体は与えるだろう。女体であれば体は酔うだろう。あなたとの場合のように、皇子でも、皇女でも生むことができるだろう。が、心は与えないのだ。与えていいであろうか。

額田は、月光に顔を向けて立っていた。大海人皇子も立ち上がったが、何も言葉は口から出さなかった。大海人皇子にそうさせるだけのものを、その時の額田の顔は持っていたのである。

額田は、このように大海人皇子と二人だけで話をする時間を持ったが、そのあとは、なるべくそうした機会を持つことを避けた。

額田は大海人皇子に指摘されたように、自分が中大兄皇子に惹《ひ》かれているのを、自分で感じていた。少なくとも大海人皇子と関係を持っていた時、大海人に対して持っていたものと、現在中大兄に対して持っているものと較《くら》べると、確かに違っていた。併し、心は惹かれていても、その心は与えてはならぬものであった。若し心を与えれば、つまり中大兄に女としての愛情を持てば、その時から額田は地獄の責苦を味わわねばならなかった。中大兄皇子の妃たちと、その瞬間から仇敵《きゆうてき》同士にならなければならなかった。他の妃たちと寵《ちよう》を争わねばならぬ一事を考えただけでも、身の毛もよだつ思いだった。愛を永遠に動かぬ変わらぬものとするためには、子供を生まねばならなかった。が、子供を生めば、母と子は、好むと好まぬに拘《かかわ》らず、自分たちを守るために他を押しのけなければならず、そのためには、否《いや》が応《おう》でも、醜い争いの中に身を置かねばならなかった。

だから、額田は大海人皇子にいかなることを指摘されても、顔色を変えるようなことはなかった。多少はっとすることはあっても、平静心を失うようなことはなかった。中大兄に与えたものが特別なものであろう筈《はず》はなかった。大海人皇子に与えたものを、大海人に代わって、中大兄に与えるようになっただけのことである。

額田はこの船の旅で、今まで彼女が持たなかったやはり豊かと言っていいものを、その面に着け始めていた。時には悲しげに、時には満ち足りたように、また時には放埒《ほうらつ》でさえあるように、その面は見えた。額田自身には判らなかったが、額田以外の者にはそれが判った。

二

大海人皇子《おおあまのみこ》が筑紫《つくし》に戻《もど》ったのは十二月の初めであった。母帝の遺骸《いがい》を奉じて筑紫を離れたのは十月の初めであったので、丁度二カ月ぶりで大海人は筑紫の地を踏んだわけであった。

筑紫は二カ月前とはすっかり街の表情を改めていた。こんどの作戦の大本営の所在地として、半島出兵の一大根拠地として、巷《ちまた》という巷にはものものしいものが立ちこめ、到るところで兵と物とが渦巻《うずま》いていた。もはや先帝の喪の悲しみといったものは、街のどこからも感じられなかった。

大海人皇子は中大兄皇子《なかのおおえのみこ》に母帝の飛鳥《あすか》における殯《もがり》のこと一切を報告し終わると、すぐ自分を大きく切り替え、目の前に迫っている国運を賭《と》しての大作戦の帷幄《いあく》に参じなければならなかった。

大海人皇子は母帝の殯のこと以外、都で見聞したいかなることも、中大兄皇子には伝えなかった。額田《ぬかた》が感じたように、大海人皇子にとっても、飛鳥の都の印象は必ずしも明るいものではなかった。たとえ表面には出ていないにせよ、民のこんどの作戦に対する批判は、いろいろな形において行われていた。夫や息子を兵として徴せられている村では、女たちだけが田圃《たんぼ》で働いていた。黙々として、鋤《すき》や鍬《くわ》を握っている女たちの背には、はっきりと為政者への抗議が感じられた。

併《しか》し、筑紫に足を一歩踏み入れたとたんに、大海人皇子の心からは、遠い都の暗さはふっとんでしまった。作戦はすでに始まっているのであった。どこへ眼をやってもただ一つの目的に向かって、人は動き、物は動いていた。

筑紫一帯の地に兵は集結していた。無数の兵団は九州の北部に屯《たむろ》していたが、それは全国あらゆる地方から集められたものであった。筑紫、肥前などの九州出身の兵は勿論《もちろん》のこと、四国の兵も、近畿《きんき》各地の兵も、遠くは東北陸奥《みちのく》からははるばる徴せられてやって来た兵たちもあった。従って、筑紫一帯の地では全国あらゆる地方の方言を聞くことができた。言葉の違いのために意志が疎通《そつう》せず、兵と兵、兵団と兵団との小さい争いは毎日のようにおこり、あとを断たなかった。

こうした大軍団を養うための食糧の確保も容易なことではなかったし、また半島へ出陣した場合の糧米の問題もあった。筑紫の港には毎日のように夥《おびただ》しい数の兵船が出入りしていたが、それに依《よ》って運ばれて来るものは兵たち許《ばか》りとは限らなかった。あるいは糧秣《りょうまつ》を運んで来る船の方が多かったかも知れない。

　また筑紫一帯の海岸において、毎日のように烈《はげ》しい水軍の訓練が行われていた。初めて船というものに乗る兵たちも多かったが、それを尽《ことごと》く水軍の兵として叩《たた》き上げて行く必要があった。半島における戦闘の多くが陸で行われるか、海で行われるかは見当付かなかったが、併し、大兵団の移動となると、半島の場合、必ずや海路に依ることが多いであろうと思われた。

　水軍の必要とする兵船の数も夥しいものであった。これは全国到るところで造られていたが、やはり作戦の拠点である筑紫に最も多く船工たちが集められていた。船工たちは今や全く戦闘のさなかにあった。昼も夜もなかった。昼も夜もなく立ち働いているのは船工たち許りではなかった。武器、兵器の工場で一日中、火熱の中にいる男たちも同じだった。

　大海人皇子の眼には、二カ月ぶりに見る中大兄皇子の顔は曾《かつ》てない烈しく鋭いものに見えた。母帝亡《な》き現在、依然として皇太子の地位にあるとは言え、名実ともに国の責任者であった。これまでは母帝の蔭《かげ》にかくれて一切を取りしきっていたが、現在は違っていた。この気鋭の若い皇子を庇《かば》う何ものもなかった。まさに中大兄皇子の意志に依って半島に出兵しようとしていたし、中大兄皇子の意志に依って、人国唐と事を構えようとしていた。また中大兄皇子の意志に依って、民の生活を犠牲にしてまで、国の運命を半島の出兵に賭《か》けようとしていた。

大海人には、ただ烈しく見えた中大兄皇子の顔は、額田にはもっと複雑なものに見えた。烈しく精悍《せいかん》ではあったが、ただそれだけではなかった。運命というものに自分を任せてしまった人の静けさもあった。

「毎日毎日がお忙しいので、少しお痩《や》せになったかと存じます」

額田が言うと、

「まだまだ痩せるだろう。いまに大海人も痩せ、鎌足《かまたり》も痩せる。額田も痩せるかも知れぬ」

中大兄皇子は言った。自分も痩せるかも知れぬと言われると、額田は、そういう言い方に感動した。実際にこの若い為政者の肩にかかっている重荷の何分の一かでも自分の肩に移すことができたら、どんなにいいだろうと思った。そして、そのために痩せることができたら！　併し、そういうことは夢にも希《のぞ》めなかった。一切のことは、額田などの思いもよらぬところで動いていた。

「額田は女として生れたことが残念でございます。若《も》し男として生れておりましたら、兵として半島に派せられる御戦《みいくさ》の船に乗れましたものを」

額田は言った。すると、中大兄皇子は笑って、

「さぞ、役にたたぬ弱い兵ができたことであろう。額田に男として生まれられなくて、わが軍は仕合せであった」

それから、すぐ真顔になって、

「額田にはして貰《もら》わねばならぬことがある。半島の作戦が成功した暁——」

「御戦が輝かしい勝利を占めました暁——」

額田が復唱するように言うと、

「その時は、戦捷《せんしよう》の歌を、戦捷のよろこびを詠《うた》って貰いたい。それを今から心掛けておいて貰いたいのだ」

額田は黙って頭を下げた。大きい感動が溢《あふ》れて来て、すぐには言葉が出なかった。中大兄皇子の言葉で初めて気付いたのであるが、そのためにこそ、自分はこの世に生まれて来たのかも知れない。どうしてこのようなことに今まで気付かなかったのであろうか。

〝熟田津に船乗りせむと〟と詠った時の、あのたぎりたつ思いが、再びいまの額田の心によみがえって来た。ああ、自分は中大兄皇子に代わって、その戦捷のよろこびを詠うことができたら！　併し、それは誰にできなくても、自分にはできるのだ。

「皇子さまの御心の中にはいり、戦捷のよろこびを、――」

　額田が一語一語切るようにして、ゆっくりと言いかけると、

「中大兄皇子の心の中にははいらなくてもいい」

「え!?」

　額田は面を上げて、中大兄の眼を見入った。

「その時は、民全体の心の中にはいって詠って貰いたい。長い苦しい生活だった。父も喪《うしな》った、夫も喪った、子も喪った。だが、漸《ようや》くにして、この大捷利を収めることができた。苦しい生活だったが、今になって考えると、やはり無駄《むだ》ではなかったのだ。半島の戦闘において、このような輝かしい捷利を収めることができたのだ。漸くにして、いま国土には春が来、春の光が降り、春の風が吹いている」

「――」

「民の心全部に代わって詠って貰いたい。よもや、それができぬことはあるまい」

「――」

「中大兄は、熟田津の出陣の歌だけで充分だ。中大兄は出陣を令した。船団は半島に向かって、次々に進発して行く。――だが、そうして始まった作戦の結果は民のものだ。半島において輝かしい捷利を得たら、その時のよろこびは、民の心で詠って貰わ

ねばならぬだろう」

中大兄は言うと、もうそのことはそれで打ち切ってしまったかのように、つと席を立った。

額田は立って行く中大兄の顔を見なかったが、皇子がいま必ずしも明るい顔をしているとは思われなかった。若《も》しかしたら、戦捷というそれに較《くら》べるもののないほど明るいものに思いを馳《は》せていただけに、その面は反対に暗いもので包まれていたのではないかと思った。何と言うことなしに、そのような気がしたのである。

額田は、中大兄の言うように、自分が国民全体の心になり代わって、戦捷の歌を詠えるかどうか、全く判《わか》らなかった。その時になってみないと判らないことであった。が、この時の中大兄皇子の言葉ほど、額田の心を根底から大きく揺り動かしたものはなかった。できるかどうか判らないが、できるなら、そうすべきだと思った。それは、額田がいままでに考えてみたことがなかったほど大きい歌の生命であった。

中大兄皇子の心の中にはいって、中大兄の心を詠うことはできた。誰ができなくても、自分だけにはできるのだ。神の声を聞く耳を失わない限り、皇子の心の中にぴたりと寄り添うことができる筈《はず》である。

併し、この広い国土のあらゆるところに散らばり生きている無数の民の心の中に、どうして自分ははいって行くことができるだろう。思ってみただけでも至難な業であり、そうすることの手がかりというものは一切考えられなかった。併し、若しそうすることができたら何という素晴らしいことであろう。

中大兄皇子は、それを為《な》せと、自分に課したのだ。確かに現在の中大兄皇子が夢み、念願しているものは、そのような大きな国土全体のよろこびであるに違いなかった。

額田は飛鳥の都から受けた暗い印象を思い出した。聡明《そうめい》な中大兄は、飛鳥の都を自分の眼に収めなくても、現在の都がどのような空気に包まれているか、とうに知っていることであろう。その暗い都に春の光が降り、春の風が吹く日の来るまで、為政者として、あらゆる苦しさに耐えようとしているのである。

それから数日後、額田は行宮《かりみや》の一隅《いちぐう》で、中大兄皇子と顔を合わせた時、

「先日の戦捷の歌のこと、額田の生き甲斐《がい》でございます。今からそれを思っても、身内に沸《たぎ》り立って来るものがございます」

額田は言った。このことについて、一度、はっきりと自分の感動を伝えておきたい気持があったからである。そして続けて言った。

「草という草、樹木という樹木、みな御戦の捷報に、いっせいに揺れ動き、潮は騒ぎ、山の獣も、虫けらも、生命あるものは尽《ことごと》く、美しい都を指して上って参りましょう。

都には、――」

すると、

「その時は、もう、都には鬼火の噂《うわさ》もなくなっているであろう」

中大兄はさもおかしそうに笑って言った。


大海人皇子が二カ月筑紫を留守にしている間に起こったいろいろな事件の中で、最も大きいものは、何回も百済《くだら》の再興軍からその帰国を請《こ》われている王子豊璋《ほうしょう》が、戦火の国へ赴くことに決定したことであった。豊璋は何となく人質の恰好《かっこう》で永年わが国に留まっていたのであるが、母国存亡の重大時期に際して、母国へ赴くことは、誰の眼にも当然なこととして映った。再興軍が豊璋を迎えて、王として戴《いただ》き、そのもとに結集して、百済国の再興を図りたいというのも無理もないことであったし、豊璋としても、同じ思いであったに違いない。それを大和朝廷が今日まで引きのばしていたのは、豊璋の帰国を無駄にしたくないためであった。

百済の王子豊璋が、帰国のことが決まって、宮中において、織冠を授けられたのは九月のことである。授けられたのは織冠許《ばか》りではなかった。妻として多臣蔣敷《おおのおみこもしき》の妹も授かった。

若き王子は生まれ付き無表情な面貌《めんぼう》を具《そな》えていたが、この時も、嬉《うれ》しいか、嬉しくないか、その面からは窺《うかが》えなかった。豊璋は危急存亡の故国に、その責任者として、その国王として赴こうとしていた。豊璋を待っているものは、半島における烈しく辛《つら》い戦闘であった。

中大兄皇子《なかのおおえのみこ》は豊璋に、五千余の兵をつけることにした。この豊璋の帰国が決定する一カ月前に、半島への最初の出兵があったが、それは公《おおや》けの発表とは違って、小規模のものであった。従って、こんどの豊璋の帰国に際しての出兵が、最初の大々的な兵団の渡海であると言うことができた。併《しか》し、これも、公けの発表があってから、徒《いたず》らに日は延びていた。秋は次第に深まって行ったが、兵団は港附近に待機したままであった。

十二月の終わりに、高句麗《こうくり》からの使者が筑紫《つくし》の港にはいった。

――十二月にはいりましてから、高句麗は曾《かつ》てない烈しい寒さに襲われております。大河という大河は尽《ことごと》く凍結し、ためにそれまで高句麗軍に喰《く》いとめられておりました唐と突厥《とっけつ》の連合軍は、凍結した江を渡って攻め込んでまいりました。大小の戦車を先きに立て、鉦鼓《しょうこ》を鳴らして進撃して来るさまは、この世のものとは思われず、戦車の響き、鉦鼓の声は、数百里離れた地点でもこれを聞くことができました。これに対し、高句麗の兵たちは出でて闘い、各所に激戦を展開、唐の二塁を抜きました。そして更に残っている二塞《さい》に対して、夜襲を準備しました。唐兵たちは高句麗軍の夜襲を怖《おそ》れ、みな膝《ひざ》を抱えて泣く有様であります。併し、高句麗の軍も疲労甚《はなは》だしく、戦意を失っている敵の二塞を抜くことは難しく、それを差し控えている現状であります。

高句麗の使者は言った。その席には、中大兄皇子も、大海人《おおあまのみこ》皇子も、鎌足《かまたり》も居た。使者の報告には、偽りあろうとは思えなかった。未曾有《みぞう》の寒気に襲われている戦線の様が眼に見えるようであった。併し、寒さに対しては、高句麗軍の方が強い筈《はず》であった。若《も》し冬期の戦闘でなかったら、恐らく高句麗軍は、唐、突厥の連合軍の敵ではないだろう。ひとたまりもなく、重装備を持った敵の大軍に呑《の》み込まれてしまうこと必《ひっ》定《じょう》である。それを曲がりなりにも持ち堪《こた》え、二塁を抜くといったような有利な状態に戦局を持って行けるのは寒さのお蔭《かげ》であった。

夜襲を差し控えているといった使者の報告が、大和朝廷の指導者たちには残念に思われた。どんな犠牲を払っても、高句麗軍はこの期を逸すべきではなかった。戦闘の苦しさはどちらも同じであった。

「冬が終わり、寒さが少しでも薄らいだら、敵は奪われた二塁をも奪還するであろうに」
鎌足《かまたり》は言った。中大兄にしても、大海人にしても、思いは同じであった。高句麗の軍の指揮者たちのやり方が歯がゆく思われた。併し、戦線を遠く離れている以上、どうすることもできなかった。

高句麗の使者が筑紫にやって来た主な目的は、言うまでもなく、一日も早く日本軍の来援を乞《こ》うことにあった。百済の王子豊璋に五千の兵をつけて半島へ送り込む準備は既にできていた。いつでも発遣できるように、兵団は筑紫の港に待機していた。ただ、その発遣を延ばしている理由は、専《もっぱ》ら百済の食糧事情にあった。百済の再興軍が、大量の来援部隊を受け入れる準備が整っているという確かな見通しを得るまでは、簡単に兵団を半島に送り込むわけには行かなかった。百済の再興軍は、ただひたすら来援を求むるに急であったが、大和朝廷としては、その要求を鵜呑《うの》みにするわけには行かなかったのである。

併し、こんどの高句麗の使者の報告は、大和朝廷の指導者たちの考え方を一変させた。多少無理はあっても、やはり兵団を半島に送り込んでおいた方が、大局から見ると有利ではないかという考えになったのである。少なくとも、現在高句麗が犯しているような愚かな間違いは起こらないに違いなかった。

豊璋と、それを護衛する五千の兵団が筑紫の港を発したのは十二月の下旬であった。指揮者は、八月から待機していた阿曇比羅夫《あずみのひらふ》、河辺百枝《かわべのももえ》らである。大和朝廷としては最初の大々的な兵団の発遣であった。

その日、筑紫の港は出陣部隊を送る夥《おびただ》しい数の兵たちで埋まった。見送りの殆《ほとん》ど全部が他部隊の兵たちであった。兵たちは、やがて自分たちも半島へ出陣することになるであろうが、自分たちに先き立って今日出陣して行く先発隊を送るために、港附近に引率されて来た連中であった。民間の男女たちは港附近への立ち入りは許されなかった。港附近は兵たちで埋められ、民の男女がはいり込む余地はなかったのである。

大量の見送りの兵を港に集めたのは、鎌足の指令に依《よ》るものであった。出陣して行く兵たちとしては、自分たちに続いて出陣して来るに違いない雲霞《うんか》の如《ごと》き後続部隊を目にして、何よりも力強いものを感じたであろうし、見送りの兵たちとしては、港を埋めるたくさんの軍船を見て、これまた力強いものを感じ、新たに出陣の覚悟のほどを決めるに違いなかった。実際に、この日の港には、いつこのような軍船が造られたのかと思うほどたくさんの軍船が浮かび、それが歓呼のどよめきに送られながら、一艘《そう》ずつ港を出て行った。

そして出動部隊が居なくなって、急にがらんとした港附近の駐屯地《ちゆうとんち》には、すぐ新しい部隊が移動して来た。誰の眼にも、それは次に出動して行く兵たちに見えた。兵たち自身も、次に出動して行くのは誰でもない、自分たちだという思いを持った。

筑紫は第一陣の出動の日を境にして、急に色濃い戦時色に塗り替えられた。もはや筑紫は大本営の所在地とか、半島出兵の根拠地とかいった後方的色彩を払拭《ふっしょく》し、ここも戦場以外の何ものでもないといった急迫したただならぬものを身に着けた。

斉明《さいめい》天皇の七年は、このような慌《あわただ》しさで暮れて行った。大月隠《おおつごもり》の夜、中大兄、大海人、鎌足たちを初めとする百官の朝臣たちは、行宮《かりみや》の一室に集まり、古い年を送り、新しい年を迎える鐘の音を聞いた。

「いろいろなことがあったな」

中大兄皇子の言葉で、その場に列していた者たち総《すべ》てが、いま去り行こうとしている年の、殆ど信じられぬような慌しさを思い出していた。初めて御船が西征の海路に就いたのは正月のことであった。そして筑紫の港に着いたのが三月、故帝が朝倉宮に遷《うつ》られたのが五月、五月から六月にかけては鬼火の噂《うわさ》、そして七月の女帝の崩御にと続いて行く。後の半年は半島出兵の準備のために、一日一日が、殆ど信じられぬ速さで飛び去って行ってしまったのである。

「いろいろなことは、古い年より新しい年に、なお多くやって参りましょう」

鎌足は言った。

「新しい年にはいまここに列している朝臣も、武臣も、半数以上の者が海を渡ることになりましょう」

「そのようなことになればいいが」

大海人が言うと、

「そのようなことがいいことか、悪いことか判《わか》りません。戦況が好《よ》ければ勿論《もちろん》のこと、たとえ戦況が不利の場合も、みな海を渡る覚悟が肝要かと存じます」

鎌足は言った。

「判っている。戦況が好ければ中大兄皇子に半島に渡って戴《いただ》く。戦況不利の場合は、この大海人が海を渡る」

「そのお覚悟を聞いて、鎌足安心仕《つかまつ》りました。皇子お二人をあとに残し、臣等みな海を渡ることができます」

鎌足は頭を下げた。〝臣等みな〟と鎌足が言ったので、列席の朝臣、武臣みな一緒に頭を下げなければならなかった。武臣たちはみないずれは半島に出陣するといった気構えを持っていたが、朝臣たちの方は必ずしもそうではなかった。朝臣たちはみなこの時、自分たちが飛鳥《あすか》から難波《なにわ》に移ったように、更にまた難波から筑紫に移ったように、新しい年は筑紫から半島へ移らねばならぬかも知れぬという思いを初めて持った。これまでにも信じられぬようなことは、次々に自分たちを襲っていた。これからも襲うであろう。鎌足が口に出したことで、そうならなかったことはなかった。ああ、いま来ようとしている新しい年は、いま鎌足が言ったように、自分たちにとっては容易ならぬ年になるであろう。いまも妻子とは遠く離れているが、新しい年には、更に更に遠く、いまの何層倍も遠く離れることになるだろう。朝臣たちは鎌足と一緒に頭を下げたあと、それぞれが思い思いの考えを呑み込んだ。

明くれば、中大兄皇子の称制第一年である。正月の下旬になってから寒い日が何日か続いた。そしてその果てに雪が落ちた。筑紫地方にとっては雪の降るのは珍しいことであった。南国から徴されて来ている兵たちは寒さに震え上がったが、寒国から来ている兵たちは、久しぶりで郷里の雪を思い出して悦《よろこ》んだ。朝臣たちも都の雪と比較して、同じ雪であるのに、なぜこのように風情《ふぜい》がないのかと、そのようなことを囁《ささや》き合ったりした。

雪は二日降り続け、三日目の夕刻に歇《や》んだが、その雪の歇んだ夜、兵船の小さい一団が筑紫の港から出て半島に向かった。同じ兵船の発遣ではあったが、こんどは一人の見送りもなく、夜の闇《やみ》に紛れて、こっそりと船出して行くといった恰好《かっこう》であった。何艘かの船が梱包《こんぽう》した箱を満載し、それを囲繞《いにょう》するように何十艘かの兵船が配され、その船団はその形を崩すことなく港を出て行った。

二、三日すると、巷《ちまた》にはこの隠密裡《おんみつり》に行われた兵船の発遣のことが噂《うわさ》となって流れた。夥しい数の武器、武具が半島の戦線に送られたのだと言われたり、半島の作戦の指導者として、貴人の一人が百済を目指したのだと言われたりした。併し、何が送られたか、一部の朝臣たちを除いて、正しくは誰も知らなかった。

それは、百済再興軍の指揮者鬼室《きしつ》福信への贈り物であった。梱包された箱の中には、矢十万隻、糸五百斤、綿一千斤、布一千端、韋《おしかわ》一千張、稲種三千斛《こく》、そういったものが詰められてあったのである。矢十万隻を別にすれば、他のものは直接戦闘に役立つ武器でも武具でもなかった。

この隠密裡に兵船が発航して行った夜、額田は中大兄皇子に侍して、行宮の高台から、この船団を見送った。雪が歇んだとは言え、いつまた降り出すか判らぬ空模様で、寒気は寧《むし》ろ雪が歇んでからの方が厳しかった。

「船が出て行く」

中大兄皇子は言った。闇に包まれている港に、いかなることが起こっているか、額田には判らなかった。一艘の船も見えなかった。併し、額田は中大兄の言葉で、半島へ送る物品を積んだ船がいま出航しているのであろうと思った。何が詰められた箱であるか知らなかったが、夥しい数の箱について、それが無事に半島に届けられ、戦闘に役立つようにと、数日前に神に祈ったことがあった。そういう神事に、額田は仕えていたのである。

「あの箱の中には何がはいっているのでございましょう」

額田が訊《き》くと、

「何と思うか」

中大兄は逆に訊き返して来た。

「さあ」

「布、糸、綿、そうしたものだ」

そして、ここで言葉を切って、

「国の民が苦労して作ったものだ。民自身が咽喉《のど》から手が出るほど欲しがっているものだ。知ったら、さぞ恨むだろう。それを半島に送った。半島では武器や武具も必要だが、いまはそれよりもっと布や糸や綿の方が必要だ」

「わざわざこの暗い夜を選んで、船をお出しになったのでございますか」

「そうだ。が、民の眼から匿《かく》すために、このような夜を選んだのではない。それより無事に半島に届けたいからだ。こんどの船だけは無事に届いて貰《もら》わねばならぬ。でないと、これを作った民たちに申しわけがない」

「皇子さまが御派遣になります船のこと、どうして無事に半島に着かないことがございましょう」

「そう簡単には行かぬ。幾らでも敵方の船も出没しているだろう」

中大兄皇子は言った。

三

筑紫《つくし》の大本営は三月に再び兵団を半島に派した。こんどは昨年の暮に百済《くだら》に赴いた豊璋《ほうしょう》に布三百端を贈ったのである。

半島との連絡は頻繁《ひんぱん》に行われていた。同じ三月にも高句麗《こうくり》から使者がやって来た。使者の報告は、久しぶりに明るいものであった。日本の兵団が百済再興軍の拠点である踈留城《そるさし》にはいり、それまで敵軍に断ち切られていた高句麗との連絡を確保したので、戦局は非常に有利に展開しつつある。今まで高句麗南辺の幾つかの城塞《じょうさい》を攻撃していた唐、新羅《しらぎ》の連合軍も、二月には高句麗から兵を引くに到った、そういう使者の報告であった。

大和朝廷の首脳部は、兵団の半島派遣が早くも眼に見える効果をあげたことで、大いに気をよくした。この頃《ころ》、高句麗の僧で、先年日本に渡来して帰化した道顕《どうけん》が、やがて高句麗は唐との闘いに破れて、日本に帰属することになろうと予言したことが巷《ちまた》に伝えられた。道顕は占いに依《よ》って、そういう判断をくだしたのであったが、道顕は朝野に多くの信奉者を持っている人物で、この言葉は一般に単なる放言としては受け取られなかった。

高句麗が破れるということは容易ならぬことであったが、それが日本に帰属するようになるということは、必ずしも悪いこととは言えなかった。

昨年の暮に派遣した兵団からは、その後何の報告もなく、その行動を百済などの使者の口から知るだけであったが、六月にはいって、初めて兵団から公式の使者が派せられて来た。兵火の渦巻《うずま》く現地の生々しい空気を身に着けた最初の使者であった。大将軍阿曇比羅夫連《あずみのひらふのむらじ》は百七十艘《そう》の兵船を率いて、豊璋を百済国に送ったが、去る五月漸《ようや》くにして、豊璋を王位に即《つ》ける式典を挙げることができた。またその席で、再興軍の指揮者福信にも冊書《さくしょ》と爵禄《しゃくろく》を与えた。すべては日本派遣軍の将兵の参列のもとに、終始厳粛に行われた。豊璋、福信を初めとして百済の将兵たちも亡《ほろ》びた国が再びここに興ったことで、一人として涕泣《ていきゅう》せざるはなかった。

こういう使者の報告であった。そしてこの使者の報告を追いかけるようにして、百済から貢物《みつぎもの》を持って使者がやって来た。こうしたことから推しても、半島の戦局は現在一応の小康を得ているようであった。唐・新羅の連合軍と日本・百済の連合軍は、高句麗南辺の戦線で対峙《たいじ》したまま、お互いに戦機の熟するのを待っている恰好《かっこう》であった。こうした情勢は、大和朝廷には寧《むし》ろ望ましいことであった。やがて派遣しなければならぬ第二、第三の大兵団のために、半歳でも一歳でも準備期間が欲しかった。筑紫一帯の地は相変わらず戦時色一色に塗り潰《つぶ》され、到るところで人は動き、物は動いていた。

この年の秋は早くやって来た。去年に較《くら》べると、同じ筑紫の秋ながら、幾らかでも落ち着いたものが感じられた。去年の秋は、半島出兵に加うるに先帝の喪で、誰もがただひたすら慌《あわただ》しく過したが、今年は秋の季節の到来を感じるだけのゆとりがあった。

王宮で観月の宴が張られたのは十月であった。日頃、王宮内深く垂れこめて過している中大兄《なかのおおえ》、大海人《おおあま》両皇子の妃たちや、それに仕える大勢の女官たちの無聊《ぶりょう》を慰めるための催しで、勿論《もちろん》、朝臣、武臣の姿も見かけられたが、何と言っても、女たちの方が圧倒的に多かった。遠くに海を望める大広間と、そこから廊下、広庭にかけて幾つかの宴席が作られていた。部屋内に坐るなり、廊下に出るなり、広庭の将几《しょうぎ》に腰を降ろすなり、それぞれが思い思いのところに陣取って、月を眺《なが》める趣向にしつらえられてあった。

額田女王《ぬかたのおおきみ》は初めからこうした席に出ることに心重いものを感じていた。中大兄皇子の妃たちと顔を合わせるのも、大海人皇子の妃たちと顔を合わせるのも、余り望ましいことではなかった。大海人皇子との間には十市皇女《とおちのひめみこ》があり、二人の関係は誰一人知らぬ者はなかったが、いま二人がそうした関係を断っていることも亦《また》、誰一人知らぬ者のない事実であった。一方、中大兄との関係は、世間からどのように見られているか、額田自身にも見当が付かなかった。中大兄とのことはできるだけ秘密にしており、めったなことでは他人に気付かれることはなかったが、と言って、女官や侍女たち全部の眼から秘密を守るというわけには行かなかった。王宮内のどこを歩いても女官たちの眼は光っていた。ただ当の二人が表沙汰《おもてざた》にしていない以上、それを見ても見ぬ振りをして過すだけの心得は、すべての女官たちが持っている筈《はず》であった。

額田は朝臣たちからも、女官たちからも、他の妃たち同様の礼を以《もっ》て遇されていた。と言って、それが中大兄の寵《ちょう》を得ていることから来るものと許り《ばか》判定してしまうことはできなかった。大海人皇子との間に十市皇女をもうけているという一事からだけでも、額田は充分に特殊な女性として遇されるだけの資格はあった。

また、中大兄と額田の関係が一部に知られていたとしても、それを公《おおや》けに口にする者はないに違いなかった。曾《かつ》て大海人皇子の妃であり、いま中大兄皇子の妃であるという女性のことは、誰にとっても口にするよりは口にしない方が無難であるに違いなかった。二人の兄弟の皇子に対する礼儀からしても、これだけは口にすべきでないという考え方が行われるのは、極めて自然でもあり、当然なことでもあった。

従って、額田は自分が世間一般からどのような眼で見られているか、自分ではかいもく見当が付かなかった。第一、大海人皇子すらが、自分をどのように見ているか判らなかった。中大兄皇子との関係を、大海人皇子が知っているかいないかさえ判らなかった。額田はこの一年間、大海人皇子と二人だけで話したことはなかった。そうした機会を持つことを、努めて避けてもいたが、実際にまたそうした機会はやって来なかったのである。

額田にとって、多くの妃たちや、幼い皇子、皇女たちが一堂に会する観月の宴ほど鬱陶《うっとう》しいものはなかった。妃たちの無数の視線の矢を思っただけでも、なるべくそこに身を置くのは避けるべきであるという気がした。中大兄の妃たちからも、大海人の妃たちからも、身を後宮に置かないで、何をしているか判らぬ女性に対して、いっせいに烈《はげ》しい矢は放たれる。妃たちそれぞれの間には嫉妬《しっと》もあり、競争もあるであろうが、併《しか》し、謂《い》ってみれば天下に公けにされた妃としての同じ立場があった。額田の場合だけは違っている。二人の皇子の寵を得ているということにも問題はあるし、後宮に身を置いていないということにも問題はあった。

額田はこの観月の宴の前日まで、そこに出席するかしないか、心に決めかねていた。ところが前日になって、十市皇女の養育に当たっている侍女から連絡があって、十市皇女が久しぶりで観月の宴で額田に会うことを楽しみにしているということを伝えて来た。この一事で、額田の心は決まったのであった。十市皇女が母である自分に会うことを楽しみにしているというのであれば、いかなることがあっても、十市皇女の期待を裏切るべきではないと思ったのである。

額田が十市皇女の母であり、十市皇女が額田の血を持った皇女であることは、これこそ天下周知の事実であった。にも拘《かかわ》らず、額田は十市皇女の母としての地位を棄《す》てていた。自分の女としての誇りを守るために、そうすることが必要であったが、果たしてこのことは十市皇女にとって、どのような意味を持つものであろうか。額田はこの問題に対して、はっきりした解答は用意していなかった。自分を生んだ母親が傍《そば》に居りながら、母親と無関係に育って行く十市皇女が哀れに思えることもあったし、また反対に、この方が十市皇女の将来を守るためにはいいことなのだと、自分に言いきかせることもあった。

実際に母親の愛と権勢に守られて育って行く他の皇女たちと、そうしたものとは関《かか》わりなく、孤立無援に育って行く十市皇女と、そのいずれが仕合せであるかということは、いちがいには言えぬ問題であった。母親の持つ愛と権勢に守られているということは、それだけ多くの敵を持つことであった。少なくとも、ただ一人で王宮の中に育って行く十市皇女には、そうした敵はない筈であった。全然敵や競争相手がないことはないにしても、他の皇女たちに較《くら》べると少ないに違いなかった。

額田は一年に数えるほどしか十市皇女に会っていなかった。それも会うと言えるような会い方ではなかった。何か特別の催しのある席で、遠くから垣間《かいま》見るといった会い方であった。そうした時、十市皇女はいつも額田には眼もくれなかった。額田が自分の母親であるということを意識しているとは思えぬ態度であった。そうしたことが、やはり額田には淋《さび》しくも思えたし、また反対にほっとする思いもあった。

が、こんどの侍女からの連絡は、額田にいっきに母親としての思いを煮え沸《たぎ》らせるに充分なものであった。額田は観月の宴の前夜を寝苦しく過した。十市皇女のいまは十歳に生い育っている姿が何回となく、眠りにはいって行けぬ額田の瞼《まぶた》の上に立ち現れて来た。

額田はその観月の宴では、ひとりだけ離れて、庭の将几に腰を降ろしていた。なるべく目立たぬ場所を選んだつもりであった。すでに中天に月はかかっており、真昼のような月光が広い庭に降っていた。

額田はさっきから十市皇女の姿を探していたが、十市皇女の姿は見えなかった。まだこの宴席に姿を現していないものと思われた。額田は月光を浴びていたが、広間の方からは案外自分が誰であるか判らないであろうと思った。反対に額田のところからは広間の方がはっきりと見えていた。広間から縁側にかけて燭台《しょくだい》が並んでおり、庭先きには篝火《かがりび》が焚《た》かれている。観月の宴であるから、すべての灯火《みあかし》を消してしまった方が月光が生きるだろうと思われたが、なぜか灯火はあかあかとともされている。あるいは頃合を見計らって、灯火を消す趣向であるかも知れなかった。

額田は月の方へ向けている顔を、時折、広間の方へ向けた。月も美しかったが、宴席の方は宴席の方で、なかなか興味深い見ものであった。広く散漫になるべき宴席は、何となく二つに割れていた。中大兄皇子の妃たちは、別段一カ所に固まっているというわけではなかったが、広間から縁側の右手へかけて居並んでいた。それに対して、大海人皇子の妃たちは、これも一カ所に集まっているというわけではなかったが、左手の縁側から、縁近い庭先きの将几へと座をとっていた。

一見すると、中大兄皇子の妃たちの方が上座に陣取っている恰好《かっこう》であり、兄の皇子の後宮であるので、それが当然であるとも思われるが、必ずしもそういうわけでもなかった。寧ろ大海人皇子の妃たちの方が、自由に振舞って、のびのびとしたものを、それぞれが身に着けていた。この方はまだ若い妃たちが多かったが、若さのため許り《ばか》ではなかった。大海人皇子の妃である大田皇女、鸕野讃良皇女《うののさららのひめみこ》の二人だけを考えても、二人は中大兄皇子といまは亡《な》き造媛《みやつこひめ》の間にできた皇女であり、謂ってみれば、この宴席において、殊更《ことさら》気をつかって遠慮しなければならぬ相手はなかった。二人の皇女にとって、中大兄皇子は父であり、大海人皇子は夫であった。

それにしても、二つの妃たちの集団がこの宴席にできていることが、額田の眼には奇異に映った。一つは若やいで明るく、一つはひっそりと静かであった。と言って、中大兄皇子の妃たちが中年の女性許りだとは言えなかった。若い妃たちも居た。

額田は大海人皇子の妃たちに、それとなく眼を当てていた。鸕野讃良皇女の姿がひときわ目立っていた。周囲に顧慮することなくのびのびした動作で動いているためもあったが、遠くから見ている限りでは、この夜の催しがこの若い妃を中心に開かれでもしているかのように見えた。姉の大田皇女も美しかったが、妹の皇女の方が一層派手な美しさであった。

この姉妹の皇女の母である造媛は、父の石川麻呂《いしかわのまろ》が讒《ざん》によって朝廷からの軍に攻められて自刃《じじん》した時、悲しみの余り父の跡を追った女性であった。従って、この姉妹の皇女は、母親なくして王宮に生い育ち、いまは二人とも大海人皇子の妃となっている。先年八歳で亡くなった建王《たけるのみこ》は二人の皇女の弟である。亡き斉明《さいめい》女帝がいかに建王の死を悲しんだかは、額田の胸に今なお生々しく刻まれている。女帝は母親なくして育った建王に殊更深い愛情を持っておられたのであろう。

額田は鸕野讃良皇女に倦《あ》かず眼を注いでいた。この年、草壁皇子《くさかべのみこ》を出産していたが、産後の窶《やつ》れなど、その体のどこにも感じさせていなかった。十八歳の若い妃であった。

額田はこの若く美しい大海人皇子の妃に当てた眼を、どうしてもほかに移すことのできぬことが、自分ながら不思議であった。若《も》しこの時の額田の感情を最も間違いなく名付けることができたとしたら、それはやはり嫉妬《しっと》の感情であったかも知れぬ。大海人皇子に対して、いまはいかなる未練も持っていなかったが、それにも拘《かかわ》らず、その妃に対して、このような感情を持つことが、額田自身にも解《げ》せぬことであった。

やがて中大兄皇子が、続いて鎌足《かまたり》が、やや間を置いて大海人皇子が姿を見せた。二人の皇子と鎌足は、二つの妃の集団の間に、何となく席を占める恰好になった。少しおくれて間人皇女《はしひとのひめみこ》が姿を現したが、間人皇女は、妃たちの二つの集団のいずれにも座をとらず、二人の皇子たちの横に坐った。

女官たちの動きが繁《しげ》くなった。

額田は相変わらず鸕野皇女に視線を当てていた。鸕野皇女、大田皇女、この二人の妃たちに較《くら》べると、同じ大海人皇子の妃ではあるが、鎌足の娘である氷上娘《ひかみのいらつめ》、五百《い お》重娘《えのいらつめ》の二人は、万事を控えめに処している感じである。さっきから申し合わせでもしたように、縁先きに少し斜めに坐って、庭の方へ顔を向けている。この二人の妃も亦《また》若くて美しい。双生児ではないかと思われるほどよく似た面輪《おもわ》を持っており、一人が少し身を動かすと、もう一人も亦身を動かしている。一人が庭先きを覗《のぞ》き込むようにすると、もう一人も亦同じように身をこなしている。

いずれにしても二人とも、遠くから見ている限りでは、大田、鸕野の二人の妃の蔭《かげ》に身を置いている感じである。その静かな二人の妃の横にもう二人の女性が坐っている。どちらも額田にとっては目新しい顔であった。大海人皇子の妃たちの一団の中に身を置いている以上、やはり大海人の妃たちと見なければならなかった。噂《うわさ》に聞いていることを真実とすれば、どちらかが蘇我赤兄《そがのあかえ》を父に持ち、どちらかが宍人臣大麻呂《ししひとのおみおおまろ》を父に持っているのであろう。二人とも、他の妃たち同様に若いが、揃《そろ》って長身で弱々しそうである。さっき立ち上がって、座を移した時、額田は二人のそうした体の特徴を見て取っていた。

いつ庭に降りたのか、大海人皇子が近寄って来た。

「一番いい席をとっているな」

大海人皇子は言って、

「額田と話をするのは一年ぶりだが、変わったことはあるまいな」

その質問はどのような意味にでもとれるものであった。

「格別変わったことはございませぬ」

額田は答えた。

「それは結構」

「皇子さまの方は？」

「格別変わったことはない」

額田を真似《まね》た答え方であった。

「少しは変わったことがございましょう。昨年の皇女さまに続いて、今年は皇子さまもお生まれになりました」

「うん」

「妃さまも、――この方はお生まれになったのではなく、――」

「――」

「おつくりになりました」

「――」

「それも、お一人ではなく、二人、いいえ、三人」

大海人皇子は、そのまま何となく額田の傍を離れて、向こうへ歩いて行った。逃げて行った恰好であった。月光を浴びて歩いて行くその背後姿《うしろ》は、額田が初めてその腕に抱かれた当時とはすっかり変わっていた。大海人皇子は、三十一歳の男盛りであった。

大海人皇子は途中で立ち停《ど》まると、ゆっくり向きを変えて、また額田の方へ戻《もど》って来た。

「ひとりで居るのは淋《さび》しいであろう。十市皇女《とおちのひめみこ》をここに呼ぶがよかろう」

その言葉で、額田は宴席の方へ眼を向けた。大海人皇子がそう言うのであるから、十市皇女はいつかこの座に姿を現しているのであろうと思われたが、すぐにはその姿を捉《とら》えることはできなかった。

「呼んでやろう。呼ばないと、なかなか来ないであろう」

額田は黙っていた。呼ばないで黙っていても、十市皇女はいつか頃合を見計らって、自分のところへやって来るであろうと思われた。わざわざそういう伝言を寄越しているのである。

「さ、どうぞ、向こうへ」

額田は低い声で言った。大海人皇子と二人で話をしているのを、大勢から見られているのは好もしいことではなかった。中大兄皇子の眼もあった。

「いやに追い立てるな」

「取り分け若くてお美しい妃が、さっきからこちらに眼をお向けになっていらっしゃいます」

「誰のことか」

「存じませぬ」

大海人皇子はちらっと宴席の方へ眼を向けてから、

「なるほど、見ている」

「どなたが」

逆に額田の方が訊《き》き返した。

「鸕野か」

その瞬間、額田は低く声を出して笑った。自分でも予期しなかった笑い声が、自分の口から転び出たのであった。

「あの方が若くて、お美しい？」

額田は言った。反問する言い方で、鸕野皇女の若さも、美しさも否定したつもりであった。これも意識してそうしたのではなく、瞬時にして、そういう結果になったのであった。

「あの方が若くてお美しい？」

額田は再び言った。一回口から出してしまった以上、もう一回口から出しても同じことであった。

こんどは本当に大海人皇子は額田から離れて行った。そこへ入れ代わりに中大兄の第一皇子である大友皇子がやって来た。額田のところへやって来たのではなかったが、何となく歩いて来たら、そこに額田が居たので、額田の前で足を停めたといった恰好であった。

「月が美しゅうございます」

額田は自分から言葉をかけた。それが礼儀であった。この皇子に話しかけるのは、これが初めてであった。母は伊賀采女宅子娘《いがのうねめやかこのいらつめ》で、大化四年の生まれであるから十五歳ぐらいになるであろうか。

「月は美しいが、このようにして見るものではない」

若い皇子は言った。父の中大兄皇子に似たゆったりした言い方だったが、いずれにしても十五歳の皇子の言葉とは受け取れなかった。聡明《そうめい》な皇子として評判であったが、その言葉は、額田には幾らか傲慢《ごうまん》に聞こえた。

「でも、このようにして、月を観《み》ますのも、また——」

「月はひとりで見たい」

「本当は、額田も亦《また》ひとりで見とうございます」

「女の見る月と、男の見る月は違う」

「は？」

額田は若い皇子の顔を見上げるようにした。十五歳の少年の顔ではなかった。この時気付いたのであるが、大友皇子はその表情許《ばか》りでなく、その体にも既に少年らしいものはどこにもつけていなかった。その大柄《おおがら》な体は二十歳といっても通るであろう。額田は既に一人の男性としてでき上がった皇子を自分の前に見ていた。

「女の見る月と、男の見る月と違うとおっしゃいましたが、どのように違うのでございましょうか」

額田は訊いた。すると、

「女はいつも月に慰められる。月から一つの言葉しか聞かぬ。男はそういうわけには行かぬ。男は月と話をする」

こんどの言葉には年齢相応の幼さがあった。

「皇子さまは、いつも月とお話をなさいますか」

「する」

「どのようなお話でございましょう。傍《そば》に居てお聞きしたいものでございます」

額田は言った。そして大友皇子の言うことが解《わか》らぬでもないと思った。月と話をするというのは、何という孤独な作業であろう。月に慰められるというのも孤独であるに違いなかったが、月と話し、月が語りかけるいろいろな言葉を聞くというのは、一層孤独であるに違いなかった。

額田は、この時ふいに背にうそ寒いものを感じた。この若い皇子はいま何を考えているであろうかと思った。少なくとも、この観月の宴に対して批判を持った一人の皇子が居るということは、はっきりした事実であった。併《しか》し、誰もこのことには気付いていない。これまでは十五歳の若い皇子として、大友皇子の言動は誰からも注意されなかった。併し、もうそういうわけには行かないだろう。

大友皇子も亦額田の傍を離れて行った。ひとり残されると、額田は視線を遠くに移し、大海人皇子の姿を求めた。そして自分が大海人の姿を探していることに気付くと、そういうことをする自分の心を訝《いぶか》しく思った。どういうわけで、いま大海人皇子の姿を求めたのか、それが、すぐ額田には判った。

――若く美しい妃たちを月光の中にお並べになったりするのは、もう、このへんでおやめになりませんと。

額田はそう言ってやるつもりであったのである。

月光は明るく降っていたが、いつか宴席の方は暗くなっていた。広間の灯火は一つ残らず消され、その代わりに庭先きのあちこちに篝火《かがりび》が焚《た》かれている。

額田は広い庭を歩こうと思った。食膳《しょくぜん》を運んでいる大勢の侍女たちの動きが、縁近いところに見られたが、その方へ出向いて行く気持はなかった。十市皇女と会って、言葉を交わしたいだけである。併し、その十市皇女はいっこうに額田の前に姿を現して来なかった。

暫《しばら》くすると、近くで若やいだ声が聞こえた。額田はその方に視線を投げた。一組の少年と少女が追ったり、追われたりしている。月光の中で、地上に捺《お》された二つの黒い影が二人を追いかけているようにも見える。額田はその二人が誰であるかを知ると、息を呑《の》むような思いで、それに見入っていた。一人は一刻も早く額田が自分の眼の中に収めたいと思っていた他ならぬ十市皇女であり、一人は高市皇子《たけちのみこ》であった。高市皇子は大海人皇子とその妃尼子娘《あまこのいらつめ》との間にもうけられた皇子で、額田が十市皇女を産んだ翌年、この皇子は生まれていた。同じ大海人皇子を父に持っている異母姉弟である。

やがて十市皇女は、高市皇子に追われて走って来ると、そこに立っていた額田の体を盾《たて》にとって、額田の背後に廻った。額田は、十市皇女が自分と知って、そのようなことをしたのかと思った。そう思う以外、いかなる思い方もできなかった。十市皇女と高市皇子は額田の体のまわりを何回かくるくると廻った。いかなることが追うことになり、追われることになるか知らなかったが、途中から十市皇女は追手になってい た。二人の口からは幼い疳高《かんだか》い声が弾《はじ》き出されている。

やがて高市皇子は逃げ去り、それを追うことを断念した十市皇女はそこに残されて立っていた。額田は十市皇女の荒い息遣いを聞いていた。

「お疲れになったでしょう」

額田は十市皇女に言葉をかけた。どのような言葉をかけるのが自然か、額田には見当が付かなかった。すると、十市皇女は初めてそこに立っているのが額田であると気付いた風で、

「あ！」

という短い言葉を低く口から出すと、二、三歩あとずさりした。その顔は蒼白《そうはく》に見えた。額田は十市皇女の顔を見守っていた。月光の中で、その髪は黒く、その顔は蒼白に見えた。額田は何という言葉を出したらいいか、こうした場合の母親の言葉というものを索《さが》していた。必死な思いであった。いま何か優しい言葉をかけなければ、相手は忽《たちま》ちにして飛び去ってしまうだろう。

額田が一歩足を踏み出した時、十市皇女はくるりと背を向けると、それを合図にしていっさんに駈《か》け出して行った。あとに残された額田は呆然《ぼうぜん》としていた。この世で自分が最も愛しているに違いない美しく幼い者は、もはや自分の前にはいなかった。

額田はいつまでもそこに立ちつくしていた。月光を浴びてはいたが、額田の眼は月も、月の光も見てはいなかった。宴席の方からは華やいださざめきが、波でも寄せるように絶えず聞こえて来てはいたが、額田の耳はそれを聞いてはいなかった。

額田は、十市皇女が自分を最初見た瞬間、その面に驚きと恐れの表情を現したこと

が、いつまでも心に解《げ》せぬこととしてあとに残った。若《も》し十市皇女が自分に会うことを楽しみにしていたのであるなら、よもやあのような表情をとることはないであろうと思った。また、自分に会うことを楽しみにしていたとしても、とっさの場合、十市皇女としてはあのような態度しかとれなかったかも知れないのである。あの時の自分の表情にしても、優しさと愛情に満ちた世の母親のそれであったと言いきる自信はなかった。額田は自分の顔が鬼のそれのようであったかも知れぬと思った。そう思うと、しきりにそのように思われた。心は悲しさで疼《うず》いた。

宴が半ばに達した頃、額田は席を縁近くの将几《しょうぎ》に移した。ひとりだけ宴席から遠く離れていることが、どのような眼で見られるか判《わか》らなかったので、そうしたことを気遣ってのことであった。それに十市皇女から受けた心の痛みを紛らわしたい気持もあった。

中大兄皇子《なかのおおえのみこ》と鎌足《かまたり》の二人は、絶えず二人だけで話しているように見えた。この二人だけが観月の宴とは無縁であった。庭に降り立たないまでも、縁先きに出て月を仰ぐぐらいのことはしてもよさそうに思われたが、二人は初めに陣取った席から動かなかった。従って、燭台《しょくだい》の灯が消されてしまっている今、二人は暗い部屋の中に坐っているわけで、庭先きの篝火《かがりび》の光が強くなった時だけ、二人の姿がぼんやりとそこに浮かび上がった。時に篝火の光の加減で、二人の顔の半面がいやにはっきりと見えることがあった。互いに顔をつき合わせている二つの面《おもて》が、暗い宙間に浮かび上がって見え、誰にもそれが不気味に感じられた。

併し、それが観月の宴と無縁に感じられるのは第三者の場合であって、当の二人の眼には庭先きに並んでいる篝火の光も、その向こうに拡がっている月光の降っている庭も、充分美しく見えていた。大勢の妃たちが縁先きから庭へかけて居流れている姿も、また幼い皇子や皇女たちの動きも、充分観月の宴にふさわしい情景として、二人の眼には映っていた。ただ二人は、そうした情景を突き離して眺《なが》めていた。自分をそうした宴席の雰囲気《ふんいき》の中には置いていなかった。そこだけが違っていた。

「豊璋《ほうしょう》を送り出したことは失敗であったかも知れぬ」

中大兄が言うと、

「――かも知れませぬ」

鎌足は答えている。

「失敗だったかも知れぬが、送り出してしまった以上、今さら取り返しはつかない」

「左様でございます。よかれ悪《あ》しかれ、このまま押しきる以外は」

「あの場合、豊璋を送り出すことに反対した者があったな」

「大海人皇子《おおあまのみこ》を初めといたしまして、数人の者が最後まで反対でございました。豊璋の器が小さく、必ずや軍の統制の上に問題を起こすと――」

鎌足は言った。あとは二人とも押し黙っている。もうさっきから長いこと、二人はこのようなことを繰り返しているのであった。

額田は縁近い将几に腰を降ろしていた。額田には、そのような中大兄と鎌足の姿がさして不気味には感じられなかった。いま二人を取り巻いているものか、観月の宴とは凡《およ》そ遠いものであることは判っていた。半島出兵の問題をひっさげし、二人は観月の宴にやって来ているのである。不気味と言えば、寧《むし》ろ他のことであった。いつも中大兄と鎌足が居る場所には必ず姿を見せている大海人皇子が、今宵《こよい》に限ってそこに見られぬことであった。

大海人皇子の方はあちこちに姿を見せていた。己《おの》が妃たちの中にはいっているかと思うと、兄の皇子の妃たちの中にはいっており、庭先きを歩いているかと思うと、縁側の幼い皇子、皇女たちの相手をしていたりした。大海人皇子の動きだけは、こうした宴席にふさわしいものであった。いかにも観月の催しを女たちと共に楽しんでいる風に見えた。

そうした大海人皇子が再び額田のところへやって来た。額田はこのような二人の皇子の大勢の妃たちの居るところで、余り馴《な》れ馴れしく大海人皇子から話しかけられることを好まなかったが、大海人皇子はそうしたことには一切気を使っていなかった。全く屈託なく見えた。大海人皇子は額田だけに聞こえる低い声で言った。

「中大兄皇子は、大勢の妃たちの中で誰が一番好きかな」

「存じませぬ」

額田はすぐ答えた。これも相手に聞こえるだけの低い声であった。このような席には甚《はなは》だふさわしからぬ話題であったので、それでその話題を打ち切ってしまおうと思ったのである。そうした額田の気持を充分に知っているに違いなかったが、大海人皇子はそんなことで額田を解放しなかった。

「遠慮は要《い》らぬ。言ってみるがよかろう。誰か、汝《なんじ》か」

「存じませぬ」

「存ぜぬことはあるまい」

「存じませぬ」

額田はいい気なものだと思った。自分のことは棚《たな》にあげて、中大兄皇子のこと許《ばか》りを取り上げている。

った。

「鸕野皇女《うののひめみこ》さまが、こちらを。——ほら、ごらん遊ばせ、鸕野皇女さまが」

額田は最後の切り札を出した。すると、こんども亦《また》大海人皇子は額田から離れて行った。

大海人皇子が退散して行くと、大海人が残して行った質問だけが、額田の心の中に残った。一体、中大兄皇子はここに居並んでいる大勢の妃たちの中で、誰に一番深い愛情を持っているのであろうか。これは額田にも充分興味ある問題であった。

額田は中大兄皇子の妃たちの一団に、それとなく視線を投げた。倭姫王《やまとのひめおおきみ》、色夫古娘《しこぶこのいらつめ》、宅子娘《やかこのいらつめ》、橘娘《たちばなのいらつめ》、黒媛娘《くろひめのいらつめ》、ずらりと居並んでいる。こうした妃たちの中から一人を選ぶことは難しかった。併《しか》し、若し大海人皇子が再びそこへやって来たら、躊躇《ちゅうちょ》なく額田は答えただろう。

——それぞれに美しく優しい妃たちでございます。みな平等にお愛しになっておりましょう。お子さまのない倭姫王と申し上げても、また反対に第一皇了の御母である宅子娘と申し上げても、恐らく間違いにはならぬことでございましょう。併し、現在一番お心にかかっている妃を挙げよと仰《おお》せになるなら、それはここにはいらっしゃらぬ方でございます。亡《な》き造媛《みやつこひめ》のお名を挙げましょう。

額田は実際にそう思ったのである。こうしたことを、これまで一度も考えたことはなかったが、この時ふいにこうした思いが、一つの確信の形でやって来たのであった。大田皇女、鸕野皇女、亡き建王《たけるのみこ》の生母である造媛こそ、今も中大兄皇子の心の中に生きている妃ではないか。父石川麻呂の死を悲しんで自らもそのあとを追った妃の面影は、いろいろな形で、一生、中大兄皇子の瞼《まぶた》の上に浮かんで来るであろう。

併し、蘇我石川麻呂の娘で、中大兄の妃となったのは造媛許りではない。筑紫《つくし》には来ていないが、姪娘《めいのいらつめ》は造媛の妹に当たる女性であった。造媛は自らの生命を断ったが、この妃はどのような思いを持って中大兄皇子に仕えていることであろう。

このような見方をすれば、優しい妃として知られている橘娘も亦同じような立場にあった。阿倍倉梯麻呂《あべのくらはしまろ》を父としているからである。阿倍倉梯麻呂は蘇我石川麻呂のような悲劇的生涯《しょうがい》は閉じなかったが、やはり新政下においていつかは追われなければならなかった人物である。その点から言えばやはり新政の権力者たちから充分公平に遇されたとは言えない。

今宵《こよい》のこの席には姿を見せていない妃に常陸娘《ひたちのいらつめ》がある。有間皇子《ありまのみこ》を讒《ざん》したと言われている蘇我赤兄《そがのあかえ》を父とした女性である。いかなる理由で、この席に姿を見せていないか知らぬが、この席に無心では橘娘や、大田、鸕野皇女たちと同席することのできぬ立場にある妃と言っていいであろう。

こうした妃たちがそれぞれに皇女を生んでいる。現在は皇女たちを生んでいるが、将来皇子をも生むかも知れないのである。

額田はふいに四辺《あたり》を見廻さずには居られぬような思いに駆られた。この時の方が、中大兄と鎌足の暗い宙に浮かんだ二つの面に眼を当てた時より、よほど不気味に思われた。そこにはそれぞれが、中大兄皇子、大海人皇子の寵《ちょう》を己が一身に集めようとしている妃たちが居た。それぞれ皇子や皇女たちを持っている。しかも、中大兄の皇女たちの二人は大海人皇子の妃になっているのである。ひどく手が混んだ織りもののように、それぞれの立場がたて糸となり、横糸となって織りなされている。

額田は立ち上がると、そこから離れた。相変わらず月光は冷たく大地に降りそそいでいる。額田が宴席の方を振り返った丁度その時、中大兄皇子の座を立ち上がる姿が見えた。中大兄は鎌足と二人だけの時間に終止符を打って、漸《ようや》く月を眺めようと思ったのであろうか。額田は二つの妃たちの集団の間を通って縁先さに立つ中大兄皇子の、遠くからでも逞《たくま》しく見える姿に眼を当てていた。

すると、中大兄皇子の傍に、十市皇女《とおちのひめみこ》が、ふらふらと寄り添って行くのが見えた。額田ははっとした。中大兄は十市皇女の肩に手をかけ、その顔を覗《のぞ》き込むようにして何か話している。

額田はそうした情景を倦《あ》かず眺めていた。そして、自分も亦それぞれの立場がたて糸となり、横糸となっている頗《すこぶ》る手の混んだ織物から無縁でないことを思い知らねばならなかった。大海人皇子を父とした己が幼い娘が、中大兄皇子に眼をかけられるということは嬉《うれ》しいことに違いなかった。少なくとも眼をかけられぬよりいいことに違いなかった。やがて、十市皇女は長じたら、ここに居るいまは幼い皇子の妃として選ばれるかも知れぬ。あるいはあの少年とは思えぬ堂々たる体軀《たいく》を持った大友皇子の妃とならぬとも限らぬ。この思いはふいに額田を不安にした。あるいはまたさっき追ったり追われたりして遊び廻っていた高市皇子の妃として選ばれるかも知れない。そういうことはないとは言えぬのである。この想像も亦、瞬間額田を不安にした。額田は十市皇女を見舞ういかなる運命が、十市皇女にとって幸福であるか見当が付かなかった。額田はそうした思いに身を任せていると、さっき十市皇女から受けた己が打撃などは取るに足らぬ小さいもののような気がした。

いつか中大兄皇子の傍から十市皇女の姿は消え、代わってこんどは倭姫王の姿があった。静かに冷たく澄んだ面輪《おもわ》の妃で、三十四、五であろうか。新政の権力者たちから葬られた古人大兄《ふるひとのおおえ》を父にしていることで、この妃も亦複雑な立場にあった。ただこの妃の他の妃たちと違うところは、中大兄との間に皇子も皇女ももうけていないことであった。この妃がいまいかなる気持で、中大兄と共に月を仰いでいるかは、誰にも判らなかった。額田は、倭姫王が他の妃たちをさし措《お》いて、自ら中大兄の傍に寄り添って行ったことで、現在倭姫王の心の中に特殊な自信が生まれていることを知った。誰もがこのような振舞いができるわけのものではなかった。

額田は、この宴席が開かれた初め、大海人皇子の妃である鸕野皇女から眼を離せなかったように、いまはこの中大兄皇子の美しい妃の姿からも眼を他に移せなかった。そして、鸕野皇女の場合と同じように、いまの額田の気持を率直に名付けるとしたら、やはりそれは嫉妬《しっと》というものであった。中大兄に対する愛を封じ、それをみごとに果たし得ているという自信を持っていながら、こうした気持がどこから生まれ出て来るものであるか、額田にも判《わか》らなかった。額田にとって、この妃たちの観月の宴は一つの事件であった。いまは別れている大海人の妃に対しても、現在その寵を受けている中大兄の妃に対しても、同じような嫉妬の感情を持つ、女というものの不思議な心の動きを自分の心の中に発見せずにはいられなかった、そういう意味での一つの事件であった。

四

明くれば中大兄皇子《なかのおおえのみこ》の称制第二年である。新しい年を迎える新政の権力者たちの心は一様に緊張したものを持っていた。この年が第二回の大々的な半島出兵の年になることは、誰の眼にも明らかだった。好むと好まないに拘《かかわ》らず、大軍を半島に送り出さなければならない事態はやって来るに違いなかった。新羅《しらぎ》にしろ、唐にしろ、現在の小康状態をそのまま維持していようとは思われなかった。それは、大勢をいっきに決しようとする動きは、それと判《わか》らぬ戦線の小さい動きにも感じられた。それは、味方にとっても同じことであった。決戦を長びかせていい筈《はず》はなかった。第二回の半島出兵の準備のでき次第、態勢を決戦の形に持って行くことの方が有利であった。それを今日まで延ばしているのは、軍船と兵器と糧秣《りょうまつ》の問題であった。が、それもこの新しい年の初夏までに解決できる筈であった。

朝廷においては、新年早々から出兵の時期のことが議せられていた。たとえ少々の無理は押しても春までに出兵すべきだという意見もあれば、決戦を準備万端調った夏以後に持って行くべきだという考え方もあった。前者は唐の援軍の到着以前に事を片付けてしまうという作戦であり、後者はたとえ敵が強力になっても、無理な戦闘はすべきではないという考え方であった。

前者の主唱者は大海人皇子《おおあまのみこ》であり、半島派遣軍と豊璋《ほうしよう》を首班とする百済《くだら》軍との間に、このままで行くと、いつ隙《すき》ができないとも限らなかった。そうした内訌《ないこう》の生じないうちに、兵の気持を決戦に盛り上げて行くべきである。こういう考え方であった。これは百済へ送り込んだ豊璋の人気が捗々《はかばか》しくなく、半島からの使者たちの口から兎角《とかく》の噂《うわさ》が伝えられていたからである。

これに対して中大兄皇子は、豊璋の問題もさることながら、それが生命《いのち》とりの問題になろうとは考えられぬ。もともと全軍の指揮をとらせるために、豊璋を半島へ送り込んだのではない。自然に戦機の熟するのを待って、半島へ第二陣を送り、そのままいっきに勝敗を決する戦法をとるべきである。この考えを、鎌足《かまたり》も亦《また》支持した。

併《しか》し、この二つの考え方のどれに決したというわけでもなかった。春までに出兵するか、少し遅らせて夏まで待つかというだけのことであり、結局のところは半島の情勢に対処する措置がとられねばならないことで、出先機関の意向がその採択権を持っている恰好《かつこう》であった。

この年になって最初の半島からの使者がやって来たのは一月の終わりであった。使者の報告は予期しないものであった。豊璋が昨年の暮に突如、都を䟽留《そる》城から避城《へさし》に移したという報《しら》せであった。

使者の奏するところに依《よ》ると、豊璋は近臣たちに謀《はか》って、──䟽留城《さし》は耕地が少なく、土地は痩《や》せ、農を営むにはふさわしからぬところである。久しくここを都にしていたら、民は飢えてしまうだろう。また軍事的に見ても格別重要な場所とは言えず、攻撃には不向きで、せいぜい防ぎ闘うのが関の山である。ここを棄《す》てて、都を避城《さし》に移すべきである。避城は周囲に川を廻《めぐ》らし、敵からの護《まも》りは固く、しかも土地は豊穣《ほうじょう》で自然の恩沢に恵まれている。

これに対して、朴市田来津《えちのたくつ》は、

──避城の、都としての欠点の最大なるものは、敵の布陣している場所から僅《わず》か一夜の行程であることである。農耕に適しているとか、適していないとかいうようなことは、第二の問題である。民の飢えることなどを問題にしていると、それより先きに国が亡《ほろ》んでしまうだろう。現在、敵が来襲を控えているのは、䟽留城が険しい山を背負って、谷は狭く、守り易《やす》く攻めにくいためである。ところが避城は平地である。若《も》し避城のような平地に都していたら、とうの昔に敵の攻略するところとなっていたであろう。今日まで敵の侵すところとならないでいるのは、全く䟽留城が天険の利を負うているからである。

と諫《いさ》めて、都を移すことに反対した。併し、豊璋はそれに耳を傾けず、避城に都を移してしまったということであった。使者の口上には、明らかに豊璋の措置に対する非難が含まれていた。これは言うまでもなく、半島派遣軍将兵全部の見方と見ていいものであった。

翌二月、こんどは百済からの使者が朝貢物を持ってやって来た。これは豊璋の命によるもので、自分ひとりの考えで勝手に都を移すような独断専行は非難さるべきであったが、戦時中にも拘《かかわ》らず大和朝廷への貢物を忘れまいとする気持は、好意をもって受け取ってやらねばならないものであった。

中大兄皇子はそうした豊璋を、非難したり、許したりした。大海人皇子の方は厳しかった。朝貢物に気を使うような時期ではない。事態はもっとさし迫っているのである。にも拘らず、朝貢物だけは忘れないようなところが、豊璋の武人としては信用のおけない点であるとした。

事、豊璋に関する限りに於《お》いては、間もなく大海人皇子の見方が正しいことが証明された。百済の朝貢使を追いかけるようにして、一月ほどの間を置いて派遣軍から使者がやって来た。

——都を避城に移してから程なく、新羅の兵が動いて、百済の四州を焼き、要地徳《とく》安《あん》を取りました。避城はそうした戦線から余りにも近く、地の利を得ないので、避城に移っていた兵団は尽《ことごと》くそこを棄て、再びもとの都疏留城に戻《もど》りました。

事態は田来津が予想した通りになったわけであった。併し、こんどの場合は、そうしたことに関して豊璋を非難したり、批判したりしている余裕はなかった。新羅軍の行動から見て、漸《ようや》く戦機は動こうとしていた。要地徳安が敵の手中に落ちたことも棄てておけなかったし、四州が焼かれたということも、はっきりと兵力の不足を物語るものであった。

事ここに到っては即戦即決派、自重派の区別はなかった。中大兄皇子も大海人皇子も、即時本格的な出兵を行うべきであるということにおいて、いささかの意見の齟齬《そご》もなかった。半島からの使者が来た日の夜から翌日にかけて廟議《びょうぎ》は開かれた。朝臣の重だった者は尽く一堂に集まった。出兵のことは即時に決まり、中大兄皇子の口から第二軍派遣のことが令せられ、そのあと長い時間をかけて、その編成が行われた。

翌日から筑紫一帯の地は蜂《はち》の巣をつついたようになった。兵団という兵団は、屯《たむろ》していた地を離れた。初めは兵団の移動は無秩序に行われているように見えたが、次第に兵たちが筑紫港から程遠からぬ三カ所の地点に集められていることが判った。兵団と兵団とは、到るところで交叉《こうさ》し、交叉する度に喚声が上がった。兵たちは、自分たちが海を渡らねばならぬことを知っていた。まだ命令がくだったわけでも、そうした噂が流れているわけでもなかったが、兵たちにそうした覚悟のほどを固めさせるものが、筑紫一帯の地のただならぬ動きの中にあった。

噂はいろいろな形で飛んだ。半島の北部の高句麗《こうくり》の地に派せられることになったらしいという噂もあれば、直接唐土を目指すことに決まったそうだという噂もあった。中には、新羅はすでに亡んでしまって、こんどの兵団のすべてはそこに移駐するのだというような噂もあった。高句麗も、新羅も、唐国も、そこがどのくらい離れている国か、兵の大部分は知っていなかったので、噂はのびのびと自由に流れた。唐も、新羅も降伏してしまったというようなことまで、まことしやかに伝えられた。半島へ渡っても、すぐ帰って来なければならぬが、せっかく軍船を仕立ててしまったので、それを一度は使わなければならぬのだ。そんなことさえも、一部では言われた。

港には毎日のように、軍船がどこからともなく運ばれて来た。軍船の形は雑多だった。新羅様式の船もあれば、高句麗様式、百済様式の船もあった。水軍の訓練を受けた兵たちは、自分たちの乗る船が、従来からある半島型の船とは違っていることを知っていた。そうした船が一艘《そう》も姿を現していないことで、まだ乗船の日の近くないことを噂し合った。まだ何十日も先きのことであるに違いないと言い合った。

兵たちは、交替で毎日のように港にやって来て、積荷の作業に従事した。殆《ほとん》ど食糧を詰め込んであると思われる箱であった。何日かすると、積荷の箱は急に重くなった。明らかに武具の箱であった。ある時、その重い箱の幾つかが割れて、内容物がこぼれ出したことがあった。武具ではなかった。武具を造る道具であった。ふいごや、鎚《つち》や、火熱した鉄片を挟《はさ》むやっとこ様のものなどであった。これを見た兵たちはうんざりした。こうした物まで、しかも何艘分もの夥《おびただ》しい数量を持って行くようでは、半島に渡って、すぐ凱旋《がいせん》して来ることなどは到底覚《おぼ》つかないことに思われた。こうしたことから、兵団が長期にわたって、半島の生活をしなければならぬというような噂も流れ始めた。

三月の終わりに、半島へ派せられる兵団の指揮者たちの名前が発表された。全兵団は前軍、中軍、後軍の三つに分けられ、前将軍は上毛野君稚子《かみつけののきみわかこ》、間人連大蓋《はしひとのむらじおおふた》、中将軍は、巨勢神前臣訳語《こせのかむさきのおみおさ》、三輪君根麻呂《みわのきみねまろ》、後将軍は阿倍引田臣比羅夫《あべのひけたのおみひらふ》、大宅臣鎌柄《おおやけのおみかまつか》といった顔ぶれであった。将軍たちはいずれも高名な名門の出か地方の豪族出身で、これ以上は望めぬといった堂々たる陣容であった。そしてこれに率いられて半島の戦線に向かう兵は二万七千余人。

この前の発遣部隊にくだされた詔《みことのり》には、百済救援のためとあったが、こんどの出動部隊への詔には新羅を攻撃するためと、はっきりとその目的が示されてあった。こうした指揮者たちの発表を境として、あらゆる噂はふっ飛んでしまった。兵たちは誰もが、新羅を攻め、それを救《たす》ける唐軍と戦火を交えるために、自分たちが半島に渡って行くことを知らなければならなかった。

兵たちが訓練の時使用した船と同じ型の兵船が何百艘となく港を埋めた日、兵たちには酒肴《しゅこう》が給せられ、故国との袂別《べいべつ》の儀式が執り行われた。そしてその翌日、早朝から前軍の兵たちの乗船が行われ、暮刻、兵船は次々に港を出て行った。

それから何日かを置いて、中軍の進発があり、更に何日かを置いて後軍の進発があった。三軍編成の大兵団が出て行くと、筑紫一帯の地は火が消えたようになった。それまで兵たちの溢《あふ》れていた兵舎はからっぽになり、馬の繋《つな》がれていた厩舎《きゅうしゃ》も亦《また》からっぽになった。そのからっぽになった兵舎や厩舎には、新しく徴せられた兵や馬がはいって来たが、その数は知れたもので、それが埋まるまでには、まだ何カ月かを要するものと思われた。

額田女王《ぬかたのおおきみ》は兵団発遣前後から、連日のように戦捷《せんしょう》を祈念する神事に奉仕していた。

額田は中大兄皇子ともめったに顔を合わすことのないこのような明け暮れが、心に適《かな》っていた。曾《かつ》て大海人皇子から離れたように、いまは中大兄皇子からも離れていた。額田は神の声を聞く女としての生活に立ち返っていたのである。

中大兄皇子の方も額田を求めることはなかった。額田の神前に奉仕している姿を見ると、そのままにしておく以外仕方なかった。中大兄皇子も亦、神の加護を得ることのためには、己《おの》が腕の一本や二本へし折ることも辞さない気持であった。

半島からの使者は次々に派せられて来た。前軍、中軍、後軍、それぞれが半島に上陸すると、新羅国内に拠点を作っていた。百済再興軍や第一回の派遣軍と連絡をとって、大きな作戦のもとに行動を開始するのは、一カ月か二カ月先きになる筈であった。

筑紫の本営からも連絡の使者は十日をあげずに派せられていた。第二回の兵団の発遣に先き立って、高句麗に派せられていた犬上君《いぬかみのきみ》が帰って来た。

——途中石城《しゃくさし》里に立ち寄ったところ、そこで思いがけず百済王豊璋に謁《えつ》しました。豊璋はその時福信の罪について語りました。

この犬上君の報告は、何とも言えず暗い予感を持ったものであった。豊璋が誰の罪を難じても、それはそれで取るに足らぬことであったが、人もあろうに再興軍の功績者であり、豊璋を迎えるに最も熱心であった福信の罪を難じるとあっては、捨ておけぬゆゆしき問題であった。

中大兄皇子も、大海人皇子も豊璋に対して不安なものを感じたが、鎌足《かまたり》ほどではなかった。鎌足はひどく暗い顔をして、

「豊璋の性格からして、福信の罪を難じただけで、それで事が収まるとは思われません」

と言った。


六月になると、どうしたものか、半島からの使者は途絶えた。それまでは五日か六日の間隔を置いて、次々に使者は派せられて来、めったに十日と連絡の断たれることはなかったが、それが六月の初めから使者の船の港にはいって来るのが見られなくなった。連絡の使者がやって来ないと、半島の状況というものは全く判《わか》らなかった。

六月の半ばになっても、半島からの使者がやって来ないので、筑紫の本営には不安な空気が漂い始めた。朝臣たちは毎日のように廟堂《びょうどう》に集まっていたが、格別議する問題はなかった。状況の判らぬ戦線に対して、作戦の練りようはなかった。この頃《ころ》から、また鬼火の噂が立ち始めた。さすがに朝臣たちは誰もそんな噂は口に出さなかったが、女官たちは寄ると触ると、鬼火を見たとか、見ないとか、そんなことを言い合った。

こんどの鬼火はこの前の時のように宮殿の内部には出ないらしく、それを見たという者の話は殆《ほと》んどが戸外であった。深夜、宮殿の裏庭を通ると必ず五つや六つの鬼火が燃えている。青い燐光《りんこう》を放ちながらちろちろ燃え、それも一カ所に停まっているのでなく、高く低く浮游《ふゆう》し、しかもついたり消えたりしている。鬼火を見たという者は、誰もがそんなことを言った。

額田は必ずしもそれを見るためというのではないが、数人の侍女に守られるようにして、深夜苑内《えんない》を歩いたことがある。鬼火というものを見ることができるなら見てみたいと思った。苑内の一部を歩いて、何も出ないので館に戻ろうとした時、侍女の一人がけたたましい叫び声を上げて失神した。その叫びを聞いて、他の侍女たちも怯《おび》え立ち、それぞれが悲鳴をあげた。続いて、もう一人が気を喪《うしな》って倒れた。気丈な侍女が一人残っただけで、あとの三、四人の侍女たちは逃げ去ってしまった。

額田は突然起こった椿事《ちんじ》の中に呆然《ぼうぜん》としていた。額田自身は鬼火を眼にしていなかったので怖いとか不気味だとかいう気持は持たなかったが、失神している二人の女をどうにかしなければならなかった。侍女たちは二人とも申し合わせたように、辺りに等間隔に配されてある萩《はぎ》の大きな株の根もとに、ながながと身を横たえていた。一人は俯伏《うつぶ》せになり、一人は体をゆるくくの字に曲げて横向きの姿勢でのびている。

額田は俯伏せになっている方の女を抱き起こし、気丈な侍女はもう一人のくの字の方を揺り動かした。女たちはすぐ正気に返ったが、二人とも面には血の気というものは全くなかった。すぐ館に連れ込んで、事情を問い質《ただ》してみたところ、二人とも口から出す言葉は支離滅裂だった。先きに倒れた方は、確かに鬼火を見たように思ったが、今となっては、それもさだかではない。怖い怖いと思っていたので、ふいに鬼火の幻影の襲うところとなったのかも知れない。併《しか》し、青い火が足許《あしもと》に転がって来たことだけは、どうも確かなような気がする。そんな曖昧《あいまい》な答だった。

あとから倒れた方は、明らかに恐怖のための失神だった。他の侍女たちの悲鳴を聞いたことだけは知っているが、そのほかのことは覚えていないということであった。しかもこの事件で判ったことではあるが、先きに倒れた方の侍女は懐妊していた。そうしたことのありそうな侍女ではなかったが、誰とも判らぬ男の子供を宿しており、そうしたことから来る精神の昂《たかぶ》りが、こうした事件を起こしたのかも知れなかった。この事件は、鬼火の噂を一層真実性のあるものにする役割を果たした。この事件に立ち合った侍女たちが、次第に自分も亦《また》鬼火を見たような気持になり、それを口に出して喋《しゃべ》ったからである。

こうした鬼火事件があってから二、三日して、待ちに待った半島からの使者がやって来た。第二回派遣の前将軍上毛野君稚子の軍から派せられて来た者であった。

──激戦の果、軍は新羅の沙鼻岐《さびき》、奴江《ぬえ》の二城を抜きました。

短い使者の口上であったが、この捷報《しょうほう》で、筑紫の本営は生色を取り戻した。

その翌日、こんどは第一回の派遣軍からの使者が派せられて来た。この方は、反対に新政の指導者たちの面から血の気という血の気を奪い取ってしまうに足るものであった。

──王豊璋は謀反《むほん》の企てであるとして、福信を獄《ごく》に繋《つな》ぎ、斬《き》って、首を晒《さら》しました。

この使者の報告で、朝臣たちは総立ちになるほどの衝撃を受けた。鎌足が懸念《けねん》したような事態が半島では起こっていたのである。福信がいかなる人物であるにせよ、現下の半島の情勢においては、福信はなくてはならぬ武将であったのである。いったん滅亡してしまった百済を、兎《と》も角《かく》、ここまで再興させたのは福信であり、唐と新羅の連合軍に対して、寡兵《かへい》を以《もっ》て対等に闘って来たのは、福信ひとりの力と言ってもよかった。その戦闘上手なことは、遠く唐の本国にまで聞こえていた。その人物を、豊璋は斬ってしまったというのである。

第一回、第二回の派遣軍の中には福信に劣らぬ、或《ある》いはそれ以上の武将は何人も居るかも知れない。併し、半島の地理に関する知識に於《お》いて、半島に生まれ、半島に育ち、多年半島の戦場を馳駆《ちく》して来た福信に及ぶ者があろうとは思われぬ。人もあろうに、その福信を、豊璋は斬ってしまったというのである。

しかも、その使者の報ずるところに依《よ》ると、豊璋のやり方は常人とは思えぬ血迷ったものであった。豊璋は福信を獄に繋ぐと、革を以て掌《たなごころ》を穿《うが》ちつなぐという残酷なことをし、福信の罪状はすでに明らかである、斬るべきかどうかと、周囲の者に訊《き》いた。すると、徳執得《とくしゅうとく》という者が、この悪人は許すべきではないと答えた。福信は徳執得に唾《つば》して、この腐れ犬の如《ごと》き心卑《いや》しき者めがと言い、そして頭《こうべ》をはねられたということであった。

この日から、筑紫の本営は繁《しげ》く使者を半島に派するようになった。王豊璋に任せておけない気持があったので、派遣軍の首脳者たちに、直接指令を発するという方法をとらざるを得なかったわけである。豊璋の独断専行を封じなければならないことは勿《もち》論《ろん》だったが、と言って、また派遣軍と豊璋との間に隙《すき》を生ずるようなことがあっては、事態を一層悪くするものであった。それはそれで、また心しなければならなかった。

使者は派遣軍にも送られると共に、王豊璋にも派せられた。

福信が斬られたということから来る半島の混乱は、やがて半島から派せられて来る使者たちの口上にもはっきりと読み取れた。決戦の機が刻々迫っている中に、あらゆる事において、味方は統一を欠いていた。先きの使者が報じて来たことを、あとの使者が訂正したり、二カ所から派せられて来た使者の報告が、それぞれに大きく違っていたりした。

こうした情勢下に、暦は七月にはいっていた。ある日、額田は王宮の廻廊で中大兄皇子と顔を合わせた。額田は頭を下げて、中大兄皇子の行き過ぎるのを待ったが、中大兄は額田の前に立ち停まると、

「今朝、たくさんの鳥の群れが渡った」

と、言葉をかけて来た。

「は、うっかりしておりまして、とんと、気付きませんでした」

額田は答えた。すると、

「鬼火を見たそうだな」

額田は顔を上げ、

「いいえ、鬼火など見てよろしいものでございましょうか。ただ、そうした根も葉もない噂《うわさ》に怖《おそ》れて、侍女の一人が失神いたしましたまでのこと」

「いや、俺《おれ》も見た。初めて、ゆうべ鬼火というものを見た」

中大兄は言った。にこりともしない言い方だった。額田は自分からは言葉を出さな

いで中大兄の顔を見守るようにしていた。

「額田は嘘《うそ》だと思うだろう。だが、本当に見たのだ。鬼火というのは火が勝手に飛び廻るものかと思っていたが、そうではない。亡者が先きに火を付けた長い枝を持って歩いて来るのだ。何の木の枝か知らぬ。兎も角、その先きに火が付いている。亡者が歩く度に、その火は揺れ動く。亡者が手にしたその枝を上げると、火はふわりふわりと宙を上がって行く。反対に枝を下におろすと、火は地面を這《は》うまで下がって来る。時々火が消える。火が消えると亡者がそれを手許《てもと》に手繰《たぐ》り寄せて火をつける。火はついたり、消えたりする。やはり不気味なものだ。あまり気持のいいものではない」

額田は中大兄皇子の面に眼を当てたまま、そこから視線を動かさないでいた。額田は中大兄皇子の表情が、全く違ったものに置き替えられる瞬間を待っていたのである。中大兄の顔が歪《ゆが》むと一緒に、笑い声がその口から出るに違いないと思っていたのである。だから、その瞬間の来るのを待っていたのである。額田はその時、己が口から出す言葉まで用意していた。

――額田も、その鬼火とやらを見とうございました。皇子さまおひとりでごらんにならず、こんどそのようなことがございましたら、額田にも見せて戴《いただ》きとうございます。

そう言うつもりであった。併し、こうした額田の期待は裏切られて、中大兄の顔はいささかも変わらなかった。

「あまり気持のいい見ものではない」

そう言うと、中大兄皇子はそのまま額田の前から離れて行こうとした。額田は咄嗟《とっさ》に、それを遮《さえぎ》るように前に足を踏み出していた。

「いつ、どこでそのようなものを」

「ゆうべのことだ。気が付いたのはゆうべだが、以前からいつも鬼火は出ていたかも知れぬ」

「かりそめにも、そのようなことが」

「ないと言うのか」

「あっていいものでございましょうか」

「ところがあるのだ」

「一体、それはどこでございますか」

「寝所の前の廊下だ」

「夜遅くあのようなところをお歩きになるからでございます。夜遅くあのようなところをお歩きになれば、鬼火の一つや二つ出るのは当たり前でございましょう」

額田はそうした言い方をしたが、そうした言い方をしただけで、気持は言葉について動いてはいなかった。平生の額田なら額田らしい言い方で、他の妃たちの許に通う中大兄にちくりと一本針を刺してやるのであったが、いまは言葉だけのことで、気持はそうしたことからは遠かった。

「今夜も出るかも知れぬ」

「御寝所からどちらへもお出でにならぬことでございます」

「部屋から出ないでいても、部屋の中へはいって来るかも知れぬ」

この時初めて中大兄皇子は笑った。そして額田から離れて歩き出していた。

額田はそこに立ちつくしていた。中大兄皇子の言ったことを、そのままそっくり真実として受け取る気持はなかったが、中大兄皇子は疲れていると思った。本当に鬼火を見ようと見まいと、中大兄皇子が疲れていることだけははっきりとしていた。額田は今までに、この時のように心衰えた中大兄と言葉を交わしたことはないと思った。

額田は中大兄のあとを追うようにして歩いて行った。中大兄はそうした額田を知ってのことか、ゆっくりと歩いて行き、中庭への出口のところで足を停めると、

「今夜、鬼火を見せてやる。鬼火見物に寝所へ来るがいい。――汝《なんじ》の好きな有間皇子《ありまのみこ》も、石川麻呂《いしかわのまろ》も、古人皇子《ふるひとのみこ》も難波《なにわ》で崩じられた帝も、――それからまだ、まだ、たく

さんの――」

「額田、悦《よろこ》んで見せて戴きましょう」

額田は相手の言葉を遮るように言った。確かに疲れているに違いないいまの中大兄に対して、自分ができるならいかなることでもしてやりたい気持だった。そのためには生命さえ惜しくはなかった。鬼火を使って自分を寝所へ招いたと考えられぬこともなかったが、額田の気持はそうしたこととは全く違ったところにあった。それはそうであってもよかった。額田には国の運命を半島の出兵に賭《か》けている権力者の、ついぞ今までに見せたことのなかった疲れが、ひどく気になり、痛々しく感じられたのである。半島の戦局がどのようになっているか、額田は知らなかった。ただそうしたことから来ているに違いない中大兄の苦しい立場だけが、額田には棄ておけぬものとして感じられたのである。鬼火はどこにも出ないのかも知れないが、中大兄の周辺だけには出ているのである。誰の眼にも見えぬ鬼火の青い火の不気味な揺れが、中大兄皇子の眼だけには見えているに違いないのである。

八月の声を聞くと筑紫一帯の地を秋風が吹き始めた。例年より秋が早くやって来るように思われた。八月の半ばを過ぎた頃《ころ》天候が崩れ、暴風雨模様の日が何日か続いた。

大雨があり、大風があった。そして久しぶりに青い空が見られた日、半島から急使が派せられて来た。百済《くだら》王豊璋《ほうしょう》からの使者であった。

——敵軍の動きは漸《ようや》く活潑《かっぱつ》になり、わが王城の地を衝《つ》かんとするものの如くである。我は王城を出でて、錦江《きんこう》河口の要地白村江《はくすきのえ》に拠《よ》らんとす。

そういう使者の報告であった。豊璋が䟽留《そるさし》城を離れることは、これで二回目である。白村江が要衝であることは明らかであるが、そこへ百済の本軍が移って行くということは、いかなる作戦に依るものであろうか。䟽留城はからになり、闘わずして王城の地を敵手にゆだねることになる。併《しか》し、豊璋からの報告を批判している時ではなかった。既に豊璋はこの報告通りの行動を起こしている筈《はず》であった。

三、四日経《た》って、また豊璋からの使者がやって来た。

——わが王城の地䟽留城は敵の囲むところとなる。わが主力は白村江へ移動せるも、既に大唐の軍船は錦江河口を埋め、軍船は日々その数を増しつつあり、戦雲甚《はなは》だ急、筑紫発遣の全兵団の急遽《きゅうきょ》白村江に到るを望む。

豊璋は、こちらで予想した如く闘わずして王城の地を敵手にゆだねてしまったのである。勿論《もちろん》䟽留城にも留守軍が拠っており、それ故《ゆえ》に敵軍の囲むところになったという報告であるが、これが敵の手中に落ちることは時日の問題であるに過ぎない。

豊璋はわが軍の白村江集結を要望して来たが、実際にそのようにしなければ、豊璋の率いる百済の本軍は、そこに既に集結している大唐の軍に立ち向かうことはできず、と言って疏留城にあった場合とは違って、ひと度陸からの新羅《しらぎ》の攻撃を受けるや、忽《たちま》ちにして潰《つい》え去ってしまうこと必定《ひつじょう》であった。

豊璋の軽率極まる行動が、新羅において朝に一城、夕に一城を抜いている第二回派遣軍を、そこから急遽白村江《かかわ》へ移動させなければならなくなったのである。こうなると、好むと好まないに拘らず、彼我の決戦は海上において行われねばならず、しかも、大唐の軍船はすでに錦江の河口に布陣を終わってしまっているのである。

筑紫《つくし》本営では直ちに新羅南部に転戦している第二回派遣軍に対して、そこを捨てて白村江に急行、百済本軍に合流するようにという指令を出した。勿論豊璋からの要請は筑紫を経ずして半島派遣軍にも伝えられ、わが兵団はいち早くそのような行動を取っているものとは思われたが、それとは別に、筑紫の本営は筑紫の本営としての措置を取らずにはいられなかった。今や筑紫の本営に於ては、豊璋の言うことも、為《な》すことも、誰一人信用している者はなかった。

「豊璋は第一に福信を斬《き》り、第二に王城を棄てたのである」

一番憤ったのは大海人皇子であった。初めから豊璋を信用していなかっただけに、こうなるのは最初から判《わか》っていたことではないかという言い方であった。これに対しては中大兄皇子も鎌足も一言もなかった。

「併し、海上において雌雄を決することは、結局はわが軍も亦《また》望むところでありましょう。未知の山河を決戦の場に選ぶより、当然戦闘は有利に展開するに違いないと思われます」

鎌足は言った。こう言わないと中大兄皇子の立場もなかったし、自分の立場もなかった。が、またそれは必ずしも負け惜しみ許《ばか》りとも言えなかった。実際に出陣前の水軍の訓練は日夜烈《はげ》しく行われていたことではあるし、水軍の活用に依って東北の夷族《いぞく》平定に大きい勲功を樹《た》てた阿倍比羅夫《あべのひらふ》も、後軍の将として半島に出陣していた。こういう時になると、誰の心にも阿倍比羅夫の存在が大きく浮かんで来た。

「阿倍比羅夫は奇襲を得意とする武将である。恐らく既に白村江の会戦に備えて、己が船団の布陣を終わっているのではないか。ここ暫《しばら》く阿倍比羅夫が率いる後軍からの連絡が絶えているが、それはそのようなことを物語っているのかも知れない」

そのようなことを言う朝臣もあった。急に阿倍比羅夫に対する期待は大きくなり、いったん期待を持ち出すと、その期待は際限なく脹《ふく》らんで行った。

中大兄皇子は格別豊璋を罵《ののし》りもしなかった代わりに、特に阿倍比羅夫に期待する言葉も出さなかった。中大兄はそれどころではなかった。第三派遣軍のことが、いまの中大兄皇子にとっては一番大きな問題であった。白村江の戦闘が味方に有利に展開しない場合は、是が非でも援軍を送らねばならなかった。こうしたことは、この春までは一度も考えなかったことである。二回にわたって大軍を送ってあるので、一部で戦局が不利になろうと、それが決定的な結果を打ち出すとは考えられなかった。

併し、現在の局面は大きく異なっていた。わが軍は海上において、大唐の船団と相《あい》見《まみ》えようとしていた。しかも、こちらは不利な状況に於て決戦場に臨まなければならぬのである。勿論決戦を避ける戦法も取れないことはないが、そのためには豊璋の軍を見殺しにしなければならなかった。豊璋の軍が壊滅し、百済全土が敵の手中に落ちるということは、それこそ半島出兵の意味もなかったし、それが齎《もたら》す事態は容易ならぬものであった。

「新たに援軍を送らねばならぬ時が来ないとも限らぬ」

中大兄皇子が言うと、

「第三回の派兵については、既に手筈《てはず》を調えております。ただ、いま直《す》ぐということになりますと、――」

鎌足はここで言葉を切って、

「半歳《とし》、せめて半歳欲しいところでございます」

と言った。その半歳経《た》たぬうちに第三回目の兵団を半島に送らねばならぬということになると、満足するような軍容を調えることは難しいという鎌足の言い方だった。確かにその通りであった。兵の徴集は同じように行われていたが、訓練、装備、いずれの点から見ても、第一回、第二回の派遣軍の場合のようなわけには行かなかった。

それから何日か、筑紫の本営には重苦しい空気が立ちこめた。戦捷祈願《せんしよう》、国家安泰を祈念する神事、法要は毎日のように行われ、朝に夕に寺々で撞《つ》かれる鐘の音がものものしく聞こえた。

そうしたある日、半島からの使者が派せられて来た。新羅南部の戦線から白村江に移動した最初の兵団からの報告であった。

——大唐の軍船の、白村江に布陣集結するもの凡《およ》そ一百七十艘、陣を列《つら》ねて固く、戦機熟するを待って敢《あえ》て動かず。われは百済本軍と相謀《あいはか》り、後続兵団の来着を俟《ま》って、戦端を開かんとす。先きを争うこと、勝因をつかむことに他ならず。わが兵団密集して、矢の如く奔《はし》り、敵の戦列の中央をぬかんとす。

そういう報告であった。第二回派遣の中軍から送られて来たものであった。言うまでもなく、後続船団の来着を待って、先きに戦闘をしかけて行くという作戦を報告して来たものであった。この報告に依ると、阿倍比羅夫の後軍はまだ白村江に赴いていないことになっており、それが物足りないと言えば物足りなく、不安と言えば不安であった。

併し、この報告は筑紫の本営を明るくした。報告には会戦を前にして既に敵を呑《の》むの概《がい》があり、戦捷を予約しているところがあった。

これを最後にして、その後ぷっつりと半島との連絡は切れてしまった。

額田女王は烈しい不安な思いに襲われて眼覚めた。正しく言うなら、眼覚めた瞬間、大きな不安な思いに包まれている自分を発見したと言うべきかも知れない。額田は、ひどく疲れていた。何日も昼夜の別なく神事に仕えていたが、漸《ようや》くそれが明けて、昨夜遅く館に帰って来たのである。そしてすぐ寝に就いたが、それからまだ何程も経っていない。

それにしても、この不安な思いはどこから来たものであろうか。居ても立ってもいられぬような思いである。額田は寝台を離れると戸口に立った。夜風が寝衣の肌《はだ》に寒かった。戸外には薄ら明りが漂っているが、暁方《あけがた》の光ではない。雲を透《とお》して月光でもほのかに漂っているのであろう。

額田は自分の胸騒ぎを押えるようにして、両の腕で己《おの》が胸を抱いていた。その時、そこから見えている築山《つきやま》の向こうを、一人の男が歩いて行く姿が眼にはいった。瞬間、額田はその人物が中大兄皇子に違いないと思った。見間違う筈はなかった。

このところ毎日のように、朝臣たちは廟堂《びょうどう》に集まって何事かを審議しており、時にはそれが深更《しんこう》にまで及ぶことも珍しくなかった。この時刻にこうしたところで権力者の姿を見るのは、そうした集まりからの帰りなのかも知れないと思われた。それにしても中大兄皇子の寝所へは宮殿の廻廊づたいに行ける筈である。妃たちの館に行くにしても同じことである。

深夜、中大兄皇子がただ一人で広い王宮の庭の片隅《かたすみ》を歩いていることは、どう考えても訝《いぶか》しいことであった。額田はいま自分を襲っている不安な思いを、そうした中大兄皇子と切り離して考えることはできなかった。

額田は部屋に戻《もど》ると、衣服を改め、顔を直した。そうしたことのために多少の時間がかかった。館から広い庭の一隅に出た時、額田は中大兄皇子の姿を捉《とら》えることを半ば諦《あきら》めていたが、それでも一応そのあたりを一巡してみないことには気がすまない思いだった。

額田は築山の右手へと廻って行った。そこからは遠くに、二、三百人の者なら引見できる石で畳まれた広場が望めた。額田はその石の台《うてな》の方に眼を当てたまま、いつまでもそこに立っていた。中大兄皇子はそこを歩いていたのである。周囲に一本の木もない石の広場の中に置いてみると、中大兄の姿は小さく、奇異にさえ見えた。中大兄はそこをぐるぐると歩き廻っているのであった。

額田はやがてその方へ近付いて行った。中大兄は、自分の方へ近付いて来る者のあるのに気付いているのか、気付いていないのか、同じように、ゆっくりと石の広場を歩き廻っている。

「皇子《みこ》さま」

額田は中大兄の背に声をかけた。

「額田か」

返事はしたが、中大兄は額田の方を見向きもしなかった。

「夜分、胸騒ぎを覚えまして起き出しましたが、そういたしましたら皇子さまのお姿をお見掛けいたしました」

額田も亦《また》、中大兄の背後に立って、その石の広場を歩き始めた。

「鬼火が見えるか」

「は？」

「鬼火が到るところで燃えている」

「は、何と仰《おお》せられます」

「鬼火が燃えている。小さな鬼火が到るところで燃えている。額田には見えまいが、中大兄には見える。こうして歩いている前にも、背後にも燃えている。沢山の鬼火だ。無数と言ってもいいくらいだ。――鬼火と鬼火とが闘っている」

その最後の〝鬼火と鬼火とが闘っている〟という言葉だけが、炸裂《さくれつ》するように強く額田には聞こえた。

「皇子さま」

その額田の呼びかけには応《こた》えないで、

「ああ、苦しいな。中大兄には見える。鬼火が見える。払っても、払っても、見えて来る」

中大兄は相変わらず歩き廻っている。苦しいなと言われてみると、いかにも苦しそうな歩き方である。苦しさに耐えかねて歩き廻っている、そんな乱れた足の運び方である。額田も亦苦しくなった。中大兄皇子の苦しみが、そっくりそのままこちらに伝わって来るかのように、胸騒ぎは烈《はげ》しくなり、それに突き刺すような痛みが加わっている。ああ、苦しいと額田は思った。

額田は苦しいと思った瞬間、鬼火を見た。足許《あしもと》にまといつくように火が燃えている。と、それはやがて幾つかに割れ、その一つ一つが更に幾つかに割れ、数えきれぬほどの無数の鬼火になった。鬼火は額田を取り巻き、前後にも、左右にも、宙にも、地面にも燃えている。

「皇子さま」

額田は自分と中大兄皇子が、無数の火で遮《さえぎ》られているのを感じた。額田は必死の思いで中大兄のあとから歩いていた。火の集団の中を、あちらによろめき、こちらによろめきながら歩いた。その間も、得体の知れぬ不安な思いは、刻一刻高まりつつあった。

中大兄は鬼火と鬼火とが闘っていると言ったが、確かに鬼火と鬼火とが闘っていた。火と火はお互いにぶつかり合い、一緒になって大きい火の固塊《かたまり》になったり、こなごなに小さく割れ、火の粉となって、飛び去り、流れ、舞い上がり、消えたりした。胸は張り裂けそうに苦しく、言い知れぬ痛みが心を縦横に奔《はし》っている。

額田はそうした中を身の毛もよだつような思いで足を拾っていた。

「皇子さま」

額田が叫んだ時、突然、火という火は消えた。額田はよろめいて石の台の上に膝《ひざ》をつき、そして前のめりに倒れた。ああ！　中大兄皇子の絶叫に近い声が聞こえたと思うと、額田は中大兄の手が己が肩にかかるのを覚えた。中大兄も亦、片腕を石の台の上についていた。

二人は息遣いを荒くしていた。

「見たか、鬼火を」

「何でございます。いまの怪異は」

「知らぬ。白村江《はくすきのえ》で会戦が行われたとしか思われぬ。――勝ったか、敗けたか」

中大兄は言った。その中大兄皇子の体は細かく震えていた。

五

八月もあと二、三日残っているという時になって、港附近に屯《たむろ》している兵団は、極く一部のものを除いて、尽《ことごと》く他に移された。これまでは、兵団のほかに徴用された労務者も夥《おびただ》しい数の者が港附近に毎日のように姿を見せていたが、そうした者たちの姿もぴたりと見られなくなった。

筑紫《つくし》の港は突如として、極く僅《わず》かの要員を残して、がらんとした無人の港に変わってしまったのである。なぜこのようなことになったかは、誰も知らなかった。ただ一部の者だけが、こうした措置をとる指令が中大兄皇子《なかのおおえのみこ》から出たことを知っていた。併《しか》し、そうした者たちも、なぜこのような措置がとられねばならないかということは知らなかった。港は急に閑散としたものになり、港湾を埋めている潮の動きが、にわかに疎々《うとうと》しくなったように思えた。毎日のようにどこからかはいって来ていた食糧や兵器を運搬している船も、ただの一艘《そう》もはいって来なくなった。そうした船は、どこか近くの他の港へ廻航させられているということであった。

九月一日のことである。港湾には波が立っていた。白い波頭が到るところで砕け、潮と潮とは互いに躰《からだ》をぶつけ合っている。港に残っている僅かの要員たちの眼には、船の一艘も居ない波だけが荒れている潮の拡がりが、何となく不気味に見えていた。半島から連絡にやって来る船を見張っているのが、兵たちの役目であった。

二人ずつの兵が幾つかある船着場のそれぞれに配されていた。

ある船着場の一人の兵が言った。

「どうして、筑紫の港をこんなにしてしまったのか」

「半島から兵団が帰って来るためだと思うな。第一回、第二回の派遣軍の兵団が一度に帰って来るとなると、港をこのようにしておかねば、はいりきれまいがな」

他の一人が分別顔に答えた。

「それにしても、港から一艘残らず船を追い出してしまうことは仕方ないとしても、陸に居た兵団まで他に移す必要はないだろう」

「上陸したら、すぐ屯営《とんえい》できる空地を作っておかねばならぬからだ。その時になって、右往左往するのを、予《あらかじ》め防いでおこうという算段からだ」

「そうは言うが、何もこうまで港をからっぽにする必要はあるまい。いまわれわれのように、この港に残っているのは全部数えても三十人にはなるまい。大兵団がはいって来てみろ、俺《おれ》たちだけでは何もできないじゃないか。連絡の仕事だけでも、俺たちの手には負えぬだろう」

ここで二人の兵は急に黙ってしまった。訝《いぶか》しげに問いを発している方も、上司の命令を素直に解しようと努めている方も、ぷっつりと言葉を切った。がらんとした港湾の入口に、一艘の船がはいって来たからである。兵船である。二人の兵はすぐ上司に連絡した。半島から派せられて来た船に違いなかったからである。

船は波が荒いためもあったが、容易に近付いて来なかった。少なくとも二、三十人は乗れる兵船らしく見えたが、それは港湾の入口に暫《しばら》く漂うように浮かんでいた。そうした船の動きが、いつもの使者の船とは少し異なって見えた。

二人の兵は上司に連絡すると、またもとの位置に戻《もど》った。二人の兵が見張りしているところから少し隔っている幾つ目かの船着場から、小船が二艘出て行った。明らかに港湾の入口に漂っている船の動きがただならず見えたので、その様子を見に行く監視の船であった。その船も亦《また》、潮の上を高く低く揺れながら動いて行った。やがて二艘の船は港湾の入口に達し、そこに漂っている何倍か大きい船の左右の舷側《げんそく》にぴたりと横付けになったが、暫くそのままで、三艘の船は揺れ動いていた。その三艘の船がそこで何をしているか、波止場に立っている二人の兵には見えなかった。

暫くすると、三艘の船は動き出し、それがこちらに近付いて来るのが判《わか》った。二人の兵はその三艘の船がどの船着場にはいって来るか、大体の見当を付けて、その方へ駈《か》けて行った。船を波止場に繋《つな》ぐことが、この兵たちに課せられている仕事でもあったからである。

間もなく二人の兵は、問題の兵船が迎えに行った小船二艘に引き綱で引かれて来るのを見た。兵たちは忙しくなった。それぞれの小船から波止場に飛び降りた数人の兵たちと一緒になって、兵船を波止場に繋ぐ作業に取りかからねばならなかった。そして兵船を船着場に繋ぎ終えてから、初めて二人の兵は、問題の船からただの一人も降りて来ないのを知った。

「なんだ、から船か」

兵の一人が言うと、

「ばか！」

と、その船を引張って来た兵の一人から呶鳴《どな》られた。

「ようく大きな眼をあけてみろ。これがからっぽか、からっぽでないか、とくとあらためて見るがよかろう」

そこで二人の兵は曳《ひ》かれて来た兵船へ近付いた。そして舷側に攀《よ》じ登り、その内部を覗《のぞ》き込んだ。

「なんだ、これは！」

「なんだとは、なんだ。船の中へはいってみろ」

そこで二人の兵はその兵船の中へはいった。足を一歩踏み入れたとたん、その場に棒立ちになった。屍体《したい》が二個転がっている。甲冑《かっちゅう》を纏《まと》った兵の屍体だった。明らかに味方の兵である。

「どうした、これは」

「どうしたも、こうしたもあるもんか。この亡者たちを乗せて、船が勝手に港へはいって来たまでのことだ」

二個の屍体はいずれも申し合わせたように、何本かの矢を受けていた。その時、

「おい、また船がはいって来た」

誰かが叫んだ。見ると、港湾の入口にまた一艘の船が姿を現している。前よりずっと小さい船だった。この船も亦、前の船と同じように、港湾の入口の辺りでただ漂っているように見えている。

「こんどは、お前ら、行ってみろ」

そう言われて、二人の兵は小船に乗った。併し、こんどは港湾の入口まで漕《こ》いで行く必要はなかった。船は向こうからこちらに近付いて来た。潮に揺れながら、潮まかせの甚《はなは》だ自主性のない近寄り方であった。

「誰も漕いでいないじゃあないか」

一人が言った。

「いかにも」

他が答えた。二人は互いに顔を見合わせた。不気味なものが二人の身内を走った。

「おい、近寄って来るぞ」

確かに人の姿の見えない船は近寄って来つつあった。どうもさっきと同じように亡者の船であるらしい。すると、漕ぎ手は、その船をその方に近付けることは見合わせ

て、反対にそれから離れようとした。

「近寄って来る、近寄って来る」

一人が言った。

「畜生め、亡者などに摑《つか》まって堪《た》まるか」

漕ぎ手は必死だった。大きく船の方向を変えた。併し、人の姿の見えない船も亦、それに倣《なら》って方向を変えた。

「追っ掛けて来るぞ」

恐怖が二人の兵を呑《の》んだ。

「摑まって堪まるか」

「もっと速く漕げ」

「これ以上速くは漕げぬ」

その言葉は悲鳴に近かった。波止場の方で見ている限りは、二艘の船は同じ間隔を保って、徐々にこちらに近付いて来るように見えた。だから、先刻のように一艘の船が他の一艘の船を引綱で引張って来つつあるように見えた。

二艘の船はひどく遠廻りをしながら、それでも船着場へはいって来た。船から飛び降りて陸地へ上がって来た二人の兵の顔には血の気というものはなかった。人の姿のない船も亦、船着場の傍《そば》で追跡することをやめた。騒ぎは間もなく大きくなった。その船には誰も乗っていなかった。板子一面に血潮の流れたのが黒々とついている。

「あっ、またはいって来たぞ」

兵たちの総《すべ》てがぎょっとした。確かにまた一艘、船が姿を見せている。誰も尻込《しりご》みして、その船を迎えに行こうとする者はなかった。併し、こんどは迎えの船を出す必要はなかった。船は自分からこちらの船着場を目指してやって来た。波止場の兵たちは一カ所に固まって、不気味な思いでその船の動きを見守っていた。

すると、船着場に着いた兵船からは、二人の兵が降りた。いずれも甲冑に身を固めており、亡者ではなく、生きた兵たちであった。二人ともひどく疲れていた。船着場に降り立つと一人はその場に半ば倒れるようにして坐り込み、一人は辛うじてその場に立っているように見受けられた。この時になって、港の要員たちは己が任務を思い出し、その方に駈け寄って行った。

「注進！」

立っている方は、それだけ言って、あとは、連れて行くべきところへ連れて行けというように手を振った。

「使者！」

倒れている方も言った。波止場の兵たちは、二人の使者を抱きかかえるようにして上司の許《もと》へ運んで行った。上司は、

「使者が派せられて来たことは口外してはならぬ。汝《なんじ》らは一歩たりとも、港から出てはならぬ」

それから上司は更に上の役人の許へ二人の使者を連れて行った。すると、こんどは立場が逆になって、使者を伴って行った役人は、いま自分が兵たちに言ったと同じ言葉を、自分が聞かなければならなかった。

二人の使者は、何人かの役人たちの手を経て、一人ずつ中大兄皇子の前に引き出された。皇子のほかには誰も居なかった。

「白村江《はくすきのえ》の会戦は、尽《ことごと》く味方に不利、わが四百余艘の兵船は、唐の兵団に包み込まれ、その大部分が潮の中に沈みました」

使者は言った。

「いずくの兵団に属する者か」

中大兄皇子が訊《き》くと、

「朴市田来津《えちのたくつ》の本営に属する者でございます」

「田来津の船団は未だ健在か」

「尽くが海に沈みました」

「田来津は」

「艫《とも》を舳《へさき》の方へ廻すこともできぬほど敵味方の船が相打つ乱戦の中に、敵兵をあまた倒して討死いたしました」

「前軍は――？」

「須臾《しゆゆ》にして破れました」

「中軍は――？」

「尽くの兵が溺《おぼ》れ死にました」

「後軍は――？」

「兵らよく闘いましたが、これまた尽く潮の中に沈み、ために海面は一面に朱《あか》く染まりました」

「よし、休養せよ。敗戦のことは一言も何人にも洩《も》らすな」

中大兄皇子は言った。次にもう一人の使者が連れて来られた。こんどもその座には二人のほかに誰も居なかった。

「戊申《つちのえさる》の日（二十七日）のことでございます。前軍は後着の軍の到るのを待つ間がなく、大唐の軍とあい闘いました。戦況は味方に不利で、わが軍は退きました」

「――――」

「己酉《つちのととり》の日、つまりその翌日のことでございます。後着の軍は参りましたが、戦列の乱れたままで、いっせいに唐の船団に襲いかかりました。誰の眼にも勝味のない拙《つたな》い戦の仕かけ方でございました。果たして、敵の船団に右から捲《ま》かれ、左から捲かれ、ついに陣容を立て直すことのできぬままで敗れました」

「よし、休養せよ、敗戦のこと一言も何人にも洩らすな」

中大兄皇子はまた言った。このようなことがあるのではないかと思って、中大兄は敗戦の噂《うわさ》を巷間《こうかん》に拡めぬように、筑紫の港を無人の港にしておいたのである。それにしても半島派遣軍の尽くが海に沈んだとあっては容易ならぬことであった。

中大兄はすぐ鎌足《かまたり》を招《よ》んで、白村江の敗戦を告げた。さすがに鎌足も顔色を変えたが、

「たとえ兵船の尽くが海に沈んだと申しましても、十に一つはこの筑紫へ落ちて参りましょう。或《ある》いは十に二つかも知れません。そうした兵を救うためにできるだけのことを為《な》さなければなりません。すべては、そのあとのことでございます」

「すべてと申すのは」

「さればでございます。勝ちに乗じて、敵はわが海域に姿を現しましょう。出でて闘

うか、防ぎ闘うか」

「よし、汝《なんじ》の言うようにすべては後のことだ。先ず敗れて逃れ来る兵たちを救え」

中大兄と鎌足は同時に立ち上がった。一刻も安閑《あんかん》としていられる時ではなかった。

半島派遣の大船団は跡形ないまでに大唐の軍のために潰滅《かいめつ》させられてしまったのである。

筑紫《つくし》に本営を置いている大和朝廷にとって苦しい日々がやって来た。半島敗戦のことはいくら固く秘していても、どこからともなく洩れ拡がった。半島から兵の屍体を乗せた船や、血にまみれた無人の船が筑紫の港に漂い流れて来たという噂は、二、三日すると筑紫一帯の地にひろまり、更に二、三日すると、半島における敗戦のことは役人、武人、民の別なく、到るところで囁《ささや》かれた。初めはあちこちで声をひそめて囁かれていたが、忽《たちま》ちにしてそれは声高いものに変わって行った。声をひそめてひそひそ囁いていられるような問題ではなかった。親の、夫の、息子の、兄弟の問題であった。誰も彼もが半島に出征している身近い者の安否が気遣われた。それはまた、ひいては自分たちの問題でもあった。一時のことと思えば身近い者を大和朝廷の御用に差し出したのであるが、それが再び帰って来ないとなると、直接今後の生活に関係して来る容易ならぬ問題であった。が、問題はそれ許《ばか》りではなかった。今にも半島から勝ちに乗じた敵軍が押し寄せて来るとか来ないとか、そんな流言が飛んだ。流言はこれまでは巷間にだけ流れるものであったが、こんどは巷間に限られなかった。朝廷の役人、武人の間でも巷間と同じように、そうした噂が渦《うず》を巻き、人々はすっかり落ち着きを失って、仕事が手に付かなかった。

流言を取り締まる布令が出た。布令は一回では足りなくて、二回にも、三回にもわたって出た。紊《みだ》りに根も葉もないことを言いふらして世道人心を惑わす者は斬罪《ざんざい》に処すといったきびしいものであった。巷々《ちまたちまた》にも物々しく武装した警備の兵が立った。併し、肝心の警備の兵自身落ち着きを失っていた。兵たちは兵たちで巷を歩きながら、半島の敗戦についてあれこれ噂し合っている有様であった。

半島からの使者が敗戦の報を齎《もたら》してから三日目に、鎌足は大和に向かうために、朝臣や兵数十人を連れて筑紫を発《た》って行った。これは、やがてこれからやって来る未曾《みぞ》有《う》の国難に対処するための、一番大切な仕事であった。いつ押し寄せて来るかも知れぬ敵軍に備えることも大切であったが、それより長く留守にしている近畿《きんき》一帯の人心の動揺を防ぐことの方がもっと大切であった。半島敗戦の報は、やがて近畿一帯の地にも伝わる筈《はず》であった。それは今や時日の問題であった。そうしたことから引き起こされる混乱は、筑紫より何層倍も大きいものに違いなかった。そして、何より恐ろしいことは、未だに大きい勢力を持っている豪族、氏族たちの動揺であった。彼等はそれぞれに割り当てられた若者たちを兵として半島に送っていた。彼等の中には、もともと半島の出兵に反対している者も多かった。ただ大和朝廷の命に依《よ》って、若者たちを差し出しているだけのことであった。

中大兄皇子は大和へは自分が帰りたいくらいの気持であったが、敗戦の責任者として、筑紫を離れることはできなかった。そして結局、鎌足をその鎮《しず》めとして大和へ帰すことになったのである。鎌足以外にはこの大きい役割を果たせる人物はなかった。

鎌足が筑紫を発って行くと同時に、遠国へ向かう騎馬の兵が次々に筑紫から出て行った。海辺の防備を固める指令を持った兵たちであった。兵たちは、いずれも二、三十人が一団となっていた。遠くは能登《のと》や渟代《ぬしろ》を目指す集団もあった。

筑紫一帯の防備には大海人皇子《おおあまのみこ》が当たることになった。筑紫の海岸地帯は全くの無防備の状態に置かれてあった。水城《みずき》も築きたかったし、堤も造りたかったが、そうした余裕はなかった。取りあえず要処要処に兵を配置するほかはなかった。しかも、兵は少なかった。第三回の半島派遣のために徴せられている兵たちであり、それも充分とは言えぬ数であったが、新たに筑紫一帯の海岸に配置するとなると、兵力の不足は決定的なものであった。ために新しく兵も徴さなければならなかったし、労務の要員も徴さねばならなかった。そんなわけで、徴兵も徴用も亦《また》同時に行われることになり、それが人心を動揺させ、巷の人々に敵の襲来が目睫《もくしょう》の間に迫っているような不安を与えた。

中大兄皇子にとっても、大海人皇子にとっても、今までに考えてみたことがなかったような忙しい毎日が続いていた。やらなければならぬ仕事は、次から次へと二人の皇子をめがけて押し寄せて来た。あらゆることが二人の皇子の指令を必要とした。

九月の初旬から中旬、中旬から下旬へと、一日一日は飛ぶように過ぎて行った。

ある日、中大兄皇子は行宮《かりみや》の廻廊で渡り鳥の大群が空を覆《おお》うようにして渡るのを見た。何の鳥か判《わか》らなかった。鳥の渡るのも大群の移動となると異様な眺《なが》めであったが、中大兄はやはりそうしたものから、いつか秋が深くなっているのを感じないわけには行かなかった。このような国家怱忙《そうぼう》の間にも、秋は深まり、秋は去ろうとしている、そんな思いを持った。大和へ行った鎌足からはまだ連絡はなかった。中大兄は久しぶりで大和のことを思った。日数を繰ってみると、まだ鎌足からの連絡のあろう筈《はず》はなかったが、それでもそのない筈の連絡がしきりに待たれる気持だった。

このように大和へ思いを馳《は》せるような余裕を持つことができたのは、あすにもあるかと思われた唐軍の来襲が今日まで延びているためであった。今日まで延びていると言っても、ただそれだけのことで、今夜にも筑紫の海浜に敵軍を迎え撃たねばならぬかも知れなかったが、それにしても、中大兄は久しぶりで鳥の大群が海を渡るのに眼を投げるだけの心のゆとりを持つことができたのであった。

中大兄皇子はふと身近に人の気配を感じて振り返った。額田が頭を下げて立っていた。

「久しぶりだな」

中大兄皇子は言った。何年も会わぬ額田に会ったような気持だった。

「この前会ったのは」

「お庭で鬼火に取り巻かれました夜でございます」

「そうか、あの夜以来か——額田も疲れているな」

中大兄は額田の顔が別人のように疲れているのを見た。

「皇子さまがお疲れになっていらっしゃいますだけ、額田も疲れております」

額田は言った。

「そう、中大兄はいま疲れている。が、額田は疲れるには及ばぬ」

「そんなことはございませぬ」

「中大兄は疲れている。疲れなければならぬ立場に置かれている。――汝《なんじ》は違う」

するると、

「皇子さまがお疲れになっていらっしゃいますのにどうして額田が疲れないでおられましょう。皇子さまの御心の内はそのまま額田のものでございます。皇子さまがお眠りになれぬ夜々は額田にも眠れぬ夜々でございます。皇子さまがほっとなさると、額田も亦ほっといたします。皇子さまは久しぶりにいま、ほんの僅《わず》かお苦しい思いからお逃れになりました。額田も同じでございます。皇子さまの御心の内は、小笹《おざさ》の揺れほどのことも額田には判ります。それで、いまお傍《そば》に侍《はべ》ったのでございます」

額田は言った。それに対して中大兄皇子は何も言わなかった。そして暫《しばら》くしてから、

「――いつか額田に、半島の戦捷《せんしょう》の歌を民の心で詠《うた》ってくれと言ったことがあったな」

「はい」

「残念ながら、それは夢になってしまった。ああ、戦捷の言祝《ことほぎ》を民の心で詠って貰《もら》いたかった！　が、今となっては、それも叶《かな》わぬことである。もう民に代わって、民の心で詠って貰うことは、中大兄の生涯《しょうがい》にはなさそうだ」

「何を仰《おお》せられます！」

額田は言った。中大兄皇子の心から大きい夢が消えていることが悲しかった。あとの言葉は続かなかった。続けることができなかった。

すると、また中大兄は口を開いて、

「いま、額田は中大兄の心の内はどのような些細《ささい》なことでも判ると言った。これからは中大兄の心の中を額田に詠って貰うことにするか」

中大兄は言った。多少自嘲《じちょう》的な言い方であった。額田は民の心でなく、中大兄の心で、いまの中大兄の苦しみや悲しみは、いくらでも自分の心として詠うことはできた。おそらく夜の潮のように、苦しみや悲しみが大きく揺れ動いている歌が生まれるであろう。併《しか》し、額田は言った。

「世の人々の心で皇子さまの大きいお仕事を称《たた》える歌を詠わせて戴《いただ》きとうございます。そのために、額田は生まれて来たのでございます。いまつくづくそういう気持がいたしております」

額田は言った。本当にそのような使命感を持ちたかった。そうでなければならぬと思った。額田はすぐ中大兄皇子の傍を離れた。中大兄は疲れている。その疲れを少しでも軽くするためには、中大兄は一人でいなければならぬと思った。いまの中大兄にとっては自分が傍についていることは何の力にもならない。いまの中大兄に一番必要なことはおそらく一人になっていることであろう。額田はそう思ったのである。

そのひとりになった中大兄皇子の許《もと》に、額田と入れ代わりに港に派している兵団からの連絡兵がやって来た。

「ただいま、海上に何艘《そう》かの兵船が見えて参りました」

「なに！」

中大兄は表情を改めて言った。

「敵方の船でなく味方の船団と見受けますが、万一に備えて兵は配置を終わりました」

使者はそう報告した。それから程なく本営は上を下への大騒ぎになった。中大兄は十数人の侍臣を随《したが》えて望楼へ上って行った。そこへまた、追いかけるようにして使者がやって来た。

「半島から落ちて来た味方の兵船でございます。兵船からそういう連絡の船が派せられて参りました」

中大兄が望楼へ上った時には、日はすっかり暮れて夜が来ようとしていた。既に港一帯は夕闇《ゆうやみ》に呑《の》まれていて、王宮の望楼からではその問題の船団は見えなかった。

そのうちに、港には火が焚《た》かれ始めた。初めはあちこちに一つ二つというように、明らかに篝火《かがりび》と思われる灯が見えていたが、間もなくその灯火の数は多くなって行った。動かないのは海岸に焚かれている篝火であり、動いているのは船の上に灯《とも》されている灯であろう。

また使者がやって来た。

「船団は意外にたくさんの船から成っております。戦傷者を満載していると思いますので、それを収容する手筈を調えております」

「よし、行く」

中大兄は言った。自分も港へ降りて行こうと思った。敗残の兵団にしろ、それが意想外に多いということは、中大兄の気持を明るいものにした。少し遅れてやって来た大海人皇子の気持も同じらしかった。

「戦闘に破れようと、傷付こうと、兎《と》も角《かく》、生命《いのち》あって筑紫の土を踏んでくれれば」

大海人皇子は言った。

二人の皇子を取り囲む一団が港の波止場に着いた時は、周囲の人の顔も判別し得ないほど辺りには夜の闇が深く立ちこめていた。篝火が焚かれている附近だけにそこらを動き廻っている兵たちの姿が見えていた。

船団は沖合に碇泊《ていはく》しているらしく、その辺りにたくさんの灯火が揺れ動いている。それぞれ灯火を灯した哨艇《しょうてい》が群がっているのである。兵船はそこから一艘ずつ哨艇に案内されて波止場の方へ導かれて来るということであった。

最初はいって来た兵船からは数十人の兵が降り、そのあとから夥《おびただ》しい数の女子供が降りた。それが百済《くだら》の女や子供たちであることは明らかだった。次の兵船からも数十人の兵が降り、そのあとからは、これまた夥しい数の百済人が降りた。いずれも民衣を纏《まと》っているところから見て、兵でないことは明らかだった。

次の船からも、その次の船からも日本兵は数十人ずつしか降りなかった。それに続いて降りて来るのは百済人許《ばか》りであった。百済人は多かった。男もいれば、女もいた。

中大兄のところへ使者がやって来た。

「これからなお十数艘の船の下船が行われますが、これからの船には一人の日本兵も乗っていないとのことでございます」

「なに一人も！　兵はこれまでに降りた者だけか」

「そのようでございます」

「ほかに引き揚げて来る船はないか」

「これが半島から引き揚げて来たすべての船だということでございます」

中大兄は言った。篝火の光が中大兄の眼の中で一つに固まったり、無数に離れたりしている。丁度いつか王宮の庭で見た鬼火に似ている。

「うむ」

中大兄皇子は苦しい呻《うめ》き声を口から出した。

「うむ」

翌日から半島作戦の本営の置かれてある筑紫は全く異なった町になった。半島の戦線を棄《す》てて落ちて来た日本の将兵と、百済の難民がどっと町に溢《あふ》れた。日本の将兵の方は数が少なかったので、それを収容するのはさして難しいことではなかったが、百済人の方は夥しい数であった。一カ所に固めて置くわけには行かず、何カ所かに分けて置いた。

帰還した日本の将兵の数は公表されなかった。併し、極く僅かの将兵が帰って来ただけだという噂《うわさ》はすぐひろまり、彼等の収容所に当てられた寺院をめがけて、大勢の者たちが押しかけた。筑紫一帯の地から出征した兵たちの家族の者たちであった。父を、子を、夫を求める男女の群れであった。寺院のある地区には縄張《なわば》りがされ、一般の者は一歩もその内部にはいることは許されなかったが、それでもどこからか忍び込んで来る者はあとを断たなかった。縄張りの外の混乱は勿論《もちろん》であるが、縄張りの内側にも混乱はあった。寺院の周辺や境内では絶えず警備の兵たちが駈《か》け廻っていた。悲鳴や叫び声があちこちから聞こえた。

百済の難民の方も、その宿舎の周辺は縄張りされてあったが、こちらはこちらで統制というものの全くとれていない集団であった。混乱は難民たちが分散されたことから起こっていた。子供が親から離されたり、一家の者が別々の宿舎に入れられたりしてあったので、互いに相手を求めて、勝手に自分の宿舎を出て、他の宿舎に行こうとした。そんな難民たちが町の到るところをうろつき廻っていた。

そうした百済人を片っぱしから警備の兵が捉《とら》えていたが、言葉が通じないので、簡単には埒《らち》があかなかった。道のまん中に坐り込んで、両手を高く突き上げて、何か喚《わめ》きながら、悲歎《ひたん》の情を表現している老人もあれば、子供の姿さえ見れば駈け寄って行って抱こうとする狂心の女もあった。

こうした町に新たに流言が飛んだ。何日か後には何万という唐軍が来襲する。敵の兵船は、既に半島の南部の港に集結を終わっているのである。そういうことがまことしやかに伝えられた。こんどの流言は、これまでの流言とは違って、一応誰の顔色をも変えさせるだけの力を持っていた。現に半島からは僅かの将兵しか帰りて来ず、百済からは夥しい数の難民が国を棄てて逃げて来たのである。いつ自分たちも、難民の運命を持たぬとも限らない。

そうした流言を裏書きするように、筑紫一帯の海岸地区から、一般の民は立ち退《の》くようにという布令が出た。そしてこの立ち退きのために、漁村という漁村は混乱した。この布令は数日にして撤回されたが、撤回によって、また混乱は一層大きいものになった。

中大兄皇子、大海人皇子は毎日のように半島の戦線から帰って来た将兵たちを召して、半島の情勢を知ることに努めた。半島出征軍の重だった者は殆《ほとん》どみな白村江《はくすきのえ》の会戦で戦死しており、帰還した将兵たちの中には戦局を総合して説明できるような者は殆ど居なかった。いずれも本営からの指令を待たないで、自分たちの一存で半島の戦線を捨てて来ており、本来ならその罪を問わるべき立場にある者許りであった。併し、いまの場合、そのようなことを言っても始まらなかった。それどころでない事態が覆いかぶさろうとしている。

兵たちの話やこんどの船で引き揚げて来た少数の百済軍の指揮者たちの話を総合してみると、半島の情勢は絶望的であった。

百済王豊璋《ほうしょう》が棄てた蹄留城《そるさし》が新羅《しらぎ》と唐の連合軍に取り巻かれたのは八月十七日であった。そしてそれから十日後の二十七日に白村江の戦端は開かれている。最初の戦闘でわが軍は不利であったが、二十八日に敢《あえ》て決戦を挑《いど》んで破れ去ってしまったのである。最初の戦闘が不利である以上、決戦を避けて後日を期するのが作戦の定石であったが、それを為さなかったのは、蹄留城が敵軍の囲むところになっていたためであろうと思われた。蹄留城を敵手に渡すことは百済全土を失うことを意味するので、たとえ危険を冒しても、白村江における戦闘を決戦へと持っていかねばならなかったのである。こうした点から考えても豊璋の軽率な行動が大きな敗因を作っていた。その豊璋は白村江の敗戦直後、九死に一生を得て、高句麗《こうくり》を目指して逃れ去ったということであった。

白村江の会戦で海に沈むことを免れた日本の兵船が半島の南部に集結したのは九月二十四日であった。蹄留城は既に七日に落ち、百済の民の中で日本へ逃亡を望む者はみなそこに集まっていた。そして日本の兵船は百済の民たちを収容して、即日そこを発航して来たのであった。

百済人の中には百済再興軍の指揮者級の者も何人か混じっていた。その一人が言った。

――蹠留城も落ちました。百済の名はついに絶えてしまいました。丘墓の所へ、どうして再び行くことができましょう。

その言の如く、確かに祖国はなくなってしまったのであった。

併し、中大兄、大海人両皇子が最も胸を痛めたのは、敵軍の手中に落ちた蹠留城にも、日本の将兵が拠《よ》っていたと聞いた時である。白村江の会戦で討死した者は、何百艘という兵船が相撃つ大会戦で殪《たお》れたのであるから、まだ諦《あきら》めることはできたが、蹠留城に籠《こも》っていた将兵は、全くの孤立無援の立場での戦闘であった。討死したか、捕虜となったか、その点は判らないが、いずれにしても、初めから勝利を期待できぬ苦しい籠城《ろうじよう》戦であったろうと思われた。

半島からの敗残の船団が帰還してから十日ほど経《た》った頃《ころ》、飛鳥《あすか》の鎌足から使者が派せられて来た。半島の事情が明らかになり、当分の間半島の権益の回復にいかなる方法もないと言うのであれば、敗残の兵の収容のでき次第、筑紫の本営を引き揚げて、飛鳥へ帰還すべきである。そういう意見が具申されて来た。鎌足はそれ以外のことには触れてなかったが、中大兄にはその言外の意味をはっきりと読み取ることができた。鎌足は自分に都に還《かえ》れと勧めて来ているのである。そういうことを必要とする情勢が都に到来しているか、到来しつつあるのである。

中大兄はすぐ朝臣の重だった者を集めて、このことを議した。中大兄の心は決まっていたが、一応謀《はか》らねばならぬことであった。いろいろな意見が出た。巷《ちまた》では唐軍来襲の噂が専《もっぱ》らである。それが静まり、巷の混乱が収まるまで、本営はこのまま設置しておくべきではないか。こういう考えが圧倒的であった。すると大海人皇子が言った。恐ろしいほど大きい声であった。

「中大兄皇子のお心はお決まりになっている。何を朝臣にお謀りになることがあろう。鎌足からのお考えも届いている筈《はず》である」

一座はしんとした。

「いかにも、鎌足からの使者が来た。併し、中大兄の心は決まっていない。みなの考えを聞いて決める」

中大兄皇子は穏やかな言い方で言った。

「半島に出兵するための本営である。半島にはもはや当分出兵のことはあり得ない。なんの本営であろうか。筑紫に本営を置く必要がない以上、即刻飛鳥に引き揚げて然《しか》るべきであろう」

大海人は言った。言葉には棘《とげ》があった。依然として一座はしんとしていた。

「それならば、大海人のいまの言葉にて決める。永く培《つちか》って来た半島の権益は、中大兄の不明のために失われてしまった。確かに当分の間、半島出兵のことはあり得ない。本営を設けておく意味はない」

中大兄が言うと、こんどは語調を改めて、大海人皇子は言った。

「いや、敗戦に依《よ》って大海人も心の平静を失っている。お聞きにくいことを申し上げたことは許して戴《いただ》きたい。先きに申し上げたことを詳しく申し上げると、半島出兵のための本営であり、半島作戦のための本営である。その本営の意味はすでに失われてしまっている。現在は唐軍来襲に対する備えの意味しかない。それならば大海人がここに留まっていればいい。中大兄皇子はよろしく都へ帰還なさるべきである。一国の責任者が都を遠く離れた地で、敵軍を迎え撃つということは避くべきであろう」

確かにその通りであった。今や二人の皇子が都を留守にして、ここに留まっている必要はなかった。

中大兄皇子と朝臣の重だったものが、筑紫から飛鳥の都へ帰るという発表があった日、朝臣たちの間にも、巷にも、また新しい混乱が起こった。人々はそれが何を意味するか、よく判らなかった。敵の襲来を間近に控えての本営の後退と解する者もあったし、近畿《きんき》に内乱が起こりかけていて、それに対する鎮《しず》めの措置と解する者もあった。いかなる想像を廻《めぐ》らせても、それが明るいものであろう筈はなかった。半島の敗戦ということは、今や、動かすべからざる事実であり、すべてはそこから起こって来る波紋でしかなかった。

あとに残って、筑紫における敗戦の始末を取りしきる大海人皇子の受け持たねばならぬ仕事は多かった。動揺する兵たちも押えなければならなかったし、ここ三年間本営の所在地として急に脹《ふく》れ上がった都邑《とゆう》を、徐々にそれが、曾《かつ》て持ったもとの姿に返さなければならなかった。忽《たちま》ちにして職を失って路頭に迷う民たちも多かったので、それについての対策も樹《た》てなければならなかった。飛鳥に還る中大兄皇子の一行は何集団かに分かれて、それぞれ深夜筑紫の港を発航して行った。夜の闇《やみ》に紛れて、ひそかに出発したわけではなかったが、あとでそのことを知った者たちには、一様にそのように受け取れた。いつか誰も知らないうちに、本営の首脳陣は姿を消してしまったのである。

十一月にはいると、毎日のように降雹《こうひょう》があった。指頭大の雹が夕刻になると降った。そうした中でも、どこかに引き揚げて行く民たちで街はごった返していた。馬の背に、荷車の上に、雹は音をたてて降り、時折風が吹き、天地は幽暗の中に包まれた。が、また忽ちにして、陽《ひ》が照り、路上に散乱している木の葉や木の折れたのが異様に見えた。

巷の騒ぎが一応静まると、急に閑散とした街に兵たちの姿だけが目立った。兵の訓練は烈《はげ》しく行われていた。兵たちには、一刻の休みも与えられなかった。兵団は絶えず移動していた。一カ所に落ち着くことはなかった。兵たちは駐営地を変えるために行軍するか、でなければ烈しい訓練に服さなければならなかった。

大海人皇子は空っぽになった王宮の中で一切を取りしきっていた。曾ての本営の街を、純粋の軍都に切り替えなければならなかった。今や筑紫一帯のいかなる山も、丘も、入江も、敵軍を迎えて闘う砦《とりで》に他ならなかった。そして一番の問題はそこに配する兵たちであった。敗戦から受けた打撃を取り除き、その動揺を防がなければならなかった。兵たちに休養を与えるな、大海人皇子は日に何回か、同じ命令を口から出した。行在所《あんざいしょ》も、王宮の館々も、日々その姿を変えて行った。不要になった物は次々に取り壊された。

いっこうに唐軍の来襲はないままに十二月にはいった。耽羅《たんら》と連絡をとって半島の兵団の動きは逐一報じられることになっていたが、それらしい気配は感じられなかった。半島に出征して行ったいかなる兵団よりも強い兵団が、大海人皇子に統率されて、筑紫一帯の海浜に布陣されていた。そして何事も起こらないままに、未曾有《みぞう》の国難に揺さぶられた中大兄称制の第二年は暮れた。

水城《みずき》

一

中大兄皇子《なかのおおえのみこ》にとって本当の苦難の日は、筑紫《つくし》から大和へ引き揚げてからやって来た。鎌足《かまたり》が筑紫の皇子の許《もと》に、一日も早く都に還《かえ》るようにと使者を派して寄越したことは、理由ないことではなかった。

難波《なにわ》の港には、鎌足と僅《わず》かな朝臣が出迎えただけであった。皇子の一行は即日難波から飛鳥《あすか》へと向かったが、三年ぶりで見る大和の山野は、心なしか敗戦の責任者中大兄皇子にはよそよそしく感じられた。皇子の帰還は一般には公表されていなかったので、田圃《たんぼ》で働いている百姓たちが、武装兵で固められて行進して行く見慣れぬ一団の正体を知る筈《はず》はなかったが、それにしてもその関心のなさは異様であった。鍬《くわ》や鋤《すき》をとる手を休める者はなかった。街道をいかなる者が通ろうと、それは自分たちには全く関係のないことだ、恰《あたか》も全身でそう言っているように見えた。

中大兄皇子を奉ずる一団は夜をこめて行進し続けた。本来ならどこか豪族の館に一泊する筈であったが、そういうこともなかった。すべては鎌足の采配《さいはい》のもとに取りしきられていた。途中篝火《かがりび》を焚《た》いて集団を迎える聚落《しゅうらく》もあったが、それはほんの数えるほどであった。

都も、よそよそしさという点では、また同じであった。半島作戦の本営の所在地筑紫の持った荒々しさに慣れた皇子の眼には、都大路のたたずまいも、そこを歩いている男女の姿も、尽《ことごと》く冷たく取り澄まして、気心の知れぬ意地悪いものに見えた。

王宮へはいると、長途の旅の疲れを癒《いや》す間もなく、中大兄皇子は鎌足と二人だけの時間を持った。

「汝《なんじ》の言うように都へ還って来た。為《な》さなければならぬことは沢山あろうが、先ず最初に何を為すべきか」

中大兄は訊《き》いた。

「なるべく早く大海人皇子《おおあまのみこ》をお呼び還しになることでございましょう」

「それほど中大兄は信用がないか」

中大兄皇子は真顔で言って、少し間を置いてから笑った。

「半島に出兵し、それが敗戦に終わりました以上、信用のないのは当然でございましょう。もはや皇子がお出になりましても、鎌足が出ましても、大和を初めとして各地方の豪族たちを納得させることはできないと存じます。大海人皇子はこれまで政治の表面にはお立ちになっておりませぬ。豪族たちに対すること一切、大海人皇子のお名前で取りしきることが肝要かと存じます」

「すると、筑紫はどうする？」

「目下のところ、外敵の侵寇《しんこう》より、内政を調えることの方が差し迫った問題かと存じます」

いつ、唐の大軍が筑紫に迫らないとも限らぬ現在、それよりもっと急を要することが内政の問題にあるというのであれば、もう何を言う必要もなかった。

「よし、それならば、そのようにしよう」

中大兄皇子は言った。

「これから苦しい日々がお続きになりましょう」

「承知している。苦しい日々はこれまでも続いて来た」

「これまでの苦しみなどは知れたものでございます」

「判《わか》っている」

「皇子をお怨《うら》みする声は天下に満ち満ちましょう」

「すでに満ち満ちている」

「いいえ、これまで以上に──」

「判っている。耐えられぬことはあるまい」

「そのお覚悟を、確《しか》とこの際。──それがおできになれば、何で外敵の侵寇などお怖《おそ》れになることがございましょう」

それから、鎌足は、憑《つ》かれたように言葉を続けた。低い声になったり、高い声になったりした。時には低く呟《つぶや》くような口調になった。低い口調になると、鎌足は頭を深く垂れ、眼を瞑《つむ》った。若し中大兄皇子でなかったら、鎌足は泣いているのではないかと思うかも知れなかった。が、中大兄には判っていた。それはいつも中大兄の心をその底から揺すぶらずにはおかぬ鎌足の悲願の表白であったのである。

「どのようなことでも、お耐えになればできないことがありましょうか。新政をお布《し》きになりましてから、長いようでも、まだ二十年に足りません。いまは試錬の時期でございます。半島の出兵がもう十年先きのことでございましたら、おめおめこんどのように敗戦の汚名を着ることもなかったと存じます。兵も船も、筑紫一帯の港々に満ち満ちていたことでございましょう。白村江《はくすきのえ》で破れましても、次々に援軍は繰り出せます。いや、白村江の会戦そのものがなかったと思います。いっきに新羅《しらぎ》を掃蕩《そうとう》する兵力がなかったために、白村江で闘うような破目に追い込まれてしまったのでございます。十年早うございました、十年。それが残念でございます。皇子の御不運というものでございますが、いまとなっては、それも致し方ありません。こんどの敗戦で民の心も離れましょう。豪族、氏族たちの新政批判の声も高まりましょう。そうしたことのために、新政は数年の後戻《あともど》りを余儀なくされると思います。残念でございますが、それも致し方ございませぬ。数年前に戻して、またそこからやり直しでございます。が、そのようなことが何でありましょう。民の一人一人が新政の恵みに浴し、豪族、氏族がその坐るべき場所に坐って、一つの国の体制の中に繰り込まれ、国の力が満ち溢《あふ》れる時節が数年ほど遅く到来することになっただけのことでございます」

鎌足の言葉はこの辺りから急に低くなり、前に中大兄皇子が居ることも忘れたのではないかと思うように、異様な光を帯びて来た眼は宙に向けられる。

「中央の豪族、地方の氏族たちの心を手なずけねばなりませぬ。彼等から奪い取ったものを、ひとまず分かち与えましょう。位も与えます。民を蓄える権利もその一部を返します。これ以外に、動揺している豪族、氏族たちの心を押えることはできません。これを為すために大海人皇子に前面に出て戴《いただ》きます。そうしておいて、彼等の協力を得て、兵を徴します。外敵に備えるためにどうしても兵は必要でございます」

「更に兵を徴する!?」

「それがお耐えにならねばならぬことの第一」

「――」

「辺境には砦《とりで》を造らねばなりません。人も要《い》れば、財物も要ります。民から取り立てる以外、仕方ありません」

「民の怨みの声が聞こえるようだな」

「それがお耐えにならねばならぬことの第二」

「――」

「そして、また、そう遠くない時期に都を遷《うつ》さねばなりませぬ。外敵を迎える場合、必ずしも大和は恰好《かっこう》な王城の地とは申せませぬ。もっとのびのびと作戦を展開できる場所を求めねばなりませぬ」

「さぞ、また、鬼火がやたらに出るだろうな」

「それがお耐えにならねばならぬことの第三」

「――」

「そして都をお遷しになると同時に、皇子は御位にお即《つ》き遊ばさねばなりません。もうこれ以上お延ばしになることはできませぬ」

この時だけ、鎌足は顔を上げた。

「皇子が天子の御位にお即きになる。大海人皇子がそれを補佐なさる。――それは何年先きのことになりますか。が、いずれにしましても、そう遠くない日のことでございます。その時まで苦しい日々が続くことでございましょう。何事にも眼を瞑り、耐え、その日に向かって一歩一歩進んで行かねばなりません」

「よし、すべて汝の言うようにしよう」

「臣は皇子がお考えになっていることを、ただ代わって申し上げただけのことでございます」

鎌足は言った。が、鎌足は心にもないことを言ったわけではなかった。聡明《そうめい》な中大兄が筑紫からの船旅で、考えに考えたに違いないことを、多少、自分流に整理して言ったまでのことであった。鎌足はそう考えてもおり、そう信じてもいた。

実際にまたその通りであった。中大兄は中大兄で、自分の心の中にしまわれていた考えの一つ一つが、鎌足によって次々に引き出されて行くことに、この時ほど満足を感じたことはなかったのであった。

この飛鳥の王宮の夜は、中大兄皇子と鎌足にとっては終生忘れることのできぬ特殊な夜であった。白村江の敗戦の責任者たちが、新しい苦難に立ち向かって行く決意を固めた夜であったからである。

筑紫の大海人皇子からは、三日をあげず使者が派せられて来ていた。新しい使者を引見する度に、新政の首脳者たちは緊張し、そしてほっとした。唐や新羅の来襲は、どういうものか延びており、単に延びている許り《ばか》でなく、それらしい徴候も認められないという報告であった。

年が改まると間もなく、大海人皇子に対して都へ還る指令が発せられた。それに対して、大海人皇子からは、もう半歳《とし》筑紫に留まっているべきではないかという意見が具申されて来たが、中大兄皇子は折返して、新しい重大な任務が大海人皇子を待っていることを申し送った。実際に事態は大海人皇子の登場の一日も早いことを求めていたのである。

近畿《きんき》一帯の豪族、氏族たちは表面にはその不満を現さなかったが、朝廷から出される命令というものは、結果的にみると、殆《ほとん》ど無視されていると言ってよかった。そして、豪族の誰と誰とが、どこで連絡をとっているとか、誰が私兵を集めているとか、そんな物騒な噂《うわさ》までが流れていた。物騒なのは豪族たち許りではなかった。朝臣公卿《こうけい》の中にも、新政に対する批判を、半ば公然と口にする者もあった。こうしたことは、これまでは考えられないことであった。民は民で、肉親の者を失っただけで、何も獲《う》ることのなかった半島への出兵に対して、いつまでも黙っている筈はなかった。

大海人皇子が筑紫から還って来るそうだという噂が巷間《こうかん》に流れ出したのは年の暮であった。年が改まると、その噂は広い地域にひろまって行った。そして大海人皇子が単に還って来るというだけの噂でなく、大海人皇子についていろいろなことが言われた。大海人皇子はこんどの半島出兵について反対したただ一人の人物であるとか、皇子はもともと新政に対しては批判的立場に立っていたとか、いろいろなことがまことしやかに伝えられた。そして、だから遅くまで一人筑紫に留まっていたのである、そんなことまで言われた。どこから出た噂であるか判らなかったが、この噂によって、大海人皇子の帰還が、民の男女に何かなし明るいものであるような印象を与えたことは事実であった。

その大海人皇子の帰還が実現したのは、一月の初めであった。噂が充分にひろまり、皇子への期待が充分に高まった頃《ころ》、恰《あたか》もそれを見計らいでもしたように、大海人皇子は都に姿を現したのであった。

大海人皇子の都入りは中大兄皇子のそれに較《くら》べると、ずっと明るく派手であった。

難波から飛鳥へ向かう道中も、一行は前後を武装した何集団かの兵たちによって固められ、到るところで聚落の長《おさ》たちの出迎えを受けた。朝臣公卿たちも皇子を迎えるために幾つかの聚落に屯《たむろ》していた。敗戦から半歳近い月日が経過していたこともあり、また筑紫にあとまで踏み留まり、その上の帰還であるということもあって、大海人皇子の場合、敗戦という事実とは多少無関係な帰還であるような印象を世人に与えた。併《しか》し、考えてみれば、敗戦と無関係であろう筈はなかった。

勿論《もちろん》、こうしたことに対して力あったのは、前年の暮から流布されていた大海人に関する噂であり、そしてそれを裏書きするような、どこかに明るさのある迎えられ方であった。とうとう大海人皇子は還って来た！　そうした思いは民の男女の誰の心にも生まれた。

中大兄皇子、鎌足を中心とする敗戦責任者たちは、豪族たちの不平を除き、民を敗戦意識から立ち直らせる新しい政策を打ち出さなければならぬ立場に追い込まれていた。大海人皇子が筑紫から帰還した翌月、皇子の名に依《よ》って、二つの新しい施策が天下に宣布された。

一つは大氏、小氏、伴造《とものみやつこ》という風に幾つかにその身分で区別されている豪族の主権者たちに、大刀、小刀、干楯《たて》、弓矢を与え、その主権者たちのために民部《かきべ》、家部《やかべ》を定めた。つまり豪族の主権者たちは自分の一存で徴用も徴税もできる部民を持つことになったのである。大化の新政に依って、国家のものとして一度取り上げられたものを、その全部ではなかったにせよ、兎《と》も角《かく》、もう一度自分のものとすることができたのである。これは豪族たちが一番強く望んでいたもので、豪族たちの不平を除く上に、これ以上の贈りものはなかったのである。

それからもう一つ、これまで十九階に分かれていた冠位の階名が増やされて二十六になった。これに依って冠位の等級がたくさんになり、煩瑣《はんさ》にはなったが、併し、兎《と》角《かく》不平も持っていた下級の貴族や、氏族たちも、官人として登用される道が大きく開かれることになったわけであった。

こうした施策が豪族や氏族たちの心を捉《とら》えたことは勿論であるが、それがまた大海人皇子の名に依って宣布されたことにも意味があった。何となく若い弟の皇子に依って新政の行き過ぎは改められ、朝廷中心の政治が大きく変わって、地方の氏族や貴族たちの希望や主張も、これからどしどし政治の上に取り上げられ、反映して行くようない思いを懐《いだ》かせられた。

そしてこうした内政の新施策に平行して、新政の首脳者たちが外敵侵寇に備えて辺境の防備を強化したことは勿論である。翌三月、曾《かつ》て豊璋《ほうしょう》と共に入朝し、そのままこの国に留まっている善光王を難波に住まわせることにした。国も亡《ほろ》び、一族も亡んでしまった百済《くだら》王家の、今はかけ替えのないただ一人の遺族であった。

この月のある夜、光の強い大きな星が北方に流れた。これを目撃した人は多く、いかなる兆《しるし》であるか、このことが巷間の噂となった。併し、これを取りわけ凶事の兆と考えるものはなく、従って噂も格別暗いものではなかった。流星の噂の最中かなり強い地震があり、都の男女はみな家から飛び出し、宮城でも、侍臣侍女の尽《ことごと》くが庭に降り立った。本来ならこの地震と流星のことは関連したこととして受け取られ、新しい流言が巷《ちまた》に飛ぶ筈であったが、そうしたこともなかった。敗戦後何ほども経《た》っていなかったが、この一事から推しても、時代は漸《ようや》くある落ち着きと明るさを取り戻していたのである。

五月、百済征討軍の鎮将である唐の劉仁願《りゅうじんげん》からの使者として、唐の役人郭務悰《かくむそう》が対馬《つしま》にやって来た。筑紫からはすぐそれを報ずる使者が都に派せられて来た。唐使の一行は三十人余りで、それに百済兵百余人を伴った集団であった。

この報を得て、飛鳥《あすか》の朝廷は動揺し、混乱した。唐の大軍が侵寇して来たというのであれば、かねて予想していることではあったが、唐軍の来攻ではなく、少数の兵を随えての唐使の来朝であった。唐の兵団を伴わないで、百済兵百人許《ばか》りを随えてやってきたことも、こちらを刺戟《しげき》しないようにという配慮の上のことと思われた。

筑紫からは最初の使者を追いかけるようにして、二、三日すると、また二回目の使者が派せられて来た。早速役人を対馬に派し、唐使郭務悰等を喚問したところ、朝廷に奉る牒書《ちょうしょ》と献物を持って来ている、一体いかに取り扱うべきであるか、筑紫からの使者はその指令を仰ぐためのものであった。

朝臣の重だった者は直ちに廟堂《びょうどう》に集まった。誰にも不気味な事件だった。事を荒立てないように鄭重《ていちょう》に遇すべきだという意見もあれば、反対に強気の意見もあった。後者の立場に立つ者は、唐使は恐らくこちらの動静を偵察《ていさつ》に来たのである、弱いところを見透かされると、忽《たちま》ちにして唐兵の来攻するところとなるだろう、この際思いきって毅然《きぜん》としたところを見せるべきであると主張した。強気の意見も、弱気の意見も、いかにして唐軍の侵寇から逃れるかということをまん中に据《す》えている点では、全く同じものであった。

また第三度目に、筑紫からの使者が派せられて来た。唐使は大唐国から派せられて来た使者ではなく、唐将劉仁願からの使者である。その実際のことは判らないが、少なくともそういう体裁をとっていることだけは確かである。そういう報告であった。

この際、敗戦の国にとって、唐朝からの使者であることが望ましいか、唐将からの使者の方が望ましいか、これも誰にも判断のつかぬことであった。唐国からの正式の使者の方が不気味であるとも言えたし、劉仁願からの使者の方がもっと不気味であるとも言えた。

併し、この三回目の筑紫からの使者の報告に依って、中大兄皇子はすぐ己《おの》がとるべき態度を決めた。中大兄皇子は朝臣たちに自由に意見を発表させたあとで、

「いつまでこの問題を討議していても始まらぬ。いま、中大兄の心は決まっている」

と言った。すると、大海人皇子も顔を上げて、

「大海人も亦《また》、心が決まっている」

と言った。すると鎌足は、

「お二人の皇子は、それぞれお考えが決まったとおっしゃる。それならば、お二人の皇子のお考えを承り、そのいずれかに決めることにすべきである」

そして、鎌足は中大兄の前に身を進め、前屈《まえかが》みの姿勢で中大兄の言葉を己が耳に入れた。そして、

「まことに」

と大きく頷《うなず》き、次に大海人皇子の方に進んで、同じようにした。そして、ここでも

大きく頷いて、自分の座に戻ると、おもむろに口を開いた。

「お二人の皇子の御意見は全く同じである。寸分の隙《すき》もない。いま議している この問題は、国の明日を左右する重大な問題であるが、御聡明《そうめい》なお二人の皇子が、期せずして同じお考えをお持ちになった。われわれはお二人の御意見に従って、この問題を処するだけである」

それから、ちょっと間を置いてから、

「――唐使が国から派せられたものでなく、一兵団の将からのものである以上、これを受け付ける必要はない。牒書も献物も収めないことにする」

鎌足は言った。それが二人の皇子が心に決めたことであった。一座はしんとしていた。誰もがそう遠くない将来、自分たちは唐の来攻軍を迎えなければならぬだろうという思いを強くした。蘇我連大臣《そがのむらじのおおおみ》は何とか言おうとして、口をもぐもぐさせた。正式の唐使ではないにしても、せっかく持って来たのだから、牒書と献物ぐらいは受け取った方が事を荒立てないだろうということを、自分の考えとして言いたかったのである。

が、大臣は、口を何回も異様に曲げたままで、口から言葉を出さなかった。手で膝《ひざ》の上を何回か叩《たた》くようにして、それからやがて前にのめった。その床への倒れかたは一座のすべての者の眼に異様に映った。巨勢徳太《こせのとこだ》に代わって大臣の要職にあった蘇我連大臣は、この時ふいに死に見舞われたのである。いつも己が意見を口に出せぬ気の弱いところのある朝臣であったが、初めて己が意見を主張しようとして、死の大きな手に鷲摑《わしづか》みにされてしまったのである。併し、これは蘇我連大臣にとっては仕合せであったかもしれない。若《も》し、誰かが反対の意見を口に出したとしたら、中大兄皇子は言う筈《はず》であった。

「相手は唐の半島派遣軍の一将であるに過ぎない。どうしてそのような者からの牒書を受け取ることができるであろうか」

それから大海人皇子は大海人皇子で、同じことをもっと強い言葉で言ったであろう。

「相手は白村江《はくすきのえ》でわが軍を破った唐将ではないか。そんな者からの牒書を受け取ったとあっては、白村江の潮の中に沈んだわが将兵の霊が浮かばれないだろう」

鎌足はいささかも自分の考えを披露《ひろう》するつもりはなかったが、二人の皇子にも蘇我連大臣にも賛成だった。鎌足は一応礼をつくして、牒書を拒み、礼を尽くして唐将からの使者を送り返すつもりであったのである。そして、鎌足は結局その通りにしたのであった。

十月に朝廷は郭務悰に使者を立て、国使でないことを理由にして牒書を受け取ることを拒み、そして一方沙門智祥《しやもんちしよう》を遣わして、手厚く遇して、物を贈った。十二月、郭務悰等は帰った。

唐使が帰って行くと、飛鳥の政府では再び海防のことを取り上げ、こんどは本格的に防衛施設の強化について議した。いつ唐の大軍が攻め寄せて来るかも知れないという事態は少しも変わっていなかったし、唐使を国に入れないで還《かえ》したことについて、唐からの報復があったとしても不思議ではなかった。併し、唐使を為《な》すことなしに還らしめたことは、朝臣武臣の気持を引き緊《し》める上にはいいことであった。戦争は決して終わっていず、依然として戦時は続いているのだという印象を人々に与えた。

筑紫に大きな水城《みずき》を築いた。大きな堤を造って内部の濠《ほり》に水を入れた。そこで敵兵を阻止するための施設であった。堤は延々と何町にも及んだ。また筑紫の海浜地帯の要処要処には城を築き、土塁や石垣を積んだ。

また対馬、壱岐《いき》の二つの島に烽台《のろしだい》を築き、辺境防衛の専門の兵として防人《さきもり》を置くことにした。烽台を築き、防人を置いたのは、半島に近いこの二つの島だけのことでなく、筑紫にも同じような措置をとった。そしてこの烽台と防人の制度は、次第にこの国の長い海岸線全域へと押しひろめられて行く筈であった。ただ半島に近い筑紫や長《なが》門《と》の海浜を先きに固めなければならぬのは当然なことであった。

かくして、中大兄の称制三年から四年へかけて、国力を挙げて海防のことに当たった。四年の秋八月には長門にも城ができ、筑紫にも大野および椽《き》の二城が築造された。そして辺境の防備には、撰《え》り抜きの将兵が配された。そうした兵たちの任地に赴く姿は、国内到るところで見られた。何年か交替の勤務であった。

国防の態勢が曲がりなりにも一応恰好《かっこう》を整えた時、唐国から使者劉徳高《りゅうとくこう》が派せられて来た。こんどははっきりと大唐の国の朝廷からの使節であった。従者と兵、併せて二百五十四人を引き連れた一団であった。対馬に着いたのは七月二十八日のことであり、筑紫の港にはいって来たのは九月二十日のことであった。唐使は国書を大宰府《だざいふ》に呈した。

この間、毎日のように筑紫からの使者は都に派せられて来た。こんどは飛鳥政府にも唐使を都に上らせるだけの余裕はあった。

唐使の一行が都にはいって来る日は、難波《なにわ》から飛鳥への街道には、何カ所かに武装した兵団が配されていた。唐使を警固するためであるには違いなかったが、多少示威の意味も持っていた。唐使たちは林立した槍《やり》の穂先きの前を、厳粛裡《げんしゅくり》に王城の地へと導かれて行ったのである。都へはいると、兵団の数は更に多くなった。唐使たちはどこへ眼を遣《や》っても、整列している兵たちのほかには何も見なかった。

唐使たちは十一月から十二月にかけて都に留まった。その間に何回か王宮に伺候《しこう》した。賜餐《しさん》もあり、物を賜わるための参内《さんだい》もあった。その度に、唐使たちは、この国がいかに強力に武装され、いかに訓練された精兵を数多く蓄えているかということを肝に銘じて受け取らねばならなかった。

唐使たちが都を離れたのは四年の歳末であった。手厚く、厳粛に、それに加えて威圧的に遇されて帰国の途に就いたのであった。一行には何人かの送使がつけられた。

この唐使の来朝に依《よ》って、中大兄皇子たちが知ったことは、唐が、日本軍撤収後の半島の経営において、目下幾つかの問題を抱えているということであった。百済が滅亡してしまったあと、新羅《しらぎ》は百済の旧地を己が領域として併呑《へいどん》しようという野心を持っていたが、唐としてはそれを許すわけには行かなかった。唐としては、何も新羅を強大にするために出兵したわけではなかった。また高句麗《こうくり》をも討たねばならなかったが、それも簡単には行かなかった。高句麗を討つことは徒《いたず》らに新羅の発言権を強めるようなものであった。

こうした対外的なことを別にして、この年の事件と言えるものは、二月に間人皇女《はしひとのひめみこ》が崩じたことであった。孝徳天皇の妃であったので、間人大后《おおきさき》と呼ばれ、中大兄皇子の妹として、朝廷内に重きをなしていたが、三十六、七歳の若さでみまかったのであった。

年改まると、中大兄皇子の称制五年である。空位のまま、皇太子《ひつぎのみこ》として中大兄皇子が政をとりしきって、いつか五年目の春を迎えたのである。

新春早々、高句麗より使者能婁《のうる》が調貢物を持って来朝した。敗戦後初めての高句麗からの朝貢であった。白村江の役《えき》で敗退したわが国に対して、高句麗がいかなる考えを持っているか見当は付かなかったが、これで高句麗の大和朝廷に対する信頼が少なくとも地を払っていないことだけは証明されたわけであった。前年の唐使の来朝と共に明るい事件であった。唐と高句麗とは依然として敵対関係にあったので、大和朝廷はその双方から親善の手を差しのべられて来たわけであった。唐使劉徳高等が帰国したのは前年の暮である。若し唐使がもう少し滞留を延ばして高句麗の使節と顔を合わせるようなことになったら、異国の使者等に対する大和朝廷の態度はなかなか複雑なものになったが、僅《わず》かの日数の違いで、一方が帰ってから一方がやって来たことは、中大兄皇子にとっては仕合せなことであった。

それにしても、高句麗の使者に唐使の来朝を知らせないでおくことは難しく、その点、高句麗の使者の遇し方には微妙な配慮を必要とした。接待には鎌足が当たって唐使以上に厚くもてなした。そして、厚くもてなしておいた上で、大唐国から二回も使者を派して寄越すほどのものを大和朝廷が持っていることを、彼等に納得せしめなければならなかった。鎌足はそれをうまくやってのけた。

三月に、大化の政変時からの功臣佐伯子麻呂連《さえきのこまろのむらじ》の病が重くなったのを聞いて、中大兄皇子は老功臣をその邸《やしき》に見舞った。政変以来二十年苦難を共にして来たことを思うと、感慨深いものがあった。

六月に高句麗の使者能婁は帰国したが、十月に再び高句麗からは貢物《みつぎもの》を持った使者が派せられて来た。前の使者能婁からの報告に依って、こんどの措置がとられたものと思われた。

この年の秋は、どういうものか再三ならず豪雨に見舞われた。何日かにわたって、都も豪雨に叩《たた》かれたが、同じようなことが、東北でも、北陸でも、筑紫でも起こった。丁度収穫時に当たっていたので、諸国の受けた被害は夥《おびただ》しいものであった。中大兄皇子は鎌足と謀《はか》って、全国的に租税を免除し、賦役《ふえき》のため狩り出されている男女は、それぞれその生国に還した。

田が流れ、牛馬が流れた暗い秋が深まって行く頃、都の鼠《ねずみ》という鼠が近江《おうみ》をさして移って行くという奇妙な風聞が流れた。鼠が群れをなして、都から近江へ移りつつあるというのである。そしてこの鼠の大群の移転は、近く都が飛鳥から近江へ移る兆《きざし》であるというようなことが言われた。

実際に鼠が近江を指して移って行くのを見た者があったかどうか判らなかったが、一時そうした噂《うわさ》は専《もっぱ》らであった。そして都中の鼠が引越して、鼠が見られなくなったためか、いつか鼠のことは人の口の端《は》に上らなくなり、専ら噂は遷都《せんと》のことにしぼられた。

——近く都を近江に移すそうだ。

とか、

——都の土木工事はいっさい中止されているが、それは急に遷都が決まったためである。

とか、いろいろなことが言われた。

遷都ということは、朝臣たちにも民の男女たちにも決して好ましいことではなかった。生活の形を根もとから揺すぶり変えることでもあったし、そのために租税も重くなるに違いなかった。税許《ばか》りでなく、また何年かの長きにわたって、民の男女は新しい都造りのために徴せられなければならぬ。

いかなる理由に依って都を遷《うつ》さなければならぬか知らなかったが、民たちの立場から言えば、いいことは一つもなかった。遷都を好もしく思わぬ点では貴族、朝臣たちも同じであった。十年前に難波から飛鳥へ遷都したが、その場合とは事情が違っていた。難波から飛鳥へ移った時は、謂《い》ってみれば旧京を回復したようなもので、そのための負担は同じように多かったにしても、大和へ還るということで、心情的には一概に反対できぬものがあった。大和は往古から代々、幾つかの王宮が営まれたところであって、謂ってみれば大和朝廷の郷里であった。多くの朝臣たちにとっては祖先が生まれ、生活し、その霊がいまも眠っているところであった。せっかくそこへ移って、漸《ようや》く落ち着いた生活を持ち始めたのに、またいかなる理由で都を他国へ遷すのであるか！　遷さねばならぬのであるか！

朝臣たちも、民の男女も、大和の山々に馴《な》れ親しんでいた。大和以外の自然は、どこも肌《はだ》に合わなかった。短くはあったが、難波の都に生活した時のことを思うと、人々はぞっとした。いまになって考えてみると、よくもあんなところに仕んだものだと思われるほど、難波の都は荒れて見え、そこの生活も亦《また》荒れて見えた。

半島の作戦でさんざんひどい目に遇《あ》い、漸くにしていま多少でも生活がらくになったと思うと、また遷都であるか！　朝臣、民の別なく、遷都という言葉は、必ず呪詛《じゅそ》と共に口から出された。どうしてもこれだけは取りやめて貰《もら》わねばならぬという思いがあった。

こうした巷《ちまた》の噂は、額田女王《ぬかたのおおきみ》の耳にもはいった。この頃額田は王宮から離れた都の西北部の山際《やまぎわ》に居を構えていた。敗戦責任者中大兄皇子が筑紫から大和へ遷った時を境として、額田は王宮内の生活を打ち切っていたのである。中大兄皇子の匿《かく》された思いものとして、身を王宮内に置くことは、どう考えても避けなければならぬことであった。中大兄、大海人両皇子の間にいささかも隙《すき》を生ずるようなことがあってはならなかったし、また中大兄の大勢の妃たちの間では己が誇りを失わないで生きることもできなかった。併《しか》し、と言って、額田はそうした自分の考えを押し通していたわけではなかった。中大兄から召されると、どうしてもそれを振り払うことはできなかった。中大兄の秘密の情人としての生活から足を洗うことはできなかった。世間からも、朝臣たちからも、額田はどうしてもその正体のはっきりしないところのある特殊な女性として見られていた。依然として中大兄皇子の妃であると見ている者もあったし、曾《かつ》てはそうであったにしても、現在はそういう関係にはないと見ている者もあった。それからまた額田を曾てそうであった如《ごと》く大海人皇子の思いものと見ている者もあった。額田に対していかなる見方をするにせよ、人それぞれが、己が推測を推測とは思わず、これ許りは自分の見方が正しいと信じて疑わないところがあった。

実際にまた額田は、人にそう思わせるようなものを持っていた。中大兄皇子が王宮を出て、幾つかある離宮のいずれかに赴く時は、大抵皇子の一行の中に額田の姿を見ることが多かった。また大海人皇子の場合でも同じようなことが言えた。一時期額田は大海人皇子と一緒に居るところを人に見られるようなことはなかったが、筑紫を引き揚げて飛鳥に帰ってからは、屢々《しばしば》そうしたことが人の眼についた。そうした二人は、だから特殊な関係にはないとも見られたし、だからやはり特殊な関係にあるとも見られた。要するに正確な言い方をすれば、誰にも、額田と二人の皇子との関係は判らなかったのである。

額田は誰の眼にも明るく、自由に見えた。かりそめにも蔭《かげ》の生活を持っているようには見えなかった。額田は時に悲しそうな表情をすることがあった。そうした時は、胸の中に底知れず深い悲しみの泉を持っているように見えたが、いざ悲しみの表情が消えたとなると、額田の顔は不思議に前より明るく見えた。悲しみは悲しみで大切にし胸の中にしまわれてあり、それとは別に明るさは明るさで、やはり胸の中に大切にしまわれてあって、それが時と場合で、別々に取り出されて来るかのようであった。

併し、そうした額田が、何とも言えず淋《さび》しい顔をしたことがあった。額田の傍《かたわら》には誰も居ず、額田ひとりの時のことである。

「――この大和から都をお遷しになる。この美しい大和から」

初めて遷都の噂を耳に入れた時、額田は誰にも見せたことのない絶え入りそうな淋しさを、この二、三年目立って豊かさを増して来た両の頰《ほお》に走らせたのであった。額田は三十二歳になっていた。頰には悲しさは走らなかったが、淋しさは走った。

その日、額田は侍女を連れて、都大路を歩いた。行き交う男女は尽《ことごと》く、一見して判る貴族の女のために、軽く頭を下げて、道を譲った。都大路はいつもより賑《にぎ》わっていた。やがて近く廃都として打ち棄てられるかも知れぬ都の、最後のときめきであり、賑わいであるように見えた。百済《くだら》滅亡の折、この国に亡命して来た百済の男女が、はるばると東国へ下って行く日に当たり、そうした異族の集団の移動を見物する人たちで、都は賑わっていた。百済人たちはこれまで官の費用で生活を保証されて来ていたが、これからは居を東国に移して、それぞれが生業を以て暮らしを立てて行くということであった。

二

中大兄皇子《なかのおおえのみこ》の称制六年の春を迎えると、巷間《こうかん》に流れる遷都《せんと》の噂《うわさ》は、ずっと具体的なものになった。都を遷《うつ》す先きは近江《おうみ》である。しかも近江遷都の時期は非常に早く、今年中にもこの飛鳥《あすか》の都はからっぽになってしまうだろうというようなことが言われた。こうした噂の根拠となっているものは、夥《おびただ》しい数の労務者が近江に送られ、そこで宮造りが行われていたからである。

宮造りと言っても、これまでにもいろいろな地に離宮の造築の行われたことはあり、半島における敗戦のあとこそ暫《しばら》く絶えていたが、それ以前は離宮造りなど格別珍しいことではなかったのである。それが、こんどの場合は、離宮とは結び付かないで、いきなり遷都と結び付いてしまったのである。

時代は漸《ようや》く落ち着きを取り戻《もど》しているとは言え、まだ敗戦の痛手から完全には立ち直っていず、どう考えても離宮造営の時期ではなかった。離宮を造るくらいなら一つでも多く水城《みずき》を造らねばならぬ時である。そうしたことが飛鳥朝廷の首脳者たちに判《わか》っていない筈《はず》はないだろう。こういう考え方をすると、近江湖畔の宮造りの工事はどうもただ事ではないといった印象を、この噂を耳にする者たちに与えずにはおかなかったのである。

巷《ちまた》では、どこへ行っても遷都の噂であった。寄ると触ると、口々に遷都、遷都と言っていたが、そう言う者の心のどこかには、やはりそんなことがあって堪《たま》るかという気持があった。が、そうした期待を打ち破るように、近江の宮造りに関する噂は、次々に新しくはいって来た。宮造り許《ばか》りでなく、町造りも始められたとか、朝臣たちの宿舎としか思われぬものが、何百となく急造されつつあるとか、噂は雑多であった。これまでいかなる流言に対してもすぐそれを取り締まる布令を出す政府が、こんどは全く放任の形であることも、いつもと異なっていて不気味であった。

こうした遷都の噂で巷々が揺れ動いている最中、大海人皇子《おおあまのみこ》の妃であった大田皇女《おおたのひめみこ》がみまかった。中大兄皇子を父に、大海人皇子を夫に持った皇女で、そうした関係から宮廷内に於《お》いて最も自由に振舞える美貌《びぼう》の女性であったが、大来皇女《おおくのひめみこ》と大津皇子という二人の御子を遺《のこ》して早逝《そうせい》されたのであった。大田皇女の遺骸《いがい》は、斉明《さいめい》天皇の陵《みささぎ》の前の墓に葬られた。この時、都に滞留していた異国の使者たちもすべて葬列に加わった。大田皇女のために墳墓造営のことがなかったのは、そのために生ずる民の負担を慮《おもんぱか》っての中大兄の措置であるというようなことが、これまた噂となって流れた。

寒風の吹き荒《すさ》んでいる都は、何日か美しい貴人の死に依《よ》って悲しみに包まれた。

これに続いて、前々年に亡《な》くなった間人大后《はしひとのおおきさき》は斉明天皇陵に合葬されることになり、その葬儀も亦《また》百官の朝臣参列のもとに行われた。この合葬も大田皇女の場合と同様に見られた。

民のために間人大后や大田皇女の墳墓造営をさえ思い留まっている中大兄皇子が、どうして遷都の大役《たいえき》を起こすであろうか、こういう考え方もできたし、反対に遷都という大事を目睫《もくしょう》に控えているので、少しでも民の心を和《やわら》げるために、このような出方をしたのであるという見方もできた。

もう二、三日で三月を迎えるという時になって、突然、近く都を近江へ遷すということが発表された。長い間、もやもやした噂の形で流れていたものが、突然はっきりした現実の問題になったのである。巷は、それから、二、三日、珍しく静かであった。もう遷都のことは噂ではなかった。目の前に迫っている現実の問題であった。残されていることは、それがいつ行われるかということだけであった。

遷都の発表のあった日、額田女王《ぬかたのおおきみ》は宮中に伺候《しこう》した。遷都に関してこれから何回かにわたって行われねばならぬ神事について、必要な指図を受けるためであった。

額田は冷え込みの烈《はげ》しい館の一隅《いちぐう》で、何刻《とき》かを過した果てに、漸くにして中大兄皇子の前に出ることができた。

「額田も亦忙しくなるな」

中大兄は言った。

「これから毎日のように、宮中に出仕して貰《もら》わねばならぬ。お蔭《かげ》で、これから暫く額田の美しい顔を見ることができる」

「暫くお目にかかりませぬうちに、お口がお上手になられました」

額田は頭を深く下げたままで言った。

「大海人皇子とは会っているか」

「お目にかかっておりませぬ」

「それなら大海人も悦《よろこ》ぶことであろう。大海人は大海人で、毎日のように額田の顔を見ることができる」

額田は、中大兄皇子が心にもないことを口から出しているのを感じていた。自分が取り組んでいる事件が大きければ大きいほど、いつも中大兄皇子は、額田には浮わついているとしか思われぬ態度をとった。いま中大兄皇子には、凡《およ》そいま口に出していることとは異なって、遷都の問題が重苦しくのしかかっているに違いないのであった。

「大海人皇子さまは額田どころではございませぬ。お妃さまがお亡くなりになったお悲しみが――」

言いかけて、額田は口を噤《つぐ》んだ。大田皇女追慕の悲しみは、あるいは夫である大海人皇子より、父である中大兄皇子の方が大きいかも知れぬのである。なぜかそんな気がした。

「今日は、遷都に関しての神事のお指図を受けたいと存じまして」

額田は言った。遷都の時期がはっきりしない限り、それに関する神事も、その予定をたてることはできなかった。まだ発表になっていない遷都の時期について、額田は中大兄の口から大体のことを知りたかったのである。

「だから、明日から、毎日のように出仕して貰わねばならぬと言っている」

こんどは中大兄皇子は固い表情で言った。

「と申しますと――」

「都を遷す日は迫っている」

「夏までに」

「夏までは待てぬだろう。――三月」

「え!?」

と、額田は顔を上げた。もう二、三日で、その三月になろうとしている。

「では、もうひと月ほど先きには」

「ひと月の余裕はない。中頃《なかごろ》の佳《よ》き日を選ぶ」

若《も》しこの事を知ったら、都はどのような混乱を起すだろうと、額田は思った。遷都のことは発表になったが、多くの者はまだ大分先きのことと考えているのである。

すると、

「いつか、額田と、筑紫で鬼火に取り巻かれたことがあったな。もう一度、鬼火に取り巻かれねばならぬかも知れぬ」

「覚悟いたしております」

額田は答えた。あの怪しい鬼火に取り巻かれた何年か前の苦しかった夜の思い出が、いまは一種の陶酔感を伴って思い出されて来る。中大兄皇子が持っている苦しさを、自分も亦、分け持っていた、そういう陶酔であった。

中大兄皇子は、いま、鬼火に取り巻かれるのを覚悟して、都を近江へ遷そうとしているのである。それにはそれだけの理由があるであろう。中大兄皇子にとっては、近江へ都を遷すことは、是が非でも為さなければならぬことに違いない。巷間では遷都の理由について、いろいろ取沙汰《とりざた》されており、大和一帯の豪族たちを政治の場から遠ざけるための遷都であるとも言われているし、外敵の侵寇《しんこう》に備えての措置であるとも言われている。また遷都に依って、人心を一新し、その上で即位のことがあるのではないか、そういうことも言われている。あるいはそのすべてが遷都の理由になっているかも知れない。中大兄皇子のために、鬼火に取り巻かれるのなら、額田はいつでも自分は悦んで鬼火に取り巻かれるであろうと思った。

　翌日から、額田は宮中に出仕して、遷都に関して取り行わなければならぬ幾つかの神事の準備に当たった。三月にはいっても、遷都の時期に関するいかなる発表も行われなかった。巷は不思議に平穏であった。遷都のことが噂として流れている時よりずっと人心は落ち着いているように見えた。泣いても笑っても、都を近江に遷すことは決まってしまったのだ。飛鳥の都は棄てられ、近江の都造りが始まる。民はまたそのために何年か苦しい生活を強《し》いられねばならぬ。それも致し方ない。半島の出兵の時より、まだ男が兵として取り上げられないだけでもいいとしなければならぬかも知れぬ。いずれにしても、それまでにまだ多少の時日の余裕はあるだろう。――人々のこういった気持が、都の表情をひっそりとした静かなものにしていたのである。

　三月にはいって数日経《た》った時、遷都の日の発表があった。政府機関が新都へ引き移って行く日は、十日ほどの先きであった。この十日ほどの先きに迫った慌《あわただ》しい遷都は、誰の心をも仰天させた。殆《ほとん》ど信じられぬことが発表になったのである。

　この発表のあった日から、都は混乱した。都や都附近に居を構えている民たちが蜂《はち》の巣をつついたように右往左往し出したのは勿論《もちろん》であるが、それよりも、この発表と同時に、政府機関の一部が新都へ移って行き、それに伴う人々の移動が開始され始めたからである。大和から近江へ向かう街道は忽《たちま》ちにして兵団で埋められた。

鬼火は、その夜から燃え出した。筑紫の鬼火とは違っていた。都の何カ所からか出火した。いずれも大事にならず消しとめられたが、一つが消されると、他から出火するというように、人為的な鬼火はあちこちでちろちろ燃えた。明らかに失火ではなかった。遷都を呪《のろ》っている者の所為であった。

鬼火はその夜限りではなかった。翌日の昼間も燃え、夜も燃えた。翌々日も同じことであった。放火者があるに違いなかったが、いっこうに放火者は捉《とら》えられず、そんなことから、それが本当の鬼火の所為であるというような流言も流れた。鬼火はふいに宙間に怪しい姿を現し、消えたり、灯《とも》ったりしながら当所《あてど》なく漂い流れ、それが民家の屋根に落ちると、そこから火を噴き出すというのである。

発表になった遷都の日を三日ほど先きに控えた日、額田は侍女と護衛の者を連れて都大路を歩いた。この頃はもう鬼火は飛ばなくなっていた。代わって、鬼火どころではない騒ぎが都中をひっくり返していた。商人たちは廃墟《はいきょ》になる都に留まっていても始まらなかった。住む家があろうとなかろうと、新しい都へ移って行かなければならなかった。

額田は住み慣れた美しい大和と別れなければならぬ民の悲しみが、そっくり自分のものとして感じられた。額田も亦、この美しい都から離れて行くことは悲しかった。

やがて別れて行かなければならぬ大和のなだらかな丘々を、そこを埋めている小松の林を、空を、雲を、水を、額田は堪え難いほどの悲しみの思いで眺《なが》めた。この日は、額田にとっても、大和の自然との、飛鳥の都との別れの日であった。大和三山とも飛鳥川とも別れなければならなかった。

併し、額田は都大路を右往左往している人たちの決して持たない思いをも、また持っていた。中大兄皇子が堪えなければならぬように、額田も亦堪えていたのである。民の悲しみに、呪いに、耐えていたのである。中大兄がひとりで背負わねばならぬものを、額田はその何分の一かでも、自分で背負っている気持であった。——このようにしても、なお都は近江へ遷《うつ》さねばならぬのである。それが新政の責任者としての、敗戦の責任者としての中大兄の為《な》さなければならぬことであるに違いないのである。

額田は都大路を歩いていた。日が暮れても、まだ館に引き返そうとはしなかった。中大兄皇子に代わって、神の声を聞き、大和と別れる歌を詠《うた》わなければならなかったからである。

近江に都を遷す日は来た。三月の十九日である。その前夜からその翌暁《よくぎょう》にかけて、重だった朝臣という朝臣、武臣という武臣は尽《ことごと》く王宮内に詰めかけていた。いざ都を引き揚げて行くとなると、為さなければならぬ仕事がたくさんあった。遷都《せんと》のことが一年も二年も前から決まっていれば、これに対する準備のしようもあったが、遷都の期日の発表があってからまだ何日も経っていないのである。準備という点から言えば、もともと無理な遷都であった。無理なことは承知の上での遷都の強行であったのである。打ち棄《す》てて行く都の最後の夜を朝臣、武臣とも、誰も眠らなかった。仮睡すらとっている暇はなかったのである。

やがて十九日の夜が白んで来た。朝の空気もゆるくぬるんでいる春の曙《あけぼの》であった。曙の光が微《かす》かに漂い始めた頃はうっすらと霧が流れていたが、夜が白んで行くにつれ、薄紙をはがして行くように霧は霽《は》れた。併《しか》し、雲が一面に空を覆《おお》っている。

王宮の広場には都と別れて行くための宴席が作られてあった。正面には神の祭壇が設けられてあり、何人かの神事を司《つかさど》る役人たちが何回も何回も宴席に立ち現れては、またどことなく去って行った。

祭壇は二つあった。一つは天照大神《あまてらすおおみかみ》、倭大国魂《やまとのおおくにたま》の二神を祀《まつ》った祭壇であり、もう一つは三輪山《みわやま》の神を祀る祭壇であった。三輪山は都が飛鳥にある間、飛鳥の人たちの山でもあった。都大路からは眺められなかったが、小高い丘に登るか、郊外に出ると、一種独特の美しさを持ったその山を望むことができた。その美しさにはどこかに犯し難いものがあり、人々は心のどこかで美しい三輪の山の神を怖《おそ》れていた。この都を、この都に住む人々を守り給う神であった。三輪山の神を崇《あが》め、怖れたのは民たち許《ばか》りではなかった。為政者も朝臣たちも同じであった。国が安泰であるためには、三輪山の神の心を鎮《しず》めておかなければならなかったのである。

この日朝廷では、天照大神、倭大国魂に遷都のことを奉告し、新しい都に遷る国の安泰を祈念すると共に、三輪山の神には飛鳥の都から離れて行くことについての許しを得、新しい都における国の繁栄を祈念する儀式を併せ執り行おうとしていた。この神事を行わなければ、この日、飛鳥を発《た》って行くことはできなかった。

やがて式場には多くの朝臣、武臣たちが集まって来て、それぞれ所定の場所に着いた。誰も彼も眠り足りない筈《はず》であったが、新しい都に遷って行く日の緊張がそこに居並ぶすべての者の顔を別のものにしていた。

神に捧《ささ》げる楽の音《ね》が流れ出す頃、時折薄陽《うすび》は照ったが、すぐまた翳《かげ》り、人々はこの日が曇った薄ら寒い日であることを知らねばならなかった。都を取り巻く山々こそ曇天の下にその姿を見せているが、その奈良の山々に重なっている三輪の山は、すっぽりと雲の中に姿を匿《かく》している筈であった。

中大兄《なかのおおえ》、大海人《おおあま》の両皇子、それに続いて鎌足《かまたり》を初めとする朝臣の重だった者たちが姿を現した。楽の音は一段と高くなった。神事は恐ろしいほど長い時間にわたって行われた。そこに居並んでいる者は何回も立ち上がっては、その度に深く頭を下げ、時にはいつまでもその頭を上げることはできなかった。

神事が一応終わると、土器の盃《さかずき》が配られて、神酒が注がれた。この頃から列席の者たちの心に、しみじみとした思いが流れ始めた。もう何刻《とき》も経たずして、この都を離れて行かなければならないのである。翁《おきな》とでも言いたい老いた朝臣の一人は、都を棄てる悲しさをはっきりとその面に現していた。翁は絶えず口の中でぼそぼそ呟《つぶや》いていた。周囲の誰にも、この老人が都を離れることを死ぬほど辛《つら》がっていることが判《わか》った。

その時、再び楽の音が流れ出した。その楽の音が終わると、それを待っていたかのように、澄んだ高い声が代わった。誰も、その方へ顔を向けなくても、その声を発している主が誰であるか知っていた。額田女王《ぬかたのおおきみ》であった。

味酒《うまさけ》　三輪《みわ》の山
あをによし　奈良の山の
山の際《ま》に　い隠るまで
道の隈《くま》　い積るまでに

つばらにも　見つつ行かむを
しばしばも　見放《みさ》けむ山を
情《こころ》なく　雲の　隠《かく》さふべしや

歌は二回繰り返して詠《うた》われた。

ああ、美しく尊い三輪の山よ、毎日のようにこの都で仰ぎ親しんで来た神います、三輪の山よ。その三輪の山が、美しい奈良の都を取り囲んでいた山々のあたりに隠れてしまうまで、これから新都へ向かう途中の道の曲がり曲がりで、何回でも、よく見て行きましょう。遠くに眺《なが》めて行きましょう。これほどまでに別れを惜しんでいる三輪の山を、どうして雲が隠すようなことがありましょう。

老朝臣は手を眼に当てたまま、そこから離さなかった。額田の歌の心が老朝臣にはまるで自分のいまの思いのように聞き取れたのである。自分も亦《また》、そのようにして、この都を離れ、新都へ向かうであろうと思った。

併し、額田の歌の心を、己が心として受け取ったのは、この老朝臣許《ばか》りではなかった。一座はしんとした不思議な静まり方をした。

すると、再び、額田の声が響いて来た。

三輪山を
しかも隠すか
雲だにも
情《こころ》あらなも
隠さふべしや

雲よ、なぜ三輪山をそのように隠すのであるか。せめて雲だけにも、思いやりのこころは持って貰《もら》いたい。どうしてそのように隠すのであるか。

こんどの額田の歌声は前より烈《はげ》しい調子で聞こえた。都と別れる悲しい心、三輪山と別れる悲しい心は、急にその都を覆っている雲に対して、三輪山の姿を隠している雲に対して、まるでその雲を霽《は》らさずにはおかぬといった烈しい調子に変わっていた。

人々ははっとした。そしてそうした烈しさが、いつか自分の気持の中にはいり込んでいるのを感じた。確かに三輪山は雲に隠されているに違いなかった。

——併し、やがて、必ず雲は霽れるに違いない。

人々はみな一様にそのような思いを持った。大和と別れて、新都へ向かう日は、一点の雲もなく晴れ渡った春の日であって貰いたかった。誰も同じ気持であった。

大和朝廷の首脳者たちが、長い隊列を作って、住み慣れた飛鳥の都を立ち出でたのは、神事が終わって暫《しばら》くしてからであった。都大路には全く人影はなかった。この日のこの時刻、民は自由に出歩くことを停《と》められてあったので、そのために人の姿はなかったのであるが、いかにもそれは既に都が打ち棄てられてしまっているかのように見えた。

隊列が都を突切って行く頃から、陽《ひ》が当たり始めた。いつか一点の雲もなく、空は晴れ渡っていた。額田が念じたように雲も亦、情を持ったのに違いなかった。

隊列は春の陽の照っている静かな飛鳥の都をたち出でて行った。隊列に加わっている朝臣や武臣たちの心も明るくなった。都を棄てて行く悲しさは薄らぎ、湖畔の新しい都へ向かう明るい気持がそれに代わった。

隊列は奈良坂で進行を停めた。ここで人々は大和の都と三輪山に本当の別れをした。もはや三輪山のあたりには雲はなかった。

額田は、隊列の後尾に配された輿《こし》に揺られていた。昂奮《こうふん》はまだ額田の面を上気させていた。大和の都を離れて行く心の昂《たかぶ》りではなかった。中大兄の心で詠い、民の心で詠い、自分の心で詠ったと思った。そしてそれは一応自分の満足できる形で詠えたという気持であった。

額田女王にとっては、この日は自分が生い育った大和の国から別れる日でもあったと共に、新しい生活への出発の日でもあった。額田は飛鳥の都と別れる日を境として、中大兄皇子との愛情の生活にも終止符を打とうとしていたのである。中大兄との関係を断とうと思ったことは、これまでにも一回あった。半島の敗戦に依《よ》って、中大兄が筑紫《つくし》から飛鳥へ引き揚げた時である。併し、結局額田はそれを押し切ることはできなかった。館を王宮内から都の端《はず》れに移しただけのことで、中大兄皇子から手を差し伸べられると、それを払いのけることはできなかった。

額田は世人が自分と中大兄との関係をどのように見ているか知らなかった。また知ろうともしなかった。自分が依然として中大兄皇子と特殊な関係にあると見ている者もあるであろうし、その反対の見方をしている者もあるであろうと思った。どう見られようと、額田には構わないことであった。その点、額田はそうした世間の眼からは自由になっていた。

併し、額田はこんどこそ中大兄との関係をはっきりしたものにしようと考えていた。額田がこうした気持になったのは、新しい近江の都に移ると、中大兄皇子の身の上には必ずや大きな変化が起こるだろうと思ったからである。皇太子として天下の政《まつりごと》を摂《と》ってからいつか六年の歳月が流れている。額田女王に限らず誰にも、中大兄皇子の即位する時が迫っていることが感じられた。そうなった場合、額田は中大兄皇子との関係を今までのような形で続けて行くことはできなかった。これまでは何と言っても皇子としての自由さがあり、その自由さが額田との関係を今日まで持ちこたえて来たのである。

それからもう一つの問題は、中大兄と大海人の両皇子の間にたとえ紙ほどの隙《すき》もあってはならないということであった。これも亦《また》額田だけでなく、誰もが同じように考えることであった。新しい都に移ることに依って、大化の新政は漸《ようや》く本道に乗るであろうし、またそのために政は解決に苦しむ問題をたくさん抱えなければならなかった。民の生活は苦しくなるであろうし、そのために鬼火はこれまで以上にたくさん燃えるかもしれないのである。

併し、こんどの額田の決意は、一方でまた、自分を守るためでもあった。中大兄皇子が即位した場合、若《も》し中大兄との今までの関係を続けるとすると、宮中にもはいらねばならなかったし、妃としての椅子《いす》も持たねばならなかった。大勢の妃たちの中の一人になることは、どうしても額田にはできないことであった。

額田は飛鳥から近江への道を、輿で運ばれて行った。春はまさに酣《たけなわ》であった。うらうらと春の陽は照り、野にも、農家の庭先きにも春の花が見られた。輿に吹きつけて来る風も春の風であった。

隊列がある聚落《しゅうらく》で停まった時、額田は輿から降りた。大海人皇子が馬を近付けて来た。

「こんど新しい都で、額田はどこに館を持つか」

大海人皇子は訊《き》いた。

「まだ決まっておりませぬ」

額田は答えた。

「王宮の中に館を持つことになるのではないか」

大海人のこうした問いかけの中に、兄の皇子と額田との関係を索《さぐ》ろうとしているところのあるのは明らかであった。それに対して、額田は返事をしなかった。いつものように曖昧《あいまい》に笑った。額田は大海人皇子にだけは、いかなる関係であれ、中大兄との関係をはっきりさせてはならぬと考えていた。これまでもそうであったし、これからあともそうであった。若し中大兄との関係が本当に断たれていると知ったら、断たれたら断たれたで、この弟皇子が自分に対していかなる態度をとって来るか判らなかったからである。

こうした点に於《お》いては、曾《かつ》て皇女までもうけた間柄《あいだがら》ではあったし、大海人皇子ほど、額田にとって取り扱いの難しい相手はなかった。

近江《おうみ》の新都は、そこに移って行ったすべての人々に寒々とした田舎の聚落に見えた。都が半造りであることは仕方ないとしても、背後だけに山を背負い、前方に湖を配した地形は、ひどくあけ放しの落ち着かない感じであった。背後の比叡《ひえい》の山にしろ、飛鳥《あすか》の都を包んでいた大和の山々の優美さはなく、徒《いたず》らに荒々しく感じられた。それから新都をその一部として湖畔に拡がっている平野には、樹木が少なかった。一面、蘆《あし》や雑草に覆《おお》われており、しかもその草叢《くさむら》の中には、あちこちに沼や沢が匿《かく》されてあった。

――これでは野狐《やこ》の棲家《すみか》ではないか。

そんなことが大勢の人たちに囁《ささや》かれた。美しい筈《はず》の湖も亦、多くの人には美しくは見えなかった。琵琶湖《びわこ》が美しいというのは、その湖畔を旅する旅人たちの言うことであって、いざその湖畔に住みつくということになってみると、誰にもいやに水のぶさぶさしている不気味な拡がりにしか感じられなかった。

三月から四月へかけて、近江に移って来る人たちで、新都は混乱し続けたが、その最中に暴風雨があった。静かだった湖はまるで違った様相を呈し、ぶつかり合う波しぶきが大きな水の柱となって天に上がった。そんな水柱が何本も立った。水辺の生活に慣れぬ人々は例外なく、これはとんでもないところへ引き移って来てしまったという思いに襲われた。

――ここは貧しい漁師たちが、生計をたてるために已《や》むを得ず家を構えるところではないか。

そんなことも言われた。

――大和から難波《なにわ》に移り、難波からまた大和へ還《かえ》り、それから筑紫の行宮《かりみや》時代が始まる。やっとのことで筑紫から大和へ引き揚げたと思ったら、こんどはとうとうこんな辺鄙《へんぴ》なところへ来てしまった。

朝臣や武臣は、さすがに口には出さなかったが、誰も彼もそうした思いを持った。大化の新政になって以来、次々に都は変わり、変わる度に民の生活は苦しくなっている。都造りで苦しみ、半島出兵で苦しみ、これからまた何年か、改めてまた、都造りで苦しまなければならぬのである。

併し、そうした中にあって、額田だけは、近江の新都を美しいと思った。近江の新都へ足を踏み入れた額田の最初の印象は、中大兄が新都としてここを選んだのはよかったということであった。都は半造りでまだ都の形はなしていなかったが、何の飾りもない湖畔の平野に散る陽の光も新しかったし、風の音も新しかった。また前面に湖を控えている開放的な都の感じも新しかった。すべてが、額田にはこれまでの大和の都にはなかった新しいものに感じられた。大和の都許《ばか》りでなく、難波の都にもなかったものであった。そういう点から見れば、中大兄皇子が長い間夢みて来、どうしても実現できなかった新しい政を布《し》く舞台としては、この近江ほどぴったりしたところはないに違いないと思われた。

額田は己《おの》が館《やかた》を都の一隅《いちぐう》に持った。ここも大和と同じように山裾《やますそ》であり、さして高い場所ではなかったが、大和のそれと違うところは、遠くに湖面の一部を望めることであった。

近江の都に移ってから、額田は出歩くことが多くなった。宮中に出仕しない日は、大抵供を一人か二人連れて、終日《ひねもす》近江の山野を歩き廻った。大和の都の場合とは違って、どこを歩いても、さして人眼にはつかなかった。湖畔を埋めている蘆の中に分け入ったり、湖畔に造られている細い道を、それが尽きるまで歩いて行ってみたりした。都は毎日のように労務者の群れで混雑を極めていたが、額田の毎日はそうしたことにはいささかも煩《わずら》わされなかった。

六月に、近江の都と程遠からぬ葛野郡《かどののこおり》から白い燕《つばめ》が献じられて来た。昔から白い燕は白い雀《すずめ》と同様に瑞兆《ずいちょう》とされていたので、それが献じられて来たことは、献じられて来ないよりいいことに違いなかった。小さい白い鳥は大きな籠《かご》に入れられて、新しく造られた宮殿の庭に置かれた。何日か毎日のように、これを見る人たちで賑《にぎ》わった。

翌七月に、耽羅《たんら》から朝貢使がやって来た。新しい都で迎える最初の異国からの使者であった。使者は、これまでのいかなる使者より手厚く遇され、その代わり毎日のように兵団の閲兵に立ち合わされた。都は半造りでまだ形を成していなかったので、新都の首脳者たちは兵力がいかに充実しているかを見せる以外仕方がなかったのである。

慌《あわただ》しく夏を迎え、夏を送り、秋を迎えた。夏から秋へかけては、昼夜兼行で都造りが行われた。秋も終わり頃になると、大和の都とは比較にはならなかったが、兎《と》も角《かく》、湖畔の一角に王城らしい幾つかの館ができ上がり、それを取り巻くようにして幾条かの街並みが見られた。大和の都と同じような街造りであった。そしてその王城地区の外側にあたる地域には、いつの間にか商舗が立ち並び、そこに集まる民たちの数は日々多くなりつつあった。巷《ちまた》には大和とは違って、湖畔で獲《と》れる魚介をひさぐ店が目立って多かった。

この頃、筑紫から使者が派せられて来て、百済《くだら》を占領している唐将の劉仁願《りゆうじんげん》から、何年か前に遣唐副使として唐国に赴いた境部連石積《さかいべのむらじいわつみ》等が送り還されて来たということを報じた。再び故国へ戻《もど》っては来ないと思っていた石積らが無事に帰国したという報《しら》せは、白燕、耽羅からの朝貢使に続くこの年第三の明るい事件であった。大唐国がこの国に対して事を構えることを望んでいないということを示す事件であった。

このことは巷に噂《うわさ》として流れた。

——これで唐の軍隊が押し寄せることはなくなったそうだ。

こういうことが、いろいろな言い方で言われた。民たちにとっては、何となく自分たちの上に覆いかぶさっていた暗鬱《あんうつ》なものの一番大きいものが取り除かれたといった思いの明るい事件であった。鬱陶しいものは一つでもなくなれば、なくなったに越したことはなかった。都造りも、これまでのところでは斉明《さいめい》女帝の時とは違って、そう大規模なものではないし、長く続いた暗い時代にも漸くにして暁の光が射し出した、そんな思いを誰もが持ったのであった。

併《しか》し、民たちは間もなく自分たちが悦《よろこ》ぶにはまだ早過ぎることを知らなければならなかった。と言うのは、この明るい噂の最中、大和の高安山《たかやすのやま》の築城のことが発表になり、そのための徴用が行われたからである。そしてそれを追いかけるように、讃岐国《さぬきのくに》の屋嶋《やしま》築城と対馬国《つしまのくに》の金田《かなた》築城が発表になり、それに関しての大々的な徴用が近く近畿《きんき》一帯の民たちに対して行われるだろうということが噂された。いずれも異国の襲来に備えての築城であり、この工事のためには都造りより何層倍か多くの労力を要するということであった。

この築城騒ぎで、巷に漂っていた明るいものはいっぺんに吹きとんでしまい、暗いものが再びそれに代わった。丁度本格的な冬の季節に向かう頃で、大和では風が吹く日は少なかったが、ここでは湖面からも、山からも寒風が吹き下ろして来た。毎日のように寒い風が街を洗った。

この頃になって、また鬼火が燃え出した。新しく造られた王宮の一棟《ひとむね》が、原因の判らぬ火を出した。この場合は幸いすぐ消しとめられたが、それから何日かにわたって、毎夜のように、巷には火事があった。朝臣の家が燃えたり、武臣の家が焼けたりした。

こうした最中、朝廷では先に来た耽羅の朝貢使に夥《おびただ》しい量の土産物を下賜《かし》した。錦《にしき》十四匹、纈《ゆはた》十九匹、緋《あけ》二十四匹、紺布《はなだのぬの》二十四端、桃染布《つきそめのぬの》五十八端、斧《おの》二十六、釤《なた》六十四、刀子《かたな》六十二枚といったものであった。これでもか、これでもかといったほどの贈り物であった。この贈り物の採択に当たったのは鎌足《かまたり》であった。それが多過ぎるのではないかという声も朝臣の一部では起こったが、鎌足は少な過ぎても、多過ぎることはないと言い張った。

「耽羅は国を挙げてわが朝廷を頼っている。いまこの国に臣属しているただ一つの国ではないか」

鎌足は言った。その通りには違いなかったが、それにしても、新たに鬼火が燃え始めている時でもあり、巷間《こうかん》に伝わって誤解を招《よ》んではという心配もあった。幸いこのことは巷の噂とはならなかったが、朝臣たちの間ではいろいろと批判的な言葉が交わされた。

額田の耳にもそうしたことが伝わって来たが、額田はこの問題には全く異なった見方をした。これまで中大兄皇子の即位の時期はいつであろうかと見当が付かないままでいたが、この耽羅への贈り物の話を耳にした時、額田は何となくその時期が目前に迫っているに違いないと思ったのである。恐らく耽羅の使者が帰国した時は、中大兄皇子はすでに名実共に新政の最高責任者の位置についているのではないか。

額田は自分の心にふいにやって来たこの思いを暫《しばら》くそのまま抱きしめていた。

――中大兄皇子は御位におつきになる
――中大兄皇子は御位におつきになる
額田は異様な感動に身を揺すぶられていた。それは額田も中大兄皇子のために待ち望んでいたことであった。中大兄にとって随分長い苦難に満ちた時代は続いて来たのである。そして、更になおその時代は続くにしても、いま漸くにして、暁の光が見え出し、中大兄皇子の時代は来ようとしているのである。

額田の眼から涙がはふり落ちた。額田は涙を頬《ほお》に伝わるに任せていた。

額田が中大兄の召しを受けたのは、それから二、三日してからであった。額田はこの新都に移って来てから、中大兄と二人だけの時間を持ったことはなかった。それは額田がこの近江の都に移って来る日に己れに課したことであり、いかなることがあろうと破ってはならないことであった。額田は自分の健康が勝れないことを理由にして、何回かの中大兄皇子の召しを断って来たが、こんどは初めてその召しに応じて自分から王宮に出向いて行ったのであった。

暮色の迫る湖面が遠くに見える王宮内のひと間であった。額田が中大兄皇子と向かい合ったのは、飛鳥の都において以来のことであった。

「珍しく、今日は素直にやって来たな」

中大兄皇子は言った。

「今日は申し上げたいことがございまして」

額田が言いかけると、

「判《わか》っている。額田の言おうとすることぐらい、聞かなくても判っている」

「お判りになっていらっしゃるとは思えませぬ」

すると、中大兄皇子は大きく笑って、

「尼になって、ひとりで自由に暮らしたいのであろう。そうするがよかろう。そういう額田の邪魔をする気はいささかも持っていない」

「時々、お召しのお声がかかって参ります」

「いくら召しても、いっこうに召しには応じて来ないではないか」

「これまでは、それで通って参りました。もう、そうしたことが通らなくなることでございましょう。皇子さまは現世《うつしよ》の神におなり遊ばす」

額田が言いかけると、中大兄皇子は瞬間、眼を光らせたが、

「いつまでもいまのままでいるわけには行かぬ」

「そうでございましょう。しかも、それは極く近い時の御事かと――」

「いかにも」

「現世の神におなり遊ばしたら、額田はもう御命令にそむくことはできなくなります。」

額田は、皇子さまが神におなり遊ばす前に、もう再びお召しにあずかることのない立

場に置いて戴《いただ》きたいのでございます」

それから顔を上げて、

「こうした額田の気持がお判りでございましょうか」

「判っている」

「お判りになっていらっしゃるなら、何も申し上げませぬ。額田は皇子さまの輝かしいお仕事を、輝かしい時代を、民の心で称《たた》える歌を詠《うた》いとうございます。それ以外に額田の望みはございませぬ。そのために額田はこの世に生を享《う》けて来たのでございます。お召しを受けるような立場におりまして、どうしてそのようなことを望めましょう」

「判っている」

「御都合がお悪くなると、いつも判っている、と仰《おお》せになります」

額田はこの時、ふいに落涙した。中大兄皇子の前でこれまでに落涙するようなことは一度もなかったが、ふいに涙がはふり落ちて来たのであった。

「何を泣いている」

「額田の中の女人が泣いているのでございましょう」

額田は涙に濡《ぬ》れた顔を中大兄の方に向けたままで、

「もう、これからはこのような額田をお見せすることはないと存じます。一度だけ、お見せいたしました」

額田は言った。いかなる理由で中大兄の寵愛《ちょうあい》から身を引こうとしているかについては、額田はひと言も説明らしい言葉は口から出さなかった。中大兄皇子にはすべてが判っているに違いなかったからである。中大兄皇子が即位した場合、皇太子の席に坐る人物は大海人皇子をおいてはなかった。その中大兄、大海人両皇子の関係を考えただけでも、額田が中大兄の寵愛から身を引こうとするのは当然なことであった。また中大兄が即位した場合、何人かの妃たちも、それぞれいままでとは異なった座に坐らなければならなかった。これは額田の場合でも同じことであった。これまでは、神の声を聞く女として、曲がりなりにも自分を傷つけないで押し通すことができたが、これからはそういうわけには行かなかった。

近江《おうみ》の海

一

斉明《さいめい》天皇崩後、七年間皇太子の身分で天下の政《まつりごと》を摂《と》って来た中大兄皇子《なかのおおえのみこ》は、七年正月三日即位の儀を行った。天智天皇である。七日群臣は王宮に集まり、酒食を賜わった。湖の水際《みぎわ》には毎日のように氷が張り詰めている寒気の厳しい時季であったが、その日は風もなく気持よく晴れ渡っていて、王宮の宴席からは、琵琶湖《びわこ》の静かな湖面に明るい陽《ひ》の散るのが見られた。湖を取りまく山々は雪をかぶって、きびしい白さで塗られているが、心なしか、山々も亦《また》、表情を改めていた。

朝臣たちはこの日初めて、近江が美しい国であることを知った。飛鳥《あすか》の都でも、難《な》波《わ》の都でも、このように美しい自然には恵まれていなかったと思った。王宮の持っている眺望《ちょうぼう》は単に美しい許《ばか》りでなく、限りなく大きく広かった。宴席は昼から夜に及んだ。

この日、巷《ちまた》でも亦、民たちは新しい時代が来たことを祝った。中大兄皇子の長い称制の時代は終わって、天智天皇の時代は来たのである。こう思うだけでも、民たちの心は新しい期待で脹《ふく》らんだ。これまで巷で歌われる歌と言えば、時代を呪《のろ》い、為政者を諷《ふう》する歌許りであったが、この日から異なった歌詞が人々の口にのぼった。誰が作るのか、誰がそれをひろめるのかは判《わか》らなかったが、こうしたことの敏感さには驚くべきものがあった。さあ、これから年々歳々年貢《ねんぐ》は少なくなり、徴用のこともなくなって行く。長い間かけ声許りで、いっこうに新政の恩沢といったものは蒙《こうむ》らなかったが、これからは違うだろう。そうした明るい見透《みとお》しがあればこそ、称制の時代は終わったのである。誰も彼もこう考えた。民許りでなく、朝臣も武臣も同じ考えであった。

二月に古人大兄皇子《ふるひとのおおえのみこ》の女《むすめ》倭 姫王《やまとのひめおおきみ》が皇后《きさき》に立ち、蘇我石川麻呂《そがのいしかわのまろ》の女である姪 娘《めいのいらつめ》、阿倍倉梯麻呂《あべのくらはしまろ》の女 橘 娘《たちばなのいらつめ》、蘇我赤兄《そがのあかえ》の女常陸 娘《ひたちのいらつめ》、栗隈首徳万《くるくまのおびととこまろ》の女黒媛 娘《くろひめのいらつめ》、この四人が嬪《ひん》となった。後宮の妃たちも、それぞれ坐るべき椅子《いす》に坐ったのである。

そして五人の妃たちの噂《うわさ》が一応終わりになると、人々は必ず額田女王《ぬかたのおおきみ》の名を口に出した。五人の妃たちの中にも、その他の妃たちの中にも、額田女王がはいっていないことが、当然なことのようにも思え、不自然なことのようにも思えた。

併《しか》し、こんどのことではっきりしたことは、額田が後宮の女性たちの一人でないということであった。ふいに人々の眼には額田女王という女性がこれまでとは全く異なったものに見えた。生き生きとした自由な美貌《びぼう》の女性に見えた。これまでは何と言っても、二人の皇子のいずれかと関係を持っている特殊な女性であった。それがこんどのことで、大海人皇子《おおあまのみこ》ひとりにしぼって考えることができるわけであったが、大海人皇子との関係の方は、人々にとってはいまは最早《もはや》さして関心あるものではなかった。それに、近江へ移ってから、人々は大海人皇子が額田の館を訪れたという噂も聞かなかったし、二人が一緒に居るのを見たと言う人もなかった。額田はいつも女たちだけに取り巻かれていた。

額田女王は人々の眼にそう映るほど、確かに生き生きとしており、何となく新鮮で自由なものを身に着けていた。額田自身、立居振舞いひとつにも張りがあり、朝を迎え、夕を送る毎日の同じような生活にも、充実したもののあるのが感じられた。どうしてこのようになったか判らなかったが、漸《よう》くにして廻《めぐ》り来た天智天皇の時代を、額田は誰よりも新しいものに感じていた。天智天皇は即位すると同時に、額田の手の届かぬ遠い存在になった。これまでのようにお召しの使者を迎えることもなかったし、そうしたことを考えることもできなくなった。

額田は神事が執り行われる度に宮中に出仕しては、身を浄《きよ》め、神に仕えた。天智天皇の御代がより輝かしく、より美しいものになるように神に祈った。民の心からひと欠片《かけら》の不平も取り去られ、万民こぞってこの御代を謳歌《おうか》する、そのような時代が来るために神を祀《まつ》り、神に祈った。

額田はめったに天智天皇の前に姿を出すことはなかった。たまにそのような時があっても、遥《はる》か遠くに天智天皇の姿を垣間《かいま》みるだけのことであった。そこに居るのは逞《たくま》しい腕を持ち、曾《かつ》て特別な関係を持った相手とは思えぬ遠さであった。それで自分の体を抱き取った皇子ではなかった。今や近寄るべからざる崇高な神であった。

併し、額田はそのような立場に身を置くようになってから、却《かえ》って、ある意味では相手を自分の身内に感ずるようになっていた。額田は神事に仕えている間中、中大兄皇子と一緒だった。中大兄皇子の心で神に仕え、中大兄の心で神に祈った。

神事に仕えている時、不思議な陶酔が額田を襲うことがあった。それは額田にとって初めてのことではなかった。何年か前筑紫《つくし》で額田は中大兄皇子と一緒に鬼火に取り巻かれ、その鬼火の中に倒れたことがあったが、その時と同じ陶酔であった。ただ鬼火の場合と異なるところは、筑紫の場合は中大兄皇子の一番苦しい時であり、額田は皇子と一緒にその苦しさに耐えたのであったが、いまは違っていた。どこにもそのような皇子が耐えねばならぬ苦しさはなくなっていた。

神事に仕えている時許りではなかった。額田は新しい時代になってから、前よりずっと自由に巷をも、郊外をも出歩くようになっていたが、どこへ行っても、額田は中大兄と一緒に居た。民の男女の顔が明るければ中大兄のために悦《よろこ》び、民の男女の顔が暗ければ中大兄のために悲しんだ。中大兄が悦ぶであろうように悦び、悲しむであろうように悲しんだ。

額田は、従って、孤独を感ずるようなことはなかった。いつも称制時代の中大兄皇子と一緒だった。称制時代には決してなかったようなぴったりとした身や心の併せ方で、額田は中大兄と一緒になっていたのである。

三月になると、日一日、湖の水はぬるんだ。冬の寒さは大和より厳しかったが、その代わり冬の期間は短かった。春が近くなったと思うと、寒さは急速に衰えて行った。

そうしたある日、額田は大海人皇子を己《おの》が館《やかた》に迎えた。近江へ移ってから、初めてのことであった。大海人皇子を迎えて、額田の館は大騒ぎになった。侍女たちは庭先きに皇子の坐る席を作った。

「梅が咲いてるな」

大海人皇子が言ったように、庭先きには白い花をつけた梅樹があった。

「この梅は館を作る時に移し植えたものか」

「さようでございます」

額田は答えて、

「今年は花をつけないと思っておりましたが、このようにみごとな花を咲かせてくれました」

「飛鳥の館にも梅があったな」

「はい」

「額田は梅の花が好きだな」

「はい」

そう言ってから、

「梅は好きでございますが、一本、二本の梅が好きでございます」

そう註《ちゅう》をつけた。ふいにこの時額田は、このように註をつけておかないと不安なもののあるのを感じた。すると、果たして、

「梅林の梅は嫌《きら》いか」

そう言って、大海人皇子は大きく笑った。

「嫌いでも致し方ない。あったことは消えない」

「はい」

大海人皇子はそんな皮肉な言い方をした。

額田は大海人皇子と相対して席をとっていたが、二人の間には必要以上の距離が置かれてあった。額田は大海人皇子を何となく警戒している気持だった。これまで大海人皇子に対して、このような気持を持ったことはなかった。いつも相手がどのようなことを言おうと、額田らしい応対でそれを取り捌《さば》くことができたが、いまはそれができなかった。警戒する気持の方が先きに立った。

「これから、時折、梅の花を見に立ち寄らせて貰《もら》おう」

大海人は言った。

「梅の花も、もう先きの生命は短いと存じます」

「短い生命なら、それがなくならぬ間に、せっせと通わせて貰おう」

「今晩にも風が吹きますと、――」

「全部散ってしまうか」

「はい」

「その白く美しい手が、よもや梅の花を散らすようなことはすまい」

額田は思わず膝《ひざ》の上に置いた自分の手を引いた。

「久しぶりで会ったら、見違えるほど健康になり、――」

「――」

「美しくもなった」

「わたくしがでございますか」

「あいにく、他には誰も居ない、誰も居ないところをみると、大海人は額田のことを言っているのであろう」

「久しぶりでお目にかかりましたら、――」

顔を上げると、大海人皇子の眼があった。

「見違えるほど大胆におなりになり――」

「それから――」

「女人をお褒《ほ》めになることが上手におなりになりました」

「褒めてはいない。本当にそう思ったから口に出して言ってみたまでのことだ」

大海人皇子は席を立つと、庭を歩き出した。そして、

「額田は美しくなり、臆病《おくびょう》になった」

「――」

「なぜ臆病になったのか」

「わたくしにも判りませぬ」

「大海人にはよく判っている。誰にもやらぬ筈《はず》の心を奪《と》られたからだ。額田はよく言っていた。心だけは誰にもやらぬと言っていた。それを信じたのが手落ちだった」

額田は黙って頭《こうべ》を垂れていたが、顔を上げると、

「いいえ、そんなこと」

額田は言った。必死な思いがあった。

「いや、心を奪られている。可哀《かわい》そうなことだ。誰に判らなくても、この大海人には判る。可哀そうなことだ」

大海人は笑った。

「いまになって、心を奪られたとあっては、いささか約束が違うようだ」

「今日の皇子さまは執拗《しつよう》でございます」

「そう。いかにも今日の大海人はいつもの大海人とは違うようだ。自分でもそれが判る。ここに居ると、何を口走るかも判らぬ」

「梅の花もごらんになったのですから、もう御帰館遊ばしませんと」

額田は言った。すると、

「今日は汝《なんじ》の言うように退散いたすことにしよう。実は相談したいことがあってやって来たのだが、そのことは改めて出直して来た時のことにする」

「なんの御相談でございましょう」

それには答えないで、

「相談しなければならぬことがある。あすにでも、出直して来ることにする。もう一度、梅の花を見せて貰おう」

額田は、本当に大海人皇子は明日にでも再びやって来るだろうと思った。額田は何とかしてそれを避けたかった。いま自分の前に居る大海人皇子に、何午か見なかった烈《はげ》しいものを感じていたからである。自分を梅林の中に拉《らっ》し去った若い日の大海人皇子の烈しさであった。

「梅は、今晩散ってしまうことでございましょう」

額田は言った。

「大海人が見たいだけではない。他にも見たがっている者がある」

「どなたでございましょう」

「判らぬか」

「――」

「母親の心まで奪られてしまっては困る」

額田は烈しい衝撃でも受けた思いであった。あっと声をたてたいような気持で、額田はそこに立ち竦《すく》んだ。

「これから館に帰って、あす梅を見せに連れて来ると言ってやる。さぞ、悦ぶことであろう。せっかく連れて来て、梅が散ってしまったとあっては、さぞ落胆いたすであろう」

大海人皇子は額田に背を見せて歩き出した。額田は皇子を送り出すために、そのあとに随《したが》った。門口には既に何人かの侍女が居並んでいる。その間を、大海人皇子はゆったりした歩き方で歩いて行った。

額田はひとりになると、さっき大海人皇子が歩いたように庭を歩いた。梅の花を見に来るのが大海人皇子ひとりでないとなると、梅の花を散らすわけには行かなかった。それどころか、どうか今夜、花を散らす風の吹かないことを祈りたかった。久しぶりで、額田には母の心が立ち返っていた。

翌日、額田は十市皇女《とおちのひめみこ》が梅を見に来るのを心待ちにしていたが、どこからも何の連絡もなかった。掃ききよめられた庭に静かに冬の陽《ひ》の散っているのを眺《なが》めながら、額田は終日為《な》すことなく過した。一日は早く暮れた。

夕方、額田は心衰えた気持で、ついに待人が訪ねて来なくなった梅の花の咲いている庭を歩いた。十市皇女とはもう一年近く会っていなかった。自分が腹を痛めた女《むすめ》には違いなかったが、母としての務めは何もしていなかった。大海人皇子の館で侍女たちにかしずかれて生い育っている己が女に、母としての思いを馳《は》せないわけではなかったが、思いを馳せたとてどうなるものでもなかった。額田は遠くから一つの運命を見守っている気持だった。その運命は、母親としての自分が近付かない方が、すくすくと伸びて行く筈であった。触らない方がいい、触らない方がいい。そんな気持で、額田は十五年の歳月を過して来ていた。その運命もいつか十六歳の春を迎えている。

遠くから眺めている分には、額田はさして会いたいとも話したいとも思わなかった。寧《むし》ろ会うことが怖《おそ》ろしい気持さえあった。どのように話しかけていいか、どのように接していいか、世の母の心というものが見当付かなかった。併し、向こうから訪ねて来ると言われると、やはり、待たずにはいられなかった。この世にかけ替えのない貴重なものが近付いて来る思いで、それが近付いて来るまでは落ち着かなかった。

額田が救いようのない思いで梅の木の下に立っている時、大海人皇子からの使いの者がやって来た。中年の侍女だった。

「明日、皇子さまのお館に姫さまたちがお集まりになります。どうぞお越しになりますように」

それだけ侍女は言った。額田はすぐには返事をしかねたが、思いきって、

「お伺いいたしましょう」

と答えた。姫さまたちがお集まりになるという侍女の言葉では、いかなる集まりがあるか見当付かなかったが、そこに十市皇女が姿を見せることだけは間違いないことに思われた。昨日ここを訪ねて来た時の大海人皇子の烈しい眼を思うと、この誘いに応じない方が無難であるに決まっていたが、この場合やはり、母親の心が額田を動かしたのである。いまの額田の心の衰えは、ひとめでも十市皇女に会うことに依《よ》ってしか癒《いや》されないものであった。

翌日、指示された時刻に、額田は大海人皇子の館に赴いた。館は王宮と隣り合わせた地域にあって、世人はこの館をも王宮の一部と見做《みな》しており、同じように御殿という呼び方をしていたが、二つの敷地は鬱蒼《うつそう》たる森をまん中において、截然《せつぜん》と分かれていた。

額田は大海人皇子の屋敷に足を踏み入れることは初めてであった。王宮とは違って、いささかも人工は加えられず、自然の山野がそのまま幾棟《むね》かの館を取り巻いて置かれ

てあった。丘もあれば、林もあった。

額田は出迎えの侍女に導かれて、冬木立ちの中の道を歩いて行った。櫟《くぬぎ》の林であった。そこをぬけると、広場があり、その向こうには梅林が拡がっている。あっと声をたてたいほど見事な梅林であった。丈低い梅樹が何十本か、何百本か、いずれも白い小さい花をつけている。このような自然の梅林があろうとは思われぬので、ここだけには人間の手がはいっているのであろう。

額田は大海人皇子にしてやられた気持だった。額田の館の二、三本の梅を見て、梅見に来ようと言った大海人の言葉を信じた自分が、今更ながら迂闊《うかつ》に思われた。十市皇女も梅見に来る筈はなかった。この見事な梅林を持っている館の中で毎日を送っているのである。

小道は梅林の裾《すそ》を廻《めぐ》るようにして走っていた。辺り一面に梅の香が漂い流れている。額田は時折、立ち停まっては、梅の香を嗅《か》いだり、梅の林を眺め遣《や》ったりした。侍女は時折足を停めては、そうした額田を待った。梅林の裾を半周したと思われる頃、額田は幼い者たちの疳高《かんだか》い声を聞いた。それは梅林の中から聞こえて来るように思われたが、やがて、そうでないことが判った。

「どうぞ」

侍女に導かれて行ったところは、梅林の横手の館であった。母屋《おもや》の屋根は木立ち越しに遠くに見えているので、ここは観梅のために造られた館であるかも知れなかった。造りは全くの農家である。館の中にはいるのは躊躇《ちゅうちょ》された。

「暖かですので、暫《しば》く梅林の中を歩いて参りましょう」

額田が言うと、

「では、こちらの方が陽だまりになっておりますので」

侍女は言った。額田は再び侍女のあとに随ってその館を背戸《せど》の方へ廻って行った。間もなく額田は足を停めた。額田の眼の中にはいって来たものは、何人かの女たちの姿であった。誰が誰とも判らないが、妃たちも居れば、侍女たちも居る。子供たちも居る。さっき額田の耳にはいって来た子供たちの声は、ここから聞こえていたのである。

侍女が言ったように、梅林と館に挟《はさ》まれた空地はなるほど恰好《かっこう》な陽だまりになっている。いかにも農家の背戸といった感じであるが、そこに散らばっているものは、それとは凡《およ》そ違った派手な色彩であった。所々に椅子《いす》や卓が配され、簡単な宴席が造られている。

額田は来るべからざるところへ来た思いであった。が、来てしまった以上は、もうどうすることもできなかった。額田は、瞬時にして、自分の取るべき態度を決めた。何ものにもこだわらぬ自由さで押しきろうと思ったのである。自分は十市皇女の母親である。十市皇女の母親として大海人皇子からこの宴席に招かれたのである。額田は自分にそう言いきかせた。

額田は宴席にはいって行った。鸕野皇女《うののひめみこ》がまっ先きに眼にはいってきたので、その方に頭を下げた。すると、鸕野皇女は額田の方に近寄って来て、

「今日お越しになるか、どうか、高市皇子《たけちのみこ》のお母様と話していたところです。たまにはこのお館にもいらっしゃらぬと、十市皇女がお可哀そうです」

と言った。明るい何のわだかまりもない口調だった。額田は鸕野皇女からこのような態度で迎えられようとは予期していなかった。中大兄を父に、大海人を夫に持っている鸕野皇女は、大海人の妃たちの中でも最も大きい権勢を持っていた。別に自分で権勢を持つことを望んでいるわけではなかったが、自《おのず》からそうしたものが鸕野皇女には具《そな》わるようにできていた。大海人皇子の妃で、鸕野皇女と同じように中大兄を父に持っている者に大江皇女、新田部皇女《にいたべのひめみこ》があったが、鸕野皇女がひとりだけ異なった場所に坐っている感じだった。それは年長のためでもあり、天性の美貌《びぼう》のためでもあったが、より以上に生まれながらにして持った聡明《そうめい》さの故《ゆえ》であった。

同じように中大兄を父に持ち、大海人の妃であった大田皇女が他界していなかったら、今日の鸕野皇女に集まっている人気は二分されなければならなかったかも知れない。額田は二人の妃たちの中で、どちらかと言えば性格のおっとりした大田皇女の方に好感を持っており、鸕野皇女の方には漠然《ばくぜん》と親しみ難いものを覚えていたが、そうした先入観を、いまは改めなければならなかった。

額田は鸕野皇女が眩《まぶ》しかった。天成の麗質という言葉がぴったりしていた。美貌と聡明さが一緒になっている美しさであった。鸕野皇女は二十四歳であった。

そこへ尼子娘《あまこのいらつめ》がやって来た。額田の姿を見て、額田に言葉をかけるために出向いて来たのである。

「十市皇女がどのようにお悦《よろこ》びでございましょう」

尼子娘はあたりを見廻して十市皇女の姿を探すようにしてから、

「いままでここにいらしったのですが、梅林の方にでも」

と言った。大海人の妃たちの中で一番年長のこの妃には、額田は前々からある親近感を持っていた。他の妃たちに較《くら》べると身分の低い地方の豪族の出で、そうしたことからいつも自分を控え目に控え目に持している妃であった。それに、額田が十六歳の十市皇女の母であるように、尼子娘は十五歳の高市皇子の母であった。

この時気付いたのであるが、この観梅の宴席には他の妃たちの姿はなかった。鸕野皇女が生んだ七歳の草壁皇子《くさかべのみこ》が大勢の侍女たちに取り巻かれて、梅林の方へ歩いて行くのが見えた。するとそのあとから、これまたそれぞれ侍女たちにかしずかれながら、八歳の大来皇女《おおくのひめみこ》と六歳の大津皇子《おおつのみこ》が梅林の中へはいって行った。この皇女と皇子は亡《な》き大田皇女のわすれがたみであり、そういう眼でみると、どこかに淋《さび》しいものが、その動きの中にも感じられた。同じように侍女たちに取り巻かれてはいるが、草壁皇子の方が何の遠慮もなくはしゃぎ廻っている感じであり、大来皇女と大津皇子が互いに手を執り合って歩いて行く姿には、何となく力を併せてやって行こうと言い合っているようなところが感じられた。

額田は、母を喪《うしな》った皇女、皇子に較べれば、まだ十市皇女の方が仕合せであるかも知れないと思った。十市皇女も母というものを持たない皇女として、大海人の館の中に生い育って来た。併《しか》し、何事もなく十六歳になってしまったのである。

額田は、梅林の中にはいって行った幼い皇子、皇女と入れ違いに、高市皇子と十市皇女の二人が、何か笑い興じながら梅林の中から出て来るのを見た。

額田ははっとした。十市皇女は一年ほど見ない間に、もうすっかり稚《おさな》さを失くしていた。どこから見ても、もう一人前の成熟した女性であった。

「おや、十市皇女がお見えになりました」

尼子娘が額田に注意した。

「お美しいこと、お母さまにそっくり」

鸕野皇女も言った。額田は十市皇女が自分を見付け、はっとしたようにこちらを見詰めたあと、まっ直《す》ぐに自分の方にやって来るのを見た。十市皇女はこれまで額田と顔を合わせると、いつも何となく額田を避けるような素振りを示したが、いまはそういうものは感じられなかった。反対に額田の方が、いま自分の方に歩いて来つつある十市皇女を避けたい衝動を覚えた。一瞬身を翻《ひるがえ》して、どこかへ駈《か》け去ってしまいたいような奇妙な思いに身を揺すぶられていた。

十市皇女は、額田の前まで来ると、額田の方には軽くひとつ笑って見せ、それから尼子娘の方に、

「梅の花を見に参りましょうよ。梅の花をごらんになりにいらっしったのでしょう。それなのに、こんなところでお話許《ばか》りしていて」

と言った。遠慮というものの全くない言い方であった。

「待っていらっしした方がお見えになって、こんなにいいことはないでしょう」

鸕野皇女が言うと、十市皇女はそれには応《こた》えないで、また額田の方へ笑顔を見せ、

あとは鸕野皇女の方に、

「ね、梅の花を見に参りましょうよ、さ、早く参りましょうよ」

と言った。額田は黙っていた。黙っていても身内は大きい幸福感でいっぱいになっていた。額田は十市皇女に二回笑顔を見せられたことで充分満足だった。それは明らかに母を意識し、他の誰でもない、母だけに見せた特殊な笑顔であった。親しさと、嬉《うれ》しさと、含羞《はにかみ》と、そうしたものが一つになった微笑であった。あなたとはお話しません、だって、傍に他の方がいらっしゃるんですもの、十市皇女の眼はそんなことを言っているように、額田には思えた。

高市皇子がやって来た。この皇子も亦《また》すっかり稚さを失くしていた。少年ではあるが、大柄《おおがら》な体のどこかに大海人の第一皇子らしい落ち着きを身に着けている。高市皇子は額田に、これも笑顔を向けることで挨拶《あいさつ》に代えて、

「さ、こんどは裏山へ登ってみよう」

と、十市皇女に言った。

「いや」

十市皇女は答えた。

「なんだ、自分で登りたいと言っていたじゃないか」

「そんなことは言わないわ」

「あれ、いま、自分でそう言っていたじゃないか」

そんな応酬があった後、二人は額田たちのところから離れて行った。途中から二人が梅林の裾の道を駈け出して行くのが見えた。少年と少女の姿が消えると、額田はわれに返った。いま見たものは幻覚ではなかったかと思った。額田には十市皇女がそれほど幸福そうに見えたのである。どこにも母のない皇女として育った暗さはなかった。鸕野皇女や尼子娘に対して話しかけるその口調の中には甘えさえあった。そうした自分を母に見せようと意識した甘えであったかも知れないが、傍で見ていて不自然でも卑屈でもなかった。また高市皇子と駈けて行くその背後姿《うしろ》も、素直で、自然で、幸福に輝いたものであった。このように、十市皇女は幸福でいいだろうか。そんな思いが、瞬間、額田の顔を硬くさせた。

やがて、そこらにちらばっていた侍女たちがいっせいに立ち上がり、辺りには緊張したものが流れた。額田にはすぐ大海人皇子が姿を見せるであろうことが判《わか》った。額田は自分が控えるべき場所を探した。鸕野皇女や尼子娘とは少し離れた場所で、大海人皇子を迎えるべきであると思った。そうした額田に気付いたらしく、

「今日は、御一緒に皇子さまをお迎えいたしましょう。いろいろ御相談したいことが

あって、あなたをお招きになったのだと思います」

鸕野皇女は言った。そう言われると、額田は場所を移すわけには行かなかった。鸕野皇女の背後に廻り、そこに尼子娘が居ることに気付くと、

「どうぞ」

尼子娘を前に押し出すようにして、自分はまた尼子娘の背後に廻った。こうするのは礼儀でもあったし、現在の大海人皇子と自分との関係をそういう形ではっきりさせておきたかった。二人の妃たちにもはっきりしておきたかったし、大海人皇子にもはっきりしておきたかった。

やがて大海人皇子が姿を現すと、女たちはいっせいに頭を下げた。額田も頭を垂れた。

「お待ちかねの方がお見えになっております」

鸕野皇女の声が聞えた。

「誰か」大海人皇子の声である。

「お眼を大きくお開きになって、辺りをごらん遊ばせ」

「ほう」

額田は大海人皇子の視線を額に感じた。額田は頭を下げたままでいたが、鸕野皇女

に思いがけぬ態度をとられたことで、動悸《どうき》は烈《はげ》しく鳴っていた。すると、また鸕野皇女の明るく澄んだ笑い声がいたずらっぽく聞こえて、

「そんな怖いお顔をなさって」

「別に怖い顔はしておらん」

それから、

「額田が来ているのか」

こんどははっきりと、自分の方に大海人皇子の声が落ちて来た。額田は顔を上げた。

——お久しゅうございます。

よほどそう言おうと思ったが、危いところで額田は踏み留まった。黙っていた。すると、鸕野皇女が、

「皇子さまはあなたをここにお招《よ》びするにはどうしたらいいか、わたくしに御相談になりました。先きほど尼子娘のお話では、尼子娘にもそういう御相談があったそうでございます。このぶんでは、他の妃たちにも、それぞれ御相談なさったことでございましょう。お気の毒なことに、御自分では何もなされないのでございます。この世の中で十市皇女の母さまが、一番お怖いご様子でございます」

額田は大海人皇子の方には眼を向けていなかったが、大海人がいかなる表情をとっ

ているか、見ないでもよく判った。鸕野皇女に機先を制せられて、太刀打ちができなくなっている恰好だった。

額田はやはりこの席にやって来たことを後悔していた。鸕野皇女のこうした軽口にさして悪意があろうとは思わなかったが、相手が自分より十歳以上も若いということに、やはり拘泥《こうでい》せずにはいられなかった。自分の方が若くて美しいという絶対の自信があればこそ、鸕野皇女はこうした言葉を口から出せるに違いなかった。

併し、また、この場で鸕野皇女が大海人皇子に投げつけた言葉を耳にして、反対にほっとする思いもあった。大海人皇子と額田とが現在何の関係もないということを、疑うべからざる事実として、鸕野皇女は信じているに違いなかったからである。聡明《そうめい》怜悧《れいり》な鸕野皇女にしても、なお見落としていることはあった。それは、極く最近、僅《わず》か二日ほど前に、大海人皇子が額田の館を訪ねて来たことである。こうした事に思いを馳《は》せると、額田は多少のゆとりを気持の上に感じた。が、それは極く僅かの間のことで、やがてそうした思いは一瞬にして吹き飛んでしまわなければならなかった。

「皇子さまは十市皇女をお連れして、額田女王のお館をお訪ねなさろうとなさったのです。そうではございませんか？　どうも、わたくしにはそんな風に思えてなりません」

ふいに額田は気持の凍るのを感じた。この若い美貌の妃は何もかも知っているのではないか！

「そんなこと――」

言いかけて、大海人皇子はあとの言葉を呑《の》み込んでしまった。額田は相変わらず頭を下げていたが、大海人皇子の困惑している顔が眼に見えるようであった。

額田は顔を上げると、低く声に出して笑った。思わず口から出た笑い声であった。嘗《かつ》て、自分に弱点を指摘される度に、大海人皇子は何とも言えぬ困惑した表情を見せたが、それと同じものを、いま大海人皇子は顔に走らせているに違いないと思ったからである。

笑い声を出してしまった以上、もう取り繕《つくろ》っていても始まらなかった。額田は、鸕野皇女の方に、

「わたくしの館に皇子さまをお迎えするようなことがなくてよろしゅうございました。お蔭《かげ》さまで御殿にお招き戴《いただ》きまして、楽しい梅見をすることができました」

額田は言った。額田は笑い声を出したことで自分を立ち直らせることはできたが、口から出す言葉は充分注意しなければならなかった。やはり鸕野皇女という若い妃が怖かった。心許せない相手であった。一体、自分をこの席に招いたのは、大海人皇子であろうか、鸕野皇女であろうか。額田はきのう使いに立って来た中年の侍女の冷た

い顔を思い浮かべていた。あの侍女は誰の命を受けてやって来たのであったのか。併し、そのあと額田は平静心を取り戻《もど》すことができた。考えてみれば、懸念《けねん》しなければならぬ何事もなかった。大海人皇子が二、三日前自分の館を訪ねて来たことを、大海人の妃たちに匿《かく》せるなら匿しておきたいだけのことであった。それも、もともと自分の関知したことではなかった。大海人皇子が自分で勝手に額田の館を訪ねて来ただけのことである。併し、それを匿せるなら匿しておきたいというのは、そうしたことから起こる誤解というものが鬱陶《うつとう》しかったからに他ならない。

ただそれだけのことではないか、額田は自分自身に言いふくめた。確かに、ただそれだけのことに違いなかった。が、幾ら自分にそう言いふくめても、なお、それで自分を納得させるというわけには行かなかった。心に何かが残った。その何かというのは、額田自身気付かなかったが、それは大海人皇子を庇《かば》ってやろうという額田の心の中にひそみ匿れている思いであった。そういう思いをも愛と言うのなら、それは額田の大海人皇子に対する愛であった。二人の間に十市皇女という皇女さえもうけた相手に対する愛であった。そしてまたいまも時折、烈しい眼眸《まなざし》で自分を射る昔の愛人に対する愛であった。

この観梅の宴席で、額田は大海人皇子に対しては、極く自然な態度をとった。自分からは話しかけては行かなかったが、大海人が言葉をかけて来ると、それに対しては素直な態度で応じた。

暫《しばら》くすると陽《ひ》が陰った。陽光が落ちなくなると、戸外の宴席は寒くなった。一同は館の内部にはいった。宴席を戸外から館の内部に移すのをきっかけに、鸕野皇女は大海人皇子に言った。

「わたくしも、尼子娘《あまこのいらつめ》も、ここらで座を外させて戴きましょう。あとは、どうぞ、額田女王と水入らずで大切なことを御相談遊ばせ」

それから、額田の方に、

「皇子さまは十市皇女《とおちのひめみこ》のことであなたに御相談があるそうでございます。十市皇女のことは、皇女をおもうけになりました当のお二人で御相談なさるのが一番よろしゅうございましょう」

その鸕野皇女の言葉で、額田は十市皇女の身の上に何事かが起こりつつあることを知った。もう十六歳の春を迎えている十市皇女のことであるから、身を固める上にいかなる話があったとしても不思議はなかった。

「承知いたしました。いかなるお話か存じませんが」

額田は言った。鸕野皇女と尼子娘が、大勢の侍女たちに取り巻かれて去って行くのを、額田は館の門まで送った。幼い皇子や皇女たちも、それぞれ賑《にぎ》やかに引き揚げて行った。

額田は再び館に戻った。急にひっそりした館の内部は、今までと同じ場所であるとは思えぬほど、暗く寒々としたものに感じられた。

額田は部屋の入口の席に就いた。大海人皇子の席とはかなりの距離があった。館にはまだ大勢の侍女たちが遺《のこ》っており、その中には鸕野皇女の侍女も混じっているに違いなかったので、額田はそうした座のとり方にも気を使っていたのである。大海人皇子の方は、

「もっと近くに来なくては話ができないではないか。何もとって食べようというのではない」

そんなことを言った。額田は若《も》し二人だけの席であったら、このような大海人皇子の言葉に対して、額田らしい応酬をする筈《はず》であった。鸕野皇女にすっかり軽くあしらわれていたことに対して、ちくりちくりと、一本や二本の針は刺してやりたかった。併し、額田はおくびにもそうした態度は示さなかった。いま二人が相対している部屋にこそ誰も姿を見せていなかったが、部屋を一歩出たところには、大勢の侍女たちが控えているに違いなかった。その中に塵《ちり》一つ落ちる音をも聞き洩《も》らすまいとしている

監視人が居ないとは限らなかった。

そうした額田の気持を見て取ったのか、

「侍女たちはみな遠くに退《さ》がらせている。十市皇女についての大切な話をするのに、迂闊《うかつ》なことはしてない。それでもなお案ずるなら、一応館の内部を見廻って来るがよかろう」

大海人皇子は笑いながら言った。大海人がそう言うのであるから、あるいはそうかも知れないと思った。併し、額田は態度を改めなかった。侍女の問題は問題として、それなら尚更《なおさら》のこと、用心しなければならなかった。侍女の代わりに、大海人皇子が怖かった。この部屋に二人だけ遺されてからの大海人皇子は、はっきりと、さっきまでとは異なった烈しい眼を見せていた。

「十市皇女についてのお話と申しますのは、いかなることでございましょう」

額田は言った。

「重大な問題だ。近くに寄るがいい」

「ここでも承れます」

「大きな声では話せぬ」

「誰もこのお部屋の近くには居られぬと仰《おお》せになりました」

大海人皇子は立ち上がった。それを見て、額田もはっとして立ち上がった。そして、

「今日は十市皇女についてのお話だけ承りとうございます。若し、それ以外のお話がございますなら、わたくしの館にでもお越し戴いた折、お伺いいたしましょう」

額田は言った。本心ではなかったが、そういう言い方をしない限り、この場を逃れる手段はなさそうであった。

すると、大海人皇子は、それならばというように再び自分の席に戻《もど》って、

「十市皇女を大友皇子の許《もと》に差し出すことは、いかが考えるか」

こんどは、真顔で言った。

「大友皇子さまでございますか」

額田はそう言ったまま、あとは口を噤《つぐ》んでいた。すぐには、いいとも悪いとも言えなかった。

大友皇子は中大兄皇子と伊賀采女宅子娘《いがのうねめやかこのいらつめ》との間にもうけられた皇子であり、中大兄皇子が天智天皇になられた現在は、天皇の第一皇子にほかならない。肋骨逞《たくま》しい二十一歳の皇子である。母の宅子娘が高貴の出でないので、第一皇了であるとは言え、その将来には自ら限定されたものがあった。天下の政《まつりごと》を摂《と》る立場には無縁であると見なければならなかった。

現在天智天皇の後継者の位置にあるのが大海人皇子であることは、衆目の等しく見るところであった。正式に立太子の儀は執り行われてはいなかったが、大海人皇子自身もそう信じていたし、朝臣武臣のすべての者がそう信じていた。天智天皇のほかの皇子たちは、川島皇子にしても、志貴皇子《しきのみこ》にしても、まだ少年の域を出ていなかった。併し、そうした皇子たちの母方の身分や、年齢の問題を別にしても、大海人皇子が天智天皇の後継者の地位にあることは、中大兄皇子を援《たす》けて、長く苦しかった時代を切り抜けて来た経歴とその功績から考えて、極めて当然なことであった。

額田は、長い間言葉を出さなかった。額田が黙っている間、大海人皇子も黙っていた。いかにも額田に対して、充分考える時間を与えてやるから、存分に考えるがよかろう、そういう態度をとっているように見えた。

額田はひとりの思いの中にはいっていた。大海人皇子の口から出た大友皇子という名の皇子は、いまや十市皇女の運命であった。大友皇子が多幸な運命を持つなら、十市皇女も亦《また》多幸であると見てよかった。反対に不幸な運命を持つなら、十市皇女も亦不幸であった。

額田の瞼《まぶた》の上に、ふいに有間皇子《ありまのみこ》の若く美しい面差《おもざ》しが浮かんで来た。有間皇子の悲運が、有間皇子ひとりのものだとは言いきれなかった。

額田はひとりの思いにはいっていた。同じ部屋に大海人皇子が居ることも忘れてしまったかのように、いつまでも黙って坐り続けていた。

額田は勿論《もちろん》これまで大友皇子の将来がいかなるものであるか考えたことはなかった。大友皇子は二十一歳の年齢には見えなかった。堂々たる体軀《たいく》を持ち、どこから見てももう立派に成人した大人であった。母の宅子娘が伊賀の采女《うねめ》であるので伊賀皇子とも称《よ》ばれているが、母方の身分の低さなどは初めからこの皇子には無関係だった。伊賀という名を冠せられても、伊賀という地名などはこの皇子に対していかなる役割をもしていなかった。眉《まゆ》は秀《ひい》で、眼は鋭かった。それに母親似ではなくて、その多くのものを父天智天皇より受け継いでいた。二、三年前まではまだ何と言っても少年の稚《おさな》さを持っていたが、それが去年あたりからすっかり払い落とされている。最近朝臣たちも何となくこの皇子には一目おくようになっていた。聡明とか、英邁《えいまい》とか、そういうこの皇子に対する讃辞《さんじ》は、額田の耳にもはいっている。確かに聡明でもあり、英邁でもあるに違いなかった。

また実際に、額田は去年の暮、大友皇子が朝臣たちと、人の道について論じているのを、傍で聞いていたことがあった。人倫の道というものを天の訓《おし》えというものの関係において説き、その論旨は明快で、誰もそれに口を差し挟《はさ》むことはできなかった。みんな口を噤《つぐ》んで聞いていた。こうした問題について論じると、まさに独壇場の感があった。いかにしてそうした学識を自分のものとしているか、誰もが不思議に思うことであった。

額田は、併し、この大友皇子が己《おの》が血を分けた十市皇女の運命として考えると、その運命は得体の知れぬ海のようなものとして感じられた。平穏な運命であるか、荒れ狂い逆巻く狂瀾《きょうらん》の運命であるか見当が付かなかった。

額田は顔を上げると、大海人皇子の眼をゆっくりと見入り、

「たいへん聡明な皇子さまと承っておりますが」

「いかにも」

「十市皇女がお仕合わせになりますことならば――」

「天智天皇の御子と、この大海人の姫との組み合わせである。それが仕合わせにならぬということがあろうか」

大海人皇子は言った。そう信じきっている言い方であった。

額田はまた顔を伏せて自分ひとりの思いに戻った。確かにこれ以上の組み合わせは望めない筈であった。それにしても、この大友皇子に十市皇女を配そうという考えは、

一体どこから出たものであろうか。大海人皇子は、自分の考えとして持ち出して来てはいるが、それをそのまま鵜呑《うの》みにするわけにも行かなかった。天智天皇が持ち出された話であるかも知れないのである。大海人皇子が十市皇女の父であるように、天智天皇は大友皇子の父なのである。

併し、額田はそれが誰の考えであるにしても、この縁組みそのものには暗い影があろうとは思われなかった。取引きの臭《にお》いもなかった。片方が得をし、片方が損をするというようなものでもなかった。寧《むし》ろ天智天皇にとっても、大海人皇子にとっても、お互いの提携を強める意味で望ましいことに違いなかった。それなのに、額田は自分がこの話に飛びついて行く気持にならぬのを不思議に思った。なぜであろうか。やはりそこには、有間皇子の悲劇が大きく坐っていると考えないわけには行かなかった。

併し、大友皇子と有間皇子は、その境遇はまるで違っていた。有間皇子は聡明怜悧だという噂《うわさ》がたつと、狂人の真似《まね》までして自分の身を守らねばならぬ立場にあった。しかもそうまでしても自分の身に振りかかる火の粉を消すことはできなかったのである。大友皇子はいくら人から聡明だと言われても、誰に遠慮することも要らなかった。

額田は顔を上げた。戸外に明るい声が聞こえたからである。

――騙《だま》されちゃった。あんな寒いところに連れて行かれて！

――何も騙したわけじゃない。陽が陰ったから寒くなっただけのことだ。

――可哀そうに、こんなに手が冷え込んでしまったじゃないの。紫色になってしまった。

――どれ。

すると、明るい悲鳴が聞こえ、あとは庭から縁側に駈《か》け上がる乱れた跫音《あしおと》がしたと思うと、部屋の中に先きに十市皇女が飛び込み、続いて高市皇子が飛び込んで来た。

二人は内部に大海人皇子と額田の二人が居ることに気付くと、はっとしたように、その場に棒立ちになった。

「向こうへ行こう」

高市皇子が言うと、

「ええ」

と十市皇女は頷《うなず》いて、二人はすぐ部屋から出て行った。

「十市皇女のお気持をお聞きになって、その上でお決めになったらいかがでしょう」

額田は言った。

「まだ、自分の考えは持っていないであろう」

「それにしても、一応お聞きになってみることが」

「うむ」

大海人皇子はちょっと考えていたが、やがて立ち上がって部屋から出て行った。かなり長い間、額田は部屋にひとりにされていた。大海人皇子は十市皇女を連れて来るために部屋から出て行ったと思われたが、そうではなかった。大海人皇子はひとりで帰って来た。

「十市皇女は大友皇子以外の人のところならどこへでも行くと言っている」

そう言って、大海人皇子は大きく笑った。

「つまり、大友皇子のところだけは気がすすまないということだ。いやに嫌《きら》われたものだ」

また大海人皇子は笑った。いかにもおかしくて、おかしくて堪《た》まらぬといった笑い方だった。額田も、そういう十市皇女に驚いたが、併し、十市皇女の気持が判らぬではなかった。

大友皇子の鋭い眼光や、冴《さ》えた顔や、どこか荒々しく思われる体のこなしなど、年《とし》端《は》もゆかぬ少女を怖がらせこそすれ、決して魅力とはなっていないに違いなかった。

「だが、いくら気がすすまぬといっても——」

大海人皇子は言った。

「他に十市皇女の相手としてふさわしいものがあるか。五、六年待てば、いま年端のゆかぬ皇子たちも若者に育つだろうが、それまで待っているわけにも行かぬだろう」

そう言われてみれば、それに違いなかった。十市皇女の配偶者の選定は限られた範囲で行われるしか仕方なかった。そうなると、さしずめ大友皇子ということになった。

「それとも、ひよこのような稚い十市皇女の気持を尊重するか。——どちらにするかは額田に任せてもいい」

そう言われると、額田としても困ることだった。十市皇女の気持を重んずれば、大友皇子の話は打ち切ってしまわなければならなかったが、それも軽率なことに思われた。他の皇子が成人するのを待って、その妃となる道もあったが、それにしても差し当たって相手として考えられるのは志貴皇子や川島皇子である。志貴皇子は十四歳、川島皇子は更に二つか三つ年齢は下である。それぞれの母の出生を考えても、大友皇子よりいいとは言えなかった。それに何と言っても、大友皇子の場合、聡明であるということと、天智天皇の第一皇子であるということが、他に替え難い魅力であった。

「額田に任せてもいいと言ったのは、十市皇女の考えでもある。自分の気持は大友皇子には向かないが、併し、どうしても大友皇子の許《もと》に行けということであるなら行くしかないだろう。それは母親である額田に任せることにする」

「そうおっしゃったのでございますか」

「そう。そう言った」

額田はふいに体が小刻みに震えるのを覚えた。十市皇女の口からそのような言葉が出るとは夢にも思ってみなかったことであった。十市皇女は本当にそう言ったのであろうか。皇女は母である自分に、併し、母として何一つ資格を持っていない自分に、己が運命を託そうとしたのであろうか。

額田の周囲を重苦しい時間が流れた。額田は今こそ自分は母でなければならぬと思った。が、母というものが、こうした場合持たねばならぬ心が判らなかった。娘の気持を大切にすべきか、あるいはそうした娘の気持など斟酌《しんしゃく》することなく、母親自身が考えて、これが一番いいと思うことを押しつけるべきか。

やがて額田は二つのうちの一つを選んだ。

「わたくしは大友皇子さまと御一緒になるべきだと思います」

額田は言った。顔は青白んでいた。十市皇女の運命を大友皇子に託したのである。

すると、

「大海人もそう思っている。天皇も同じお考えである」

大海人皇子は言った。この大海人の言葉に依《よ》って、すでにこの話が天智天皇の許に持ち出されていることを知った。

その日、額田は館に帰ると、自分は何か大きな間違いを仕出かしたのではないかという思いに襲われた。ひどく不安であった。その不安な思いは夜まで続き、そしてその翌日も、翌々日も続いた。

二

十市皇女《とおちのひめみこ》が大友皇子《おおとものみこ》の妃として、皇子の館《やかた》に上がったのは四月の中頃《なかごろ》であった。あっという間に事は運んでしまったのである。

その日、額田《ぬかた》は館に閉じ籠《こも》っていた。宮中に於《お》て、祝いの宴は賑々《にぎにぎ》しく開かれたが、額田はそれに顔を出さなかった。もともと額田はそこに列する資格を持っていなかった。十市皇女の母親が額田であることは、今や巷《ちまた》のいかなる男女も知っていたが、額田が正式に大海人《おおあま》の妃であった時期は一度もなかったのである。

いずれにしても、十市皇女の運命は決まってしまったのであった。いい運命であるか、悪い運命であるか判《わか》らぬが、兎《と》も角《かく》額田は、一つの運命に十市皇女を任せてしまった思いであった。

この日は何と言っても、額田にとっては特別な日であった。祝いの席にこそ出られなかったが、今や額田は天智天皇の第一皇子に対しては母の立場にあり、その妃は事実自分の血を分けた娘であった。

額田はこんどのことが、もともと天智天皇のお考えから発したことであることを知っていた。天皇が大海人皇子に謀《はか》り、そして大海人皇子から自分のところへと話が廻って来たのである。天皇は十市皇女を大友皇子の妃とすることに依って、自分と大海人皇子の関係を一層緊密なものにし、それからまた二人の間に、不安定な形で置かれている額田に一つの安定した席を与えようとされたのである。

——まあ、こういうことにしておくか。十市皇女もこれで将来が固まるし、母の額田もこういうところで落ち着くだろう。

そういう天皇の考えが、額田には手に取るように判った。こうした考え方をすれば、こんどの十市皇女のことは、所詮《しょせん》額田の一存ではどうすることもできなかったことであり、それは十市皇女が生まれながらにして持った運命と言うほかはなかった。

この日、午後になってから額田は三人の侍女を連れて、湖畔の道を歩いた。ゆっくりと足を運んだ。

過去にいろいろなことはあったが、額田はこの日初めて自由になれた気持であった。

大海人皇子からも、中大兄皇子《なかのおおえのみこ》からも自由であった。曾《かつ》て弟皇子の寵《ちょう》を得た時代もあり、兄皇子の寵を得た時代もあった。併《しか》し、いまは二人の皇子から何の束縛も受けていなかった。すべては過去のことであった。天皇、大海人皇子、大友皇子、十市皇女の四人が作り出している星座の中に、額田は今や己が位置すべき場所を持ったのである。そこからは少しでも動けなかった。そこを少しでも動くと、人間関係の均衡は破れ、いっさいは崩れ落ちて行く筈《はず》であった。額田は、もはや天皇にも、大海人皇子にも傾くことのできぬ自分を感じ、そういう意味で額田は、この日初めて自由であったのである。

湖畔に迫っている山々の雑木は日一日と緑を増している時季で、その雑木の緑をざわざわと風が揺り動かして渡っていた。額田は夕近くなるまで湖畔を歩いた。どこという当てなく歩いていて少しも疲れは感じなかった。そろそろ館に引き揚げようかという頃《ころ》になって、一つの事件が起こった。額田が蘆《あし》の生い茂っている水際《みぎわ》に立った時、どこからか石が飛んで来たのである。石は水際に落ちて、水をはじいた。暫《しばら》くすると、二つ目の石が飛んで来た。侍女が辺りを見廻して、

「どうしたのでございましょう。もう少しでお肩に当たるところでございました」

と言った。その時になって、額田は石が自分に向かって投げられたものであること

を知った。

「本当に危いこと。どうしたのでしょう」

額田も亦《また》辺りを見廻した。どこにも人影はなかった。辺り一面に蘆の原が拡がっており、若《も》しそこらにひそみ匿《かく》れているとすれば、さしずめ蘆の中と見るしかなかった。それにしても、どこからともなく石が投げられて来たことは不気味であった。

「お館にお引き揚げになりましたら？」

「そうしましょうか」

女たちは水際を離れた。そして蘆の中を走っている小道を伝って足早やに歩いた。

また石が飛んで来た。こんどは続けさまに三つの石が宙を切って来た。

「誰や」

侍女のひとりが叫んだ。かなり離れたところではあるが、右手の蘆の原の一部が異様な動き方をしている。

「誰や」

また侍女は叫んだ。蘆のざわざわという揺れは次第に遠くに移動して行きつつあった。明らかにそこには誰かひそんでいる筈であった。そして蘆に身を匿したまま逃げ去ろうとしているのである。

女たちはまた歩き出した。すると、また背後から石が飛んで来た。執拗《しつよう》な感じだった。相手は逃げるのをやめて、またこちらを窺《うかが》ったのである。

「誰や」

それと一緒に気丈な老女が蘆を分けて、犯人がひそみ匿れている方へ歩き出した。

「おやめなさい」

額田は叫んだ。他の二人の侍女も同じことを口から出した。併し、老女はそのまま蘆を分け進んで行った。蘆の上に半身を出して老女は移動しつつあったが、やがて立ち停まるのが見えた。すると、その老女のすぐ前に、恰《あたか》も向かい合って立つように一人の男の姿が現われた。額田たちの方からは、それがいかなる者かは判らなかった。遠くもあったし、老女の体が相手を匿してもいた。

額田たちは息を詰めてその方を見守っていた。するとやがて、どうしたのか、老女は体の向きをこちらに変え、そのまま引き返して来た。そして女たちのところに戻《もど》って来ると、

「皇子《みこ》さまでいらっしゃいます」

と言った。なるほど今や半身を蘆の上に出して、傲然《ごうぜん》と向こうへ去って行く姿は、巷《ちまた》の少年の姿ではなかった。

「皇子!?　皇子さまと言うと——」

「それが、高市皇子《たけちのみこ》さま」

額田は驚いた。高市皇子！　不思議な思いに打たれて、額田はそこに立ちつくしていた。

額田は館へ戻るまで、高市皇子が自分に石を投げつけたことの意味を考えた。あのような執拗な投石は、勿論《もちろん》たわむれではなかった。はっきりとこちらに恨みを懐《いだ》いての上のことであった。額田は蘆の原の上に半身を出して、傲然と反抗を見せて去って行った少年皇子の姿を、何回となく瞼《まぶた》に浮かべた。

額田は高市皇子に恨みを買う覚えはなかった。ただ一つ考えられることは、高市皇子が十市皇女に思いを寄せていた場合である。十市皇女が大友皇子の妃となったことを悲しみ、そうしたことの原因が額田にあると考えれば、皇子があのような行為に出たとしても不思議はないと思われた。

高市皇子が十市皇女を想《おも》っていたとすれば、そして、若しも十市皇女の方も亦——、こう考えた時、額田は何とも言えぬ不安な思いに打たれた。若しも十市皇女も亦高市皇子を憎からず思っていたとすれば、十市皇女が自ら切り開いて行こうとした運命を、周囲の者が横から大きくねじ曲げてしまったことになる。こう考えて来ると、額田には高市皇子の姿が全く異なったものとして瞼に浮かんで来た。十市皇女が大友皇子の妃となる日、館を脱け出してひとり湖畔に立っていたことも、それから額田の姿を見てあのような行為に出たことも、なべて哀れに思われた。そして亦大友皇子の妃となった十市皇女に対しても、母として何とも言われぬ哀れなものを感じた。併し、高市皇子の場合は兎《と》も角《かく》、十市皇女については額田の臆測《おくそく》を出ないことであった。大友皇子に好感を持っていなかったことは明らかであったが、高市皇子に対して特別な思いを持っていたかどうかは、誰にも判らぬことであった。

この高市皇子の事件はその後何日か額田の心を冷たく翳《かげ》らせた。額田は高市皇子のことを思い出すと、すぐその思いを遠くに押し遣《や》った。押し遣ることで耐えられることであった。何と言っても、年端も行かぬ若い皇子の失恋事件に過ぎず、若い皇子の心の痛手もさして案ずることもなく、日が遠ざかることに依《よ》って癒《いや》されて行くに違いないと思われた。そして額田は、ひたすら十市皇女の心の中に大友皇子に対する妃としての愛情の生まれることを念じていた。

五月五日に蒲生野《がもうの》遊猟のことがあった。これは大友皇子と十市皇女の祝いがあった頃からすでに人々の話題になっており、近江《おうみ》へ遷都《せんと》してから初めての朝廷を挙げての明るく楽しい遊楽であった。

蒲生野という名が口から出ると、人々の心は明るく弾んだ。が、蒲生野がいかなるところか知っている者は極く僅《わず》かであった。大抵の者が湖畔に沿った明るい原野を漠《ばく》然《ぜん》と眼に浮かべるだけのことだった。蒲生野がいかに美しい別天地であるかということは、誰も何回となく耳にしていた。たまたまそこを訪ねた者が例外なく口を極めて、そこがのどかで美しい場所であることを褒《ほ》め称《たた》えたからである。

併し、蒲生野遊猟の日まで、身が細る思いで心配していた者もないわけではなかった。何日か前から蒲生野に派せられている役人たちからは、毎日のように急使が派せられて来ていた。

——鴨《かも》の集まりは昨年より多いように見受けます。湖畔の沼沢という沼沢には鳥類が群れております。

そういう報告もあれば、

——山手の狩猟場では、昨日今日、僅かに三頭の鹿《しか》と十数匹の兎《うさぎ》を見掛けたに過ぎません。

そういう報告もあった。また、

——薬草園はいまがどの花もまっ盛りでございます。穏やかな日和《ひより》が続きさえすれば何の心配もありませんが、一度でも嵐《あらし》に見舞われますと、半分の花は散ってしまうと思われます。

そういう判りきった連絡もあった。報告は日によって異なっていた。兎がひどく多いという報せ《しら》もあれば、鳥類がゆうべのうちにどこかへ移動してしまったらしいという報せもあった。係りの役人たちの心配はたいへんなものであったが、日は一日一日と、五月五日に近付いて行った。幸い大雨もなく、大風もなかった。

遊猟の前夜、何集団かに分かれて、武装した騎馬隊が東に向かった。蒲生野一帯の地を遠巻きにして、要処要処に配される護衛の兵たちであった。

当日は、早朝からきらびやかな集団が、次々に馬を配したり、輿《こし》を配したりして、都城を出て行った。一つの集団が出て行くと、極く僅かな間隔をあけて、次の集団がそれに続いた。天智天皇の妃たちとその一族だけでも何集団かを数えられたので、それに大海人皇子、大友皇子、百官の群臣となると、夥《おびただ》しい数の集団になった。三、四十人の大きい一団もあれば、十人程の小さい一団もあった。

男たちは狩衣《かりぎぬ》で身を包み、女たちは野遊びの軽装であった。ただ女たちはその殆《ほとん》どが輿の中に身を匿《かく》していたので、いかなる装いをこらしているかは、路傍で見物している巷《ちまた》の男女たちには判らなかった。

集団は湖畔に沿って長い隊列を作った。隊列は停まったり、動いたりしながら、夏の朝の陽《ひ》と風の中をひどくゆっくりと進んで行った。そして湖畔のある地点に着くと、そこに待機していた何十艘《そう》かの船に、この場合も亦《また》集団ごとに乗り込んで行った。大きい船もあれば小さい船もあった。小さい船には、どれも兵や狩人《かりゅうど》たちがこぼれるほど満載されていた。

船が次々に蒲生野の入口の波止場に着いたのは午刻《ひる》にまだ間のある頃であった。そこからまた輿の行列が続いた。湖畔に拡がっている原野を突切って、隊列はゆっくりと湖岸から遠ざかって行った。小高い丘に登らないと湖が見えなくなった頃、行列は停まった。何百かの輿から、女たちはいっせいにこぼれ出た。爽《さわ》やかな風が渡っている原野であった。

原野は女たちで忽《たちま》ちにして一面のお花畑に化した。歓声や叫び声が風に乗って下手《しもて》へ下手へと流れた。

思い思いの服装をした男たちや女たちは、そこから前もって設けられている第一の休憩場へと向かった。幼い皇子や皇女たちも、歩いたり、抱かれたりして、低い丘の裾《すそ》を走っている小道を歩いた。

休憩場は低い丘の上にあって、湖畔を遠望するにはもってこいの場所であった。到るところに幔幕《まんまく》が張られたり、小屋掛けができたりしている。

男たちの一部はここから散って行った。東方の原始林の中にはいって行く者もあれば、どこまでも拡がっている原野の中へ散って行く者もあった。また湖畔の方へ引き返して行く者もあった。狩猟場はいずれもかなり遠く離れていた。

休憩場の周辺には花の咲き乱れた原野が拡がっていた。薬草畑もあれば、人手の加えられていない自然の花畑もあった。

額田は十人程の侍女たちと一つの幔幕の中にはいり、そこで身支度すると、侍女たちと広い原野の中にはいって行った。恰好《かっこう》な場所が選ばれて、侍女たちの手で莚《むしろ》が敷かれ、陽覆《ひよけ》が立てられた。

辺りには、あちこちに同じような席が造られていた。額田の知っている妃の席もあれば、知らない女官たちの席もあった。お互いに相手に気兼ねしてか、席と席とはそれぞれ適当な間隔をあけていた。従って、時折、風に乗った笑声が聞こえてくるくらいで、話し声は聞こえなかった。

「あれは大友皇子さまのお席でございましょう」

侍女の一人が言ったので、額田はその方へ視線を投げた。そう言われてみれば大友皇子の席に違いなかった。二十人ほどの賑《にぎ》やかな一団で、その中に大友皇子の姿も見えている。額田は母としての本能で、十市皇女の姿を探した。ひとりひとり女たちの姿に眼を当てて行ったが、どういうものか十市皇女の姿は発見できなかった。

額田は自分が気付いた時はもう立ち上がっていた。どうして十市皇女の姿が見えないか、そのことを確かめずにはいられない気持だったのである。

「大友皇子さまに御挨拶《あいさつ》して参りましょう」

額田は言うと、すぐ自分たちの席を離れた。そして数歩も歩かないうちに足を停めた。数人の侍女たちに取り巻かれるようにして、向こうからやって来る十市皇女の姿が見えたからである。額田はほっとした。何の案ずべきこともなかったと思った。そして、すぐ自分の席に戻《もど》ろうとしたが、その時、一つの小さい事件が起きた。十市皇女が眩暈《めまい》でも覚えたように、その場に崩れるように身を屈《かが》めたからである。額田は〝あっ〟というような小さい叫びを耳にしたような気がしたが、それは額田の気のせいで、実際には十市皇女の口からはそのような叫びは発せられなかったかも知れない。

額田は立ちつくしていた。十市皇女の方へ近寄って行こうか行くまいか、心に決めかねていたのである。自分が行かなくても大勢の侍女たちが十市皇女を取り巻いていた。

この時、もう一つの事件が重なって起こった。額田は大友皇子が十市皇女の方へ駈《か》け寄って行くのを見た。十市皇女の身に変事が起きたことを知って、大友皇子は彼女の方へ駈け寄って行ったのであって、これには何の不思議もなかったが、事件というのはこれに並行して起こったのである。額田は見た。身を屈めている十市皇女の傍に、反対の方角からもう一人の男が駈け寄って行ったのである。高市皇子であった。

大友皇子と高市皇子は、身を屈めている十市皇女をまん中に挟《はさ》んで、向かい合って立っていた。向かい合って立っていたと言っても、それは極く短い時間であったに違いないが、額田にはひどく長いものに感じられた。しかも、二人の皇子が対決でもするように、互いに相手の顔を見入っているように見えた。妙に緊迫したものが、その情景の中にはあった。大友皇子はいかなる男たちにもひけをとらぬほど堂々たる体格をしており、高市皇子の方はどこから見ても、まだ稚《おさな》さの脱けない十五歳の少年であった。大人と子供とが睨《にら》み合ってでもいるようなその場の情景であったが、額田にはそうは見えなかった。もうすっかり成熟した一人前の男と男とが、果たし合いでもするように、向かい合って立っているように見えたのである。

が、次の瞬間、額田の眼に映ったものは、背を翻《ひるがえ》し、ゆっくりした足取りで、その場から立ち去って行く高市皇子の姿であった。いつか湖畔の蘆《あし》の中で見た、あのどこか傲然としたものを感じさせる高市皇子の背後《うしろ》姿であった。すべては何の意味もないことであったかも知れない。額田がただそのように感じたことで、そこからいかなる意味も引き出すことのできぬ、事件とも言えぬ事件であったかも知れぬ。

併《しか》し、額田はこの事件のために烈《はげ》しい疲労を感じた。十市皇女は、あの時、ふとどこか遠くに高市皇子の姿を見て、はっとして、あのような眩暈を覚えたのではないかと思った。それに違いないと思った。額田には蒲生野の遊猟は別のものになった。侍女たちと、この日一日を楽しく無心に過そうと思っていたのであるが、急に辺りは色彩を失った、冷んやりとしたものに変わった。

額田を襲った冷たく暗い気持は、そう長い間のことではなかった。大友皇子と十市皇女が夏花の咲き乱れている野に連れ立って出て行く姿を見たからである。そうした二人の姿は、額田の眼には睦《むつ》まじい一組の若い皇子とその妃以外の何ものにも映らなかった。十市皇女の背後姿は、ほんの少し前に額田の眼に映った事件とは凡《およ》そ無縁だった。

額田の心は明るくなった。あの若い男女には何の暗い影もないのだ。すべては杞憂《きゆう》に過ぎなかったのである。十市皇女はあの時眩暈に襲われたのかも知れなかったが、それはあの時だけのことで、もうすっかり正常な状態に復し、この山野の行楽を楽しもうとしている。

額田は母の心で若い二人を見送っていた。いまの額田の心からは高市皇子のことは跡形なく消えていた。十市皇女が大友皇子との結びつきに於《お》いて仕合わせであることがすべてであった。それに較《くら》べれば、高市皇子の問題など取るに足らぬことであった。たかが、年端《としは》も行かぬ少年皇子の、やがてはその意味さえ失ってしまう小さい失恋事件に過ぎなかった。

さあ、自分も山野の行楽を楽しもうと、額田は思った。蒲生野に散っている陽の光も、蒲生野を渡っている風の音も、再び異なったものになった。

額田は侍女たちに自由に行動するように命じて、自分は自分で足の向く方に歩いて行った。若い皇子と妃が連れ立って行った方角とは反対の方向を目指した。どこへ歩いて行こうと、この日は心配というものはなかった。蒲生野一帯の広い山野は、護衛の兵たちに依って遠巻きにされており、その姿は見えないが、到るところに野守《のもり》は配されている筈《はず》であった。女ひとりでどこを歩こうと、いささかの危険もない安全地帯であった。それに、どこへ行って、どこへ眼を遣《や》ろうと、必ず遠くのどこかに人の姿は見えた。たくさんの男や女たちが広い原野に散っているのである。

額田は紫草の生えている野を歩いて行った。紫草は白い小さい花をつけている。その中に足を踏み込むのが躊躇《ちゆうちよ》されるような可憐《かれん》な花である。紫草は根を紫色の染料にすると聞いているが、小さい白い花を見ていると、額田にはどうしても紫色の連想は浮かばなかった。

額田は紫草の絨毯《じゆうたん》の上を歩いて行った。紫草の野はどこまでも拡がっていた。栽培したものか、野生のものか判らなかった。額田は時々風に乗って来る人声を聞いて足を停めた。どこにも近くには人影はなかった。ただ遠くの方に女たちの小さい姿が見えた。それも一カ所ではなかった。あちこちに女たちの衣服が小さい花でも撒《ま》き散らしたように見えている。

額田は、やがて天智天皇の御座所はどこに造られているのであろうかと思った。その御座所の周辺には大勢の妃たちの席も設けられているであろう。倭姫王《やまとのひめおおきみ》の顔が、姪娘《めいのいらつめ》の、橘娘《たちばなのいらつめ》の、常陸娘《ひたちのいらつめ》の、宅子娘《やかこのいらつめ》の、それぞれの顔が浮かんだ。たくさんの皇子や皇女のそこらを走り廻っている姿も浮かんで来た。

が、自分はいま、ここを歩いている、と額田は思った。なぜたくさんの妃たちやその一族の賑やかな情景を思い描いたあとで、すぐ思いは自分のところに戻って来たのであろう。額田は自分の心の内部を確かめてみるために、足を留めた。依然として、あたりには一面に白い小さい花が咲きこぼれている。

紫野行き しめ野行き

額田は口誦《くちず》さんだ。別に歌を作ろうとして口誦さんだのではなかった。ふいにその言葉だけが唇《くちびる》にのぼって来たのである。ああ、自分は紫草の野を歩いている。標《しるし》を立てて人の立ち入りを禁止している野を歩いている。紫野を歩いており、標野《しめの》を歩いている。そしてなお歩いて行こうとしている。ひとりで歩いて行こうとしている。天智天皇とその妃たちの賑やかな一団の行楽の情景を思い描いたあとで、額田はそれと対照的に紫野を行き、しめ野を行きつつある自分に気付いたのである。気付いたというより、自分で自分にそうした己れを意識させたのである。

額田はあたりを見廻した。どこかに腰を降ろそうと思った。併し、白く小さい花の野を荒すことを思うと、それも心ないことに思われた。その時、額田はこちらに馬を走らせて来る者のあるのを見た。今日の狩猟に加わっている狩人か、あるいは野守か、そうした者であろうと思っていたが、次第に大きくなって来るその姿は卑《いや》しい者のそれではなかった。

額田はその姿を見守ったまま立ち竦《すく》んでいた。大海人皇子の騎馬姿に似ていたからである。馬は大きく半円を描くようにしながら、次第にこちらとの距離を縮めて来る。額田は馬の走らせ方からみて大海人皇子に違いないと思った。

やがて馬は紫草の野を何の容赦もなく踏み荒しながらやって来た。額田は依然として、そこに立ち竦んでいた。逃げ出してもどうなるものでもなかった。相手の近付いて来るのを、立ったまま迎える以外仕方なかったのである。

大海人皇子は額田から一間ほどのところで馬を停めて、身を宙に浮かせるようにして地面に降り立つと、

「ひとりか」

と、最初の言葉を口から出した。

「ひとりではございません。大勢の者と一緒でございます」

「誰の姿も見えぬではないか」

「いいえ、大勢の方のお姿を眼に描いておりました」

それから、

「鸕野皇女《うののひめみこ》、大江皇女、新田部皇女《にいたべのひめみこ》、氷上娘《ひかみのいらつめ》」

「もうよい」

大海人皇子は遮《さえぎ》ろうとしたが、

「それから――」

「もうよい」

「あとは、どなたでございました。ああ、そうそう、五百重娘《いおえのいらつめ》、尼子娘《あまこのいらつめ》」

「もうよい」

「まだございます」

額田は、併し、これで大海人皇子の妃たちの名を挙げることは打ちきって、

「このような場所で、お目にかかっておりましては、あの若くお美しい鸕野皇女のお咎《とが》めを受けます」

実際に額田は、一刻も早く大海人皇子に立ち去って貰《もら》わねばならぬと思った。

「邪慳《じゃけん》なことを言うな。それほど人眼が怖いのなら、誰の眼も届かぬところに連れて行ってやる」

「何をおっしゃいます」

「そのために馬を持って来た」

「大海人皇子さまともあろう方が為《な》さることではございませぬ」

「馬に乗せてやる」

それから大海人皇子は、急に思い出したように笑い出して、

「大海人も年とって分別ができた。このように分別ができては、額田をどこへ運んで行くこともできぬだろう」

この言葉で、額田はほっとした。

「確かに御分別がおできになりました」

「昔なら、いきなり横抱きにして運んで行ってしまった」

額田とて、大海人皇子に地面からすくい上げられるようにして拉《らっ》し去られた夜のことを忘れている筈《はず》はなかった。併し、それについての応答はしなかった。触れてはならぬ危険なものがあるように思われた。そうした額田の気遣いに拘《かかわ》らず危険はすぐやって来た。額田は二、三歩あとに退《さ》がった。大海人皇子の烈《はげ》しい眼がまっ直《す》ぐに自分を射ぬいているのを額田は感じた。額田はまたあとに退がった。

「大勢の人が見ております」

それから額田は絶望的な思いで辺りを見廻した。次の瞬間、大海人皇子ははじかれたように額田の許《もと》を離れると、

「誰かこっちへやって来る。残念だが大海人は退散する」

言うや否や、大海人皇子は馬に跨《また》がった。

「他日、汝《なんじ》の館に出向いて行く」

その言葉だけをあとに残して、すぐ馬は駈け出して行った。やって来方も早かったが、退散の仕方も早かった。

額田は去って行く大海人皇子の姿を見送っていた。一度大海人はこちらを振り返って、袖《そで》を大きく振るようにしたが、あとは刻一刻、その姿を小さくして行った。

額田は大海人皇子を退散させたものが何か知らなかった。その方へ眼を遣《や》れば、それが何であるか判ったが、すぐにはそうしなかった。不自然になりそうな気がしたからである。そして暫《しばら》くしてから、ゆっくりと視線を辺りに投げた。さして遠くないところを二、三十人の騎馬の一団が遠ざかりつつあるのが見えた。そのほかに原野にはこれと言って変事は起こっていなかったので、大海人皇子はその一団がこちらに近寄って来ると思って、あのような行動をとったものと思われた。

額田は自分の席の方へ戻り出した。侍女たちと一緒に野花でも摘んでいる方が無難だと思った。額田は途中で侍女たちの出迎えを受けた。

「どこへいらっしゃいましたか、お姿が見えなかったので御案じいたしておりました」

一人が言うと、

「手分けしてお探しいたしたのでございますが」

もう一人が言った。

「紫草の咲いているところにおりました。あまりきれいだったので」

それから、

「今日は、ひとのことなど心配しないで、自由に振舞っていいと申してあったのに」

多少咎め立ての口調で言うと、

「貴いお方がお見廻りになるという報《しら》せがございましたので」

額田ははっとした。

「それで――」

「先きほど、次々にこのあたりのお席を、お見廻りになって、お帰り遊ばしました」

「おひとかたで?」

「いいえ、お馬に召したままで、この辺りをお見廻りになり――二十騎ほどのお供をお連れになっていらっしゃいました」

額田は、なるほど大海人皇子が周章《あわ》てて退散した筈だと思った。さっき原野を走り去って行った一団は、天智天皇と供奉《ぐぶ》の朝臣たちであったのである。

三度、蒲生野は額田には違ったものに感じられた。見渡す限りの美しい原野は夏の陽《ひ》に輝き、そこを爽《さわ》やかな風が渡っていたが、額田には陽の光も、風の音も、なべて空虚なものに思えた。楽しさは消え、救いようのない淋《さび》しさと不安な思いが額田を捉《とら》えていた。

額田は侍女たちに誘われて、夏草の野を花を求めて歩いた。名も知らぬ雑草が赤や黄の小さい花をつけている。侍女たちはそれを摘んで、花の輪を作ろうとしている。花を摘んでいるのは額田たち許《ばか》りではなかった。あちこちに花摘みの女たちの姿があった。

額田は一つの思いから自由になることはできなかった。自分と大海人皇子が語らっているところを、天智天皇は見たに違いないと思った。若《も》し天皇があの情景を眼に収めたら、それをどのような意味にとるであろうか。自分と大海人皇子は殆《ほとん》ど体を触れん許りにして、向かい合って立っていたのである。あの時天皇の一団はこちらに近付きつつあったのである。大海人皇子があれほど周章てるくらいであるから、よほど近いところをあの一団は通過して行ったのに違いない。

額田は絶望的な思いを持った。二人が野のまん中に立っているところをちらっと眼に収めると、いきなり馬首を返して行く天智天皇の姿が見えるようであった。駈《か》け去って行く天皇の心を、見てはならぬものを見た、そんな思いがよぎっている。ああ！

額田は野の草の上に膝《ひざ》を折った。侍女が駈け寄って来た。額田は侍女たちに取り囲まれて自分たちの席に戻って、日覆《ひおお》いの下にはいった。

原野のどこかで銅鑼《どら》の音がしている。この日の行楽の行事の一つを報《しら》せる合図であろう。女や子供たちのできるいろいろな遊戯も計画されているし、軽業《かるわざ》もあれば、大勢の女たちによる輪舞もある筈である。個人の武技もあれば、集団の武技もある。

銅鑼は相変わらず鳴り続けている。

「何か面白いことがあるでしょう。みんな行っていらっしゃい。気分はよくなったけれど、わたしは用心して、もう暫くここにこうしていましょう」

額田は侍女一人を残して、他を追い立てるようにして、原野のどこかに設けられてある競技場や演芸場の方へ赴かせた。暫く原野は移動して行く女や子供たちの姿で賑《にぎ》わった。なかにはせっかく張った日覆いまで取り片付けて、本格的に移動して行く組もあった。

やがて原野は静かになった。あちこちに日覆いは張られてあったが、大抵のところは空っぽであった。人影はなく無人の日覆いだけが点々と散らばっている。額田は長い間、日覆いの下に坐っていたが、やがて、そこから出て、さっき歩いた紫草の野の方まで再び足をのばした。

紫野行き　しめ野行き

額田の口からまたそういう歌の一句が出て来た。あとは続かなかった。さっきこの一句を口誦《くちず》さんだ時とは、いまの額田の気持は異なっていた。さっきは大勢の妃たちに取り巻かれている今日の行楽における天皇の身辺の賑々《にぎにぎ》しさを思い浮かべたあとであったが、こんどは全く異なっていた。天智天皇に誤解されているかも知れないという思いのもとに、ふいに唇にのぼって来た一句であった。

紫野行き　しめ野行き

額田は当所《あてど》なく歩いていた。淋しく、救われぬ思いを持って、紫野を行き、しめ野を行きつつあったのである。

陽がそろそろ西に傾こうとする頃《ころ》、一日の行楽は終わり、朝都を出て来た時と同じように、一行は幾つかの集団になって、蒲生野《がもうの》をあとにした。そして今朝降りた波止場から船に乗った。途中一行は湖北に向かって空の高処《たかみ》を飛んでいる渡り鳥の大群を見た。それは芥子粒《けしつぶ》でも振り撒《ま》いたように、鳥とは思えぬ小ささで眼に映った。船が湖岸に沿い始めた頃、夕暮が迫って来て、湖面のところどころで魚の跳ねる音が聞こえた。

都へはいった時は、長い夏の日も昏《く》れ、都大路には夕闇《ゆうやみ》が深く垂れこめていた。一行はそのまま王宮の中にはいり、湖の見える広庭に設けられている宴席の中に吸い込まれて行った。

広い宴席には、そこを取り巻くようにしてたくさんの篝火《かがりび》が焚《た》かれており、辺りは昼をも欺《あざむ》くような明るさであった。幼い皇子、皇女たちは除いて、今日の行楽に加わった者の尽《ことごと》くがこの席に列《つら》なる筈《はず》であった。それぞれが所定の席に就くまで多少の混乱があったが、やがてそれも鎮《しず》まった。

額田は湖面を背にする位置に、侍女たちを背後に随《したが》えて座をとっていた。額田のところからは玉座は遠く、天皇の姿を拝することはできなかった。大海人皇子の席も同じように遠く、この方もどこに大海人皇子が居るか見当が付かなかった。時々篝火の光が強くなることがあって、その時だけその席に居る男たちや女たちの姿が浮かび上がった。と言って、そこに居る一人一人の顔が見えるというわけではなかった。一団の人々が一つの賑々《にぎにぎ》しい固りとなって、ふいに暗い中から見えて来るだけのことであった。

酒宴は賑やかに続けられた。上下の別を取り外した無礼講の行楽の一日はまだ終わっていなかった。宮中で開かれるいかなる宴席も持たぬのびのびしたものが、宴席の周辺を埋めている闇の中にさえ感じられた。

やがて、今日の行楽に取材した歌を披露《ひろう》する時が近付いて来た。天皇の指名で最初の一人が立って自分の歌を披露する。次はその最初の詠歌者によって指名された者が立たなければならなかった。そして次々に前の詠歌者によって次の詠歌者が指名されて行く。従ってここに居る者は、誰もがいつ自分に白羽の矢が立てられるかも判《わか》らないという不安に曝《さら》されねばならなかった。いずれにしても、歌才のない者には迷惑千万な話であった。こうした行事のあることは前以《もっ》て判っていることであり、誰もこれまでに歌の一首や二首は用意しておかねばならないわけであったが、急に宴席がざわめき出したところをみると、それは用意のできていない者が多いということであった。

額田は歌の用意ができていない一人であった。併《しか》し、額田は他の者のように周章《あわ》てたり焦《あせ》ったりすることはなかった。作ろうと思えば、いまこの瞬間でもたちどころに何首でも生み出すことができた。

茜《あかね》さす　紫野行き　しめ野行き

額田は口の中で言った。今日一日、何回ともなく額田の口をついて出て来た歌の上《かみ》半分だった。あとの下《しも》半分は作ろうと思えば、すぐにでも幾通りにでも作ることができた。ただその幾通りもの中から一つを選ばなければならぬだけのことである。

やがて宴席は水を打ったように静かになった。一人の武臣が選ばれた。容貌魁偉《ようぼうかいい》、凡《およ》そ歌などとは無縁な風貌を持った人物であった。彼は立ち上がると、割れ返るような大きな声で、自分の歌を詠《よ》み上げた。それは歌を詠み上げるというようなものではなく、訳の判らぬことを呶鳴《どな》ってでもいるかのように見えた。蒲生野で一日花を摘んで暮らした。いつかもう一度この楽しさを繰り返したい、そんな歌であった。どう考えても誰かに作って貰った歌であり、女の歌であった。暫《しばら》く経《た》ってから笑い声が起こり、それは暫くやまなかった。

次は老女官に白羽の矢が立った。老女官の顔は篝火の光で見ると、鬼女の面のように見えた。怖《おそ》ろしく不気味に見えた。この方は自分で作ったものであろうとは思われたが、よく歌の心が判らなかった。今日の蒲生野遊猟の盛事は光り輝き、その光は永遠に消えることはないだろうというような意味であると思われたが、はっきりしなかった。

次々に何人かが立った。歌になっているものもあり、なっていないものもあった。

やがて、額田は顔を上げた。自分の名が呼ばれたからである。額田は立ち上がって宴席のまん中に出、玉座の方に礼をした。そして、いま天皇は自分の方に眼を向けておられるに違いないと思った時、ふいに額田は今まで考えていたとは全く違った歌を口から出そうと思ったのであった。瞬時にして歌はまとまった。歌の方が自分から額田の頭の中に飛び込んで来たようなものであった。額田は天皇に話しかける言葉を、そのまま歌の形に整えたのである。

茜さす
紫野行き
しめ野行き
野守は見ずや
君が袖《そで》振る

額田はゆっくりと詠《うた》った。星のまたたいている夜空は高く暗く、宴席だけが明るかった。額田は自分の歌声が明るい宴席から、高く暗い夜空に上って行くのを感じた。茜色の匂《にお》っている紫野を行き、しめ野を行く。遠くで君が袖を振っている。その大胆な仕種《しぐさ》を、森番は見ていないであろうか。

額田はもう一度詠った。こんどは歌声は宴席を割って天智天皇の方へ流れて行った。少なくとも額田にはそう思われた。この歌は誰に対して詠ったものでもなかった。曾《かつ》ての中大兄皇子《なかのおおえのみこ》である天智天皇に呈するためのものであったのである。お聞かせしましょうか。こんなことがございましたのよ。茜の匂うような紫野を行き、しめ野を行ききました。そしたらあの方が遠くで袖をお振りになりました。森番が見ていないかと心配でした。でも、こんなことを申し上げるわたくしの気持はお判りでございましょう。誰に判らなくても、あなただけにはお判りの筈でございます。

額田は自分の席に戻《もど》って、長い間心は落ち着かなかった。天智天皇の誤解を解きたくて作った筈の歌であったが、それと同時に図らずもそれが愛の歌になっていることに気付いたからである。大海人皇子の自分に対する求愛を詠い、そしてまたそれを自分の方も憎からず思っている、といった調子に整えていながら、実はそれが、これを呈する天皇への愛の歌になっていたからである。

宴席は水を打ったように静かであった。額田が大胆な恋歌を発表したと思ったからである。一体〝君が袖ふる〟の君は誰であろうか。誰もこのことに関心を持たずにはいられなかった。額田に対して袖を振った人こそ額田の意中の人である。誰もがそう思った。

額田はこの歌は誰に判らなくても、天智天皇だけには判って貰《もら》えるに違いないと思った。天皇に判らぬ筈はないと思った。

額田が立ってから何人目かに、大海人皇子の名が呼ばれた。やがて額田は宴席のまん中に現れる大海人皇子に眼を当てていた。大海人皇子がいかなる歌を詠うか興味があったからである。

紫草《むらさき》の
にほへる妹《いも》を
憎くあらば
人妻ゆゑに
吾《われ》恋ひめやも

歌は繰り返されて詠われた。額田は聞いていた。確かにそう聞こえたのである。紫草からとれる美しい紫色のように、匂うような君を憎く思っていたら、人妻でもあるのだから、どうして恋い慕いましょう。憎くないからこそ、人妻であろうとなかろうと、そんなことにお構いなく、このように恋しているのです。

一座の者には、これも亦《また》、額田に劣らず大胆な恋歌として受け取られた。〝紫草の〟という詠い出しに依《よ》って、一座に居る誰もが、これが額田に対して詠われたものであると思ったのは当然であった。額田の歌に対して、まるでその応答歌ででもあるかのような、大海人皇子の歌なのである。

併し、その歌の持った大胆さが人を驚かせはしたが、不思議にそれは深刻なものとしては受け取られなかった。いかにも額田と大海人皇子が企《たく》らんで、座興としてたわむれに恋の歌のやりとりをしているとしか思われなかった。大海人皇子の何人かの妃たちもそこに居合わせていたが、おそらく誰もたわむれの恋歌以上のものとは感じなかったに違いない。

ただ一座の中で額田だけはこの大海人の歌に対して違った思いを持っていた。これは一座の者にはたわむれの歌としか思えなかったであろうが、それは額田の心の中だけでは違った屈折の仕方をした。たわむれの歌どころではなかった。大海人皇子は天智天皇に聞かせると共に、額田にも聞かせるために、この歌を作っていた。そういう意味では怖ろしい程よくできた歌であった。人妻ゆえにと詠っていることで、相手が天智天皇の女性であるという見方をはっきりと示しており、はっきりと示すことにおいて天皇をたてているわけで、そしてまたそういう女性でも自分は恋さずにはいられないと詠うことで、所詮《しょせん》たわむれの歌に過ぎないという性格を巧みに出していた。

額田は大海人皇子がこのような歌を作る才能を持っていようとは、これまで一度も思ってみなかったことであった。額田の歌に呼応して、天智天皇の持ったかも知れない誤解を、大海人は大海人で解こうとしているのであった。

もう一つ額田が舌を巻いたことは、この歌が天智天皇に対して詠われていると共に、額田に対しても詠われていたことである。額田には大海人の烈《はげ》しい眼が感じられた。多くの人は私のこの歌をたわむれの歌として受け取るだろう、併し、たわむれを装った中にちゃんと本心もはいっていることは、あなただけには解っている筈だ。そういう大海人の声が額田には聞こえて来るようであった。

宴席は額田と大海人皇子の二つの歌によって、一層浮き浮きした楽しい明るいものになって行った。蒲生野遊猟の日の夜は、近江朝の朝臣や武臣たちにとっても、妃たちや、侍女たちにとっても、曾《かつ》てなかったような無礼講の楽しいものになって行った。宴はいつ果てるとも判らなかった。

額田はひどく疲れていた。一刻も早く宴の終わることを願っていたが、なかなか終わりそうもなかった。そうしている時、額田は仰ぐともなく夜空を仰いで、思わず声をあげそうになった。長く尾を曳《ひ》いて流星が幾つか飛んだからである。額田だけが見た流星であったかもしれぬが、夜空を長い尾をひらめかして流れた青い光芒《こうぼう》は、額田の瞼《まぶた》からいつまでも消えなかった。額田にはそれが妙に不吉に、不安に感じられた。

蒲生野遊猟の宴が果てて館へ帰ると、額田を襲っている疲労は更に烈しいものになった。すぐ床に身を横たえたが、頭だけは冴《さ》えて、どうしても眠りに落ちて行けなかった。

流星が額田の瞼に遺《のこ》した青い光芒は、蒲生野の今日一日の行楽のすべてを、不気味な冷たい青い色に染め上げていた。不安は到るところに顔を出していた。自分の歌の心を、天智天皇が正しく受け取ってくれたという証明はなかった。若《も》しこちらの歌の心が天皇に伝わっていないとすれば、自分は大海人皇子の求愛を訴えたということになった。あるいはまた、大海人との恋の遊びを披露したという奇妙な結果になった。どちらにとられても、額田の天皇に対する気持とは凡《およ》そ遠いものになった。それから大海人皇子の歌にしても、一歩誤れば、それは天皇への挑戦《ちょうせん》であるとも言えた。あなたの女であろうとなかろうと、好きなものは好きだ、そんな歌にも受け取られかねないところがある。

そしてまたあの宴席に列した人たちも、あの席では座興のたわむれの恋歌のやりとりとして受け取ったとしても、時が経《た》つと、その受け取り方はどう変わって行くかも知れなかった。一人の女性を挟《はさ》んでの、兄天皇と弟皇子の確執がはしなくもあの席で露呈されたと見るかも知れぬ。

——そして。

額田は思わず起き上がろうとしたほどの衝撃を受けた。流星が幾つも暗い部屋の中を飛んだ思いであった。すべてが、そう受け取られても少しも不自然ではなく、寧《むし》ろその方が自然に思われたからである。天智天皇と大海人皇子の二人の貴人が向かい合って坐っている情景が、この時ほど、額田に不気味に怖ろしく思われたことはなかった。

兵鼓

一

天智天皇即位の年は朝廷において蒲生野《がもうの》遊猟許《ばか》りでなく、遊宴のことが多かった。額田《ぬかた》もその宴席の多くに列《つら》なった。額田はこうした宴席になくてはならぬ存在になっていた。歌人として額田の右に出る者のないのは衆目の見るところであった。歌によってこの変転極《きわま》りない人生の哀歓を表現することは、近江朝《おうみちょう》の指導的な立場にある人たちには大きい魅力となっており、歌というものが漸《よう》く時代の文学として大きく花咲こうとしていた。こうした機運に従って、額田の存在は人々の目に大きく派手なものとして映っていた。

また額田は、この時機において天来の美貌《びぼう》に輝きを増していた。人々は誰も額田の美貌が若い時よりひと廻り大きく豊かになったのを感じた。その挙措動作も自由でのびのびしていた。それもその筈《はず》、三十四歳にして額田は長い歳月を通して追い求めてきた何ものにも遮《さえぎ》られない自由な境地に、いま漸く立つことができたのであった。額田は曾《かつ》て天皇の寵《ちょう》を得た女性であり、また曾て大海人皇子《おおあまのみこ》の寵を得た女性であった。併《しか》し、それはあくまで過去のことであり、現在は何ものにも拘束されず自由であった。

ある宴席で春の美しさと秋の美しさを論じ合ったことがあった。そこに列なっている者たちは男も女も、春山を称《たた》える者と、秋山を愛《め》でる者との二組に分かれた。天皇は最後に額田にそのいずれに与《くみ》するかと訊《たず》ねた。一座の者は固唾《かたず》を呑《の》んだ。額田の口から出る言葉がこの論争に一つの結着をつけるかの如《ごと》きその場の印象であった。

額田はそれを歌によって答えた。

冬ごもり
春さり来れば　鳥も来鳴きぬ
鳴かざりし
咲かざりし　花も……

額田はここで言葉を切った。一座の半分がざわめいた。それは誰にも春を讃美《さんび》する歌に違いないと聞こえたからである。額田は暫《しばら》く間を置いてその次の歌詞をゆっくりと続けた。

咲かざりし　花も咲けれど

山を茂み　入りても取らず
草深み　取りても見ず
秋山の　木の葉を見ては
黄葉《もみち》をば　取りてぞしのふ
青きをば　置きてぞ歎く

ここでまた額田は言葉を切った。さっきとは違った半分の者たちがどよめいた。もはや、春山から一転して、それは秋山の讃歌に違いないと思ったからである。

そこし恨めし

一座はしんとなった。額田がどちらに与するか判《わか》らなくなったからである。

秋山われは

ここで初めて、額田ははっきりと、自分が秋山をとることを明らかにしたのであった。こうしたことをさせると、額田の独壇場であった。集まりは、額田がひとり居ることで優雅にもなり、風雅にもなった。

併し、この時期の遊宴は必ずしもこうしたもの許りではなかった。宮中に開かれたある宴席においてのことである。この宴には重だった朝臣武臣の尽《ことごと》くが列席していたが、宴半ばにして大海人皇子は立ち上がって廻廊へ出た。そうした大海人皇子の背後《うしろ》姿は誰の眼にも酒気を帯びており、足許《あしもと》は危く見えた。

再び大海人皇子がその席に姿を現した時、一座の者はみなはっとした。大海人皇子は長槍《ちょうそう》を小脇《こわき》に抱えるようにして、宴席の入口に立っていた。

何人かの者が立ち上がった。異様な恰好《かっこう》でもあり、異様な形相でもあり、たとえそれが座興であるにしても、場所柄《ばしょがら》として到底許されぬことであった。何人かが大海人皇子に駈《か》け寄って行った時、人々が制止する寸前、恰《あたか》もそれを見計らっていたように、

――ええい！

という掛け声と一緒に槍は大海人皇子の手許を離れ、床を目指して奔《はし》った。槍の穂先は宴席の中央部の床に突き刺さり、長い柄《え》が大きく揺れて静止した。一瞬の出来事であった。一座の者は総立ちになった。

「狂いおったか、大海人！」

天智天皇は立ち上がった。満面朱を帯びていた。天皇の怒りは当然であった。楽しい宴席の中央部に長槍は投げられたのであり、それは誰の目にも天皇に対する大海人の挑戦《ちょうせん》としか受け取れなかった。

「狂った者は、不憫《ふびん》だが制裁する。そこに直れ」

すると大海人皇子はそこに胡坐《こざ》した。傲然《ごうぜん》たる感じだった。こんどは天皇が刀の柄《つか》に手をかけた。が、すぐ天皇は背後から抱きかかえられた。

「誰か、離せ」

すると、

「これを離して宜《よろ》しゅうございましょうか。鎌足《かまたり》、命にかけておとめいたします」

それから、

「大海人皇子は酒の故《ゆえ》の御乱心とお見受けいたします。今日よりは、鎌足がお勧めしまして、酒を断って戴《いただ》くことにいたします。よく今まで御自分の妃たちや皇子のお生命《いのち》が無事だったことでございます。おお、恐《こわ》や、恐や」

鎌足は言って、それから暫くして、天智天皇を抱えていた手を離した。それと一緒に天皇は崩れるように座に就いた。怒りで顔面は蒼白《そうはく》になっていたが、明らかに激情は峠を越していた。天皇らしい早い冷静への立ち直りであった。

「酩酊《めいてい》者は見苦しい。連れ去れ」

　その天皇の言葉より前に、鎌足は床に胡坐している大海人皇子に近寄っていた。大海人皇子は鎌足によって席から連れ出された。

　この事件はこれで済んだが、誰にもこの事件の真相は判らなかった。若し判っている者があるとすれば、天智天皇か鎌足であったろうが、実際のことはこの二人にも判らなかった。事件の直後、天智天皇と鎌足の間には次のような言葉が交わされた。

「何が大海人皇子をあのようにさせたのか。酒気を帯びてはいたが」

「酩酊はしていたと思いますが、それだけでは」

「汝《なんじ》もそう思うか。何か思い当たることはないか」

「それが、ないから厄介《やっかい》でございます」

　確かに二人にも判らなかったのである。この噂《うわさ》を聞いた額田女王《ぬかたのおおきみ》にも亦《また》判らなかった。額田はその席に居合わせなかったので、その時の様子を人の口から聞く以外仕方なかったが、こともあろうに長槍を床に突き刺すというようなことは、明らかに常軌を逸した行為であった。酩酊した上での行為であったとして、ただそれだけでは片付けられぬ問題であった。

その場に居合わせた朝臣、武臣たちの誰にも、事情は一切判らなかった。ただ判ることは、たとえ酩酊していたとしても、大海人皇子が天智天皇に対して心穏やかならざるものがあるに違いないということであった。が、その心穏やかならざるものの正体が何であるかということになると、全く五里霧中であった。

当の大海人皇子には、その後いかなる変化も見られなかった。一座の者を総立ちにさせた己《おの》が行為を全く忘れ去ってしまっているのではないかと思われる程、廟堂《びょうどう》に於《お》いても、館に於てもその言動、挙措動作にはいささかの変わったところも見られなかった。以前の大海人皇子と少しも変わっていなかった。

この事件があってから暫くして高句麗《こうくり》の使者が北陸の海岸に着き、都に上って来て貢物《みつぎもの》を奉った。使者はすぐ帰国するために着岸地に赴いたが、風波が高く船出することができず、暫くそこに留まっていなければならなかった。この高句麗の使者の報告で、近江朝廷は最近の半島の情勢を知ることができた。

唐と新羅《しらぎ》の連合軍は今や高句麗征討の大作戦を展開しようとしており、高句麗は国を挙げて外敵に対抗しようとしていたが、その前途に対する見透《みとお》しというものは全く暗いというほかはなかった。いずれにしても、この半島の情勢は、近江朝廷にとって、決して無関心でいられるものではなかった。唐はこれまで近江朝に対して友好的な態度を見せて来てはいたが、若《も》し高句麗が亡《ほろ》んでしまうようなことがあったら、そのあとは如何《いか》なる態度で臨んでくるか、まさに予断を許さぬものがあった。新しく唐軍の脅威が近江朝廷の首脳者たちを襲った。

近江の原野では、毎日のように兵団の訓練が烈《はげ》しく行われていた。これまでも訓練は、大和《やまと》に都があった時より烈しくなっていたが、それに輪がかけられた恰好《かっこう》であった。そうしたことはいっさい大海人皇子が取りしきっていた。一に武技、二に武技、三に武技、――これが大海人皇子の兵団への一貫した向かい方であった。こうしたことに寧日《ねいじつ》ない大海人皇子を見ていると、誰にも曾《かつ》ての長槍事件とは全くの無関係な人物に見えた。

また近江の都の周辺では馬の飼育が盛んに行われていた。驚くほどの数の馬が飼育されていることは、それを見る人々にある不安な思いを懐《いだ》かせた。近江中が牧場になってしまうのではないかと思うほど、牧場はやたらに新しく設けられていた。

朝廷には遊宴が多く、都の周辺の山野には兵と馬の動きが多かった。こうしたことを民たちは黙っては見ていなかった。

――どうもただ事ではない。天皇の御命もそう長くはないのではないか。

陰では、そんなことさえ囁《ささや》く者もあった。この頃《ころ》になってまた多くなった徴兵、徴用に対して民の不満はこのような形で現れていたのである。

秋九月、新羅から使者金東厳《こんとうごん》等が朝貢使としてやって来た。朝廷では新羅使節をできる限りの鄭重《ていちょう》さで遇した。彼等の言うところに依《よ》ると高句麗滅亡はもはや時日の問題であった。

——高句麗滅亡後の半島は却《かえ》って今までより難しい段階にはいりましょう。

使者は言った。新羅はこれまで唐の軍と協力して高句麗征討に当たって来たが、高句麗滅亡のあと、唐が本格的に半島経営の野心を現して来ることは必至で、それをいかに捌《さば》くかが、これからの新羅に課せられた問題である。そういう意味のことを使者は言外にほのめかした。

これは近江朝廷の知る新しい半島情勢であった。高句麗の使者によって得た半島に関する考え方は、またここで多少変更しなければならなかった。新羅使節の言うように、確かにこれからは新羅と唐が互いに半島の権益を争う時代になるかも知れなかった。こうした見方をすれば高句麗滅亡後の半島にはまた新しく戦雲がみなぎる筈であった。新羅の朝貢は複雑な意味を持っていた。曾ては白村江《はくすきのえ》の戦で倭兵《わへい》と兵火を交えてはいたが、いまは親交の手を差しのべて来るだけの理由はあるようであった。

近江朝廷は、いずれにしても、こうした将来いかなる立場に立つか判らぬ新羅に対して、当たらず触らずの態度で接しなければならなかった。近江朝廷では新羅王や新羅の大臣にそれぞれ船一隻《せき》を贈ることにし、それを新羅使節に託することにした。新羅使節は十一月に帰国の途に就いたが、近江朝廷は、この時も亦《また》新羅王への贈り物として絹五十匹、綿五百斤、韋《おしかわ》一百枚を追加した。

新羅使節が帰ってから、間もなく近江朝廷は、十月に高句麗が大唐の軍に攻められて滅亡したことを知った。高句麗は国を樹《た》てて七百年にして亡んだのであった。

年改まると、天智天皇の八年である。正月早々、蘇我赤兄《そがのあかえ》が筑紫大宰帥《つくしのだざいのそつ》として筑紫にくだることになった。蘇我赤兄は女《むすめ》を天智天皇と大海人皇子に納《い》れており、今や近江朝に重きをなす地位にあった。その赤兄が筑紫にくだることは、半島の新しい情勢に対する措置であった。

蘇我赤兄は筑紫に赴くに先き立って、額田女王《ぬかたのおおきみ》の許《もと》に挨拶《あいさつ》に来た。額田は有間皇子《ありまのみこ》の事件から、この人物に好感を持っていなかった。額田が好感を持たないくらいだから、赤兄の方も額田には好感を持っていなかった。そうしたことはお互いに判っている筈であった。

その赤兄が挨拶に来たことに額田は不審な思いを持った。挨拶に来るには、挨拶に来るだけの理由がなければならなかった。

「大友皇子《おおとものみこ》の妃に十市皇女《とおちのひめみこ》をお配しになりましたことは、何と申しましても、国家のためには慶《よろこ》ばしいことでございました。天皇の第一皇子と大海人皇子《おおあまのみこ》の第一皇女との御縁組でございました。赤兄は、これで何の心配することもなく、筑紫にくだることができます。何と申せ、大友皇子は、非凡な御器量でございます。お体格もおみごとであれば、その御見識も、近江朝におきましては、皇子の右に出る者はございますまい」

蘇我赤兄は、やたらに大友皇子を口を極めて賞讃して帰って行った。その賞讃の仕方が額田には気になった。額田としては、十市皇女を納れている皇子が褒《ほ》められるので、悪い気持はしなかったが、不安でもあり、不気味でもあった。大海人皇子が聞いたら不快ではないかと思うような褒め方であった。

三月に耽羅《たんら》の王子久麻伎《くまき》が朝貢使としてやって来た。半島の新しい情勢に対してこれといって手の打ちようのない耽羅としては、さしずめ近江朝廷に誼《よし》みを通じることを得策と考えたのであった。近江朝では久麻伎に五穀《ごこく》の種子を賜わった。久麻伎は七日都に居ただけで、国のことが気になるのか、早々にして帰って行った。

五月、朝廷では山科《やましな》遊猟のことがあった。大海人皇子、鎌足《かまたり》を初めとして百官の群臣の尽《ことごと》くが加わった。

八月、朝廷では高安山《たかやすのやま》に城砦《じょうさい》を造ることを議した。天皇自ら高安山に登って、その地形を眼に収めた。これも半島の新情勢に備えての措置であったが、併《しか》し、このことは間もなく取りやめになった。高安山築城のことが発表されると、それに対する批判と怨嗟《えんさ》の声が起ることは必定《ひつじょう》であった。

「もう暫《しばら》く先きのことにしたら、いかがなものでございましょう」

鎌足が言ったので、一応築城工事は延期になったのであったが、これに対して廟議《びょうぎ》は二つに分かれたという噂があった。天皇と大海人皇子の意見が対立したということであったが、いずれが築城を主唱し、いずれが築城に反対したか、そのことは判らなかった。この場合に限らず、いろいろな問題においての天皇と大海人皇子の対立が噂となって流れた。実際にそのようなことがあったかどうか、誰も知らなかったが、そういう噂が一再ならず流れるというところに問題があった。

この年、天智天皇の八年の秋に、鎌足の家に落雷があった。その日は午前中は晴れていたが、午刻《ひる》ぐらいから急に空はかき曇り、辺りは夜のように暗くなって小石大の雹《ひょう》が降った。そして雹の落ちるのがやや下火になった頃から雷鳴がとどろき、雷光が空の到るところを奔《はし》った。

この天地の異変は、極く短い時間のことであったが、この間に鎌足の家の一棟《ひとむね》から火を噴き出した。落雷のための出火であったのである。こうした時は大抵何カ所かに落雷があるものであるが、この時は鎌足の家だけが選ばれていた。いかにも鎌足の家に雷が落ちるために、突発的な異変が起こり、ひと時、天地を幽暗の中に閉じこめてしまったかのような印象を人に与えた。

――近く鎌足の身の上に何事か変事があるのではないか。

巷《ちまた》の人々はこのような噂をした。果たしてこの落雷騒ぎから何日も経《た》たないうちに、鎌足が病を得て、しかもその病が決して軽いものでないことが、誰からということもなく巷に伝えられた。

鎌足が重い病の床に臥《ふ》していることは事実であった。天智天皇は鎌足の家に幸《いでま》して、親しく病床をお見舞になった。天皇の眼には鎌足の姿が全く別人に見えた。鎌足は何年間も病んでいる人のように面窶《おもやつ》れがして、心は衰え、口から出す言葉にも精気がなかった。

「臣、もともと不敏に生まれ付いております。その私を天下の政《まつりごと》の相談相手にお選び下さり、何かと私の意見をお採《と》り上げ下さったことについてはお礼の言葉もございません。考えてみますれば、何一つ大きい御信任にお応《こた》えすることはできませんでした。そのことが、この期《ご》に臨んでまことに残念でございます。半島の敗戦も、敗戦の後始末の不手際《ふてぎわ》も、それから国内の諸政の実績の挙がらなかったことも、みな鎌足の責任でございます。大化のあの大きい御事業を現在のような形にしか継承できなかったことを、鎌足心から申し訳なく思っております。もう鎌足の命数は尽きております。再び起《た》つことはできないでありましょう。私が亡《な》くなりましたら、葬儀はできるだけ簡略にして戴きとうございます。生きて君国に何一つ御奉公できなかった身が、死後どうしてその不名誉を重ねていいものでございましょうか」

鎌足は言った。その一語一語を、天皇は肺腑《はいふ》をえぐられるような痛みで聞いた。重い病患に倒れた鎌足を見て、天皇はいま自分の前から去ろうとしているものがいかに大きいものであるかを知った。

天皇は鎌足の功に酬《むく》ゆるために、大織冠《だいしきのこうぶり》と大臣《おおおみ》の位を賜わることにし、併せて、藤原《ふじわら》氏の姓をも贈った。この報《しら》せを病床の鎌足に伝えたのは、大海人皇子であった。

大海人皇子の眼にも亦《また》、鎌足は再び起つことができない人として映った。大海人皇子は鎌足の女《むすめ》二人を妃としている許《ばか》りでなく、宮中の酒宴の際の狼藉《ろうぜき》を鎌足によって庇《かば》われていた。謂《い》ってみれば、鎌足は義父でもあり、恩人でもあった。

十月十六日に、藤原内大臣鎌足は薨《こう》じた。五十六歳であった。十九日に天皇は鎌足の邸《やしき》に幸《いでま》し、筑紫から戻《もど》っていた蘇我赤兄をして重臣の遺骸《いがい》に対して恩詔《おんしょう》を伝えしめ、金の香炉を贈った。死んだ鎌足が仏の世界でいつも法を聞く時に手にするための香炉であった。葬儀は国を挙げての悲しみの中に行われ、鎌足は山科《やましな》の山の南麓《なんろく》に葬られた。民たちも鎌足が自分たちにとってかけ替えのない味方であったという証拠は持ち合わせていなかったが、事あるごとに耳にした名前であったので、やはりその人の死は悲しく思われたのである。

鎌足の死は近江《おうみ》朝廷における最も大きい柱が一本なくなったようなもので、こうした思いを廟堂《びょうどう》に列するすべての朝臣、武臣たちが持った。その中で最も大きい打撃を受けたのは言うまでもなく天智天皇であって、天皇はその悲歎《ひたん》から容易に脱け出ることはできなかった。

鎌足の死から日が経つにつれて、天智天皇にとって廟堂は全く異なったものになった。天皇はあらゆることを大海人皇子と議さなければならなかった。大海人皇子が鎌足に代わって、ひと廻りもふた廻りも大きい存在になって立ちはだかって来るのを感じないわけには行かなかった。

十二月に王宮内の大蔵から出火した。平生火の気というものが全くないところからの出火であったので、当然放火によるものと見なければならなかった。

——王宮内から不審火が出るというのは困ったことである。民への聞こえも面白くない。さて、さて、困ったことではある。

廟堂において大海人皇子は言ったが、天皇はこれを聞いた時顔色を変えた。不審火の責任を、自分が大海人皇子によって指摘されたような思いを持ったからである。不審火が現下の施政方針に対する反抗の一つの現れであると見るなら、確かにそれは自分の責任とされても仕方ないものかも知れなかった。

——このような時、鎌足が居てくれたら。

天皇は思った。併《しか》し、鎌足は居ず、鎌足の温顔に代わって大海人皇子の急に自信と威厳を持ち始めた顔があった。

鎌足亡きあとの、最初の大きい事件は、一時据《すえ》置きになっていた高安城の修築を取り上げたことである。廟議において誰一人の反対もなく決定し、直ちにそれは実行に移された。一時据置きになっていたのは、このために生ずる民の徴用から来る不平を慮《おもんぱか》っての鎌足の考えから出たことであったが、今や半島の事態はそうしたことを許さないほど切迫したものとなっていた。大唐が本格的に新羅《しらぎ》と事を構えるとなると、どう考えても新羅に勝味のあろう筈《はず》はなかった。そして一番の問題は新羅を降《くだ》したあとの唐軍の鉾先《ほこさき》がどこへ向かうかということであった。どこへも向かわないかも知れなかったし、曾《かつ》ての敵国である日本列島へ向かうかも知れなかった。こうしたことを考えると、高安城の修築一つでも、遷延《せんえん》させておくべき場合ではなかった。

それから高安城修築と共に、もう一つのことが廟堂でこれまた一人の反対もなしに可決され、直ちに実行に移された。大唐への親交使節の派遣であった。この際大唐へ友好の意志を通じておくことは、おかないよりいいことに違いなかった。大唐国を刺《し》戟《げき》しないだけの手は、打てるだけ打っておくべきであった。河内直鯨《かわちのあたいくじら》がその使節に選ばれ、大任を帯びて、大勢の従者と共に都を出て行った。

こうしたことがあってから間もなく、大和の法隆寺が炎上した。これも明らかに放火に依《よ》るものと思われた。

——同じ火をつけるにしても斑鳩寺《いかるがでら》を火で包むようなことをするに到ってはおしまいである。仏がいます御寺を焼くとは、民の心がそれだけ荒ぶれていることの証拠であろう。

廟堂に於《お》いて大海人は発言した。大海人皇子の言うことに間違いはなかった。その通りであった。併し、この時も亦《また》天皇は自分の顔から血の気が引いて行くのが判《わか》った。怒りのために膝《ひざ》の上に置いてある手が細かく震えた。

天皇は辛うじて沸《たぎ》り立って来る怒りに耐えることができた。若《も》し鎌足が居たら、怒りに耐えることはできなかったに違いないが、鎌足の居ない今、怒りを発してしまったら、収拾つかぬ事態が起こることは火を見るより明らかであった。

それにまた、心を冷静にして考えてみれば、大海人皇子は天皇に対してその責任を追及しているわけでもなければ、嫌味《いやみ》を言っているわけでもなかった。事の拠《よ》って来るところを、大海人皇子らしい烈《はげ》しい言い方で言っているに過ぎなかった。ただ大海人皇子の発言が、鎌足の居ない廟堂では不思議に不穏なものとして、天皇には感じられるのであった。

鎌足が薨じた年を、額田は忙しく暮らしていた。高安城の築城に関する神事もあれば、大唐へ使する人たちのための神事もあった。

額田の耳にも巷で噂されることはみな伝わって来た。別段これと言って気にしなければならぬほどの悪質な流言はなかったが、鎌足の死に依って、これからの政治がいいものになるか、悪いものになるか、民の一人一人が聞き耳をたてているようなところが感じられた。こうした時期において、高安城築城は、当然なことながら民の一部には反感を持たれた。大蔵の火災も、法隆寺の火災も、これと無関係ではなかった。

この年の暮近くなって、十市皇女《とおちのひめみこ》は男子を生み、葛野王《かどののおおきみ》と名付けた。ちょうどその頃巷では怪しげな予言が行われた。いつ半島から唐軍が押し寄せて来るとか、いつ大々的な兵の徴集があるとか、そうした根も葉もない流言であったが、それがまことしやかに伝えられ、ある程度人々に信じられた。そうしたことの予言者は一人や二人ではなかった。

額田はこうしたことが耳にはいって来る度に心を暗くした。天皇の治世はいささかの風波もなく、民のいかなる者からも悦《よろこ》んで迎えられるものでなければならなかった。額田はそうした御代の到来を夢みていた。夢みている許《ばか》りでなく、心を籠《こ》めて、朝な夕なに神に祈っていた。


天智天皇の九年は例年になく寒さの厳しい春を迎えた。年末から舞い続けていた雪は、年が改まっても、同じように宙を舞い、春らしい陽《ひ》の光を見ることはできなかった。雪は朝から晩まで舞っていたが積もることはなく、その代わりに寒さが厳しく、湖上は脱色されたような白っぽい波で埋められた。都大路には人影は少なく、浮浪者さえ、どこに匿《かく》れてしまったのか、その姿を見ることはなかった。

七日に宮城では、詔《みことのり》によって、士大夫たちの弓の競技が行われた。この日は長い間舞っていた雪が本格的な降雪に変わった日で、矢場は真白くなり、弓弦《ゆづる》の音だけがこやみなく落ちている雪の中を奔《はし》った。

十四日に、朝廷における礼儀のことが法令として定められ、その発表があった。また道路において行き逢《あ》う場合、民は貴人を、目下の者は目上の者を、若きは老いを避けなければならぬということも、法令の中に組み入れられてあった。それから、流言、予言を初めとするあらゆる妖偽《ようぎ》が、これまた法令に依って禁じられた。法令によって禁じられるということは、それを犯す者は罰せられるということであった。

巷の民たちは急に身の周辺が窮屈になったのを覚えた。うっかりしたことを喋《しゃべ》ると、罪人としてどこかへ連れ去られて行くような思いに打たれ、

――言うまいぞ。言うまいぞ。

互いに顔を合わせると、そんなことを言い合った。

二月に戸籍を造ることが発表された。戸籍造りは以前にも行われたが、いろいろなところに不備な点があったので、こんどの法令はその完全を期するためのものであった。全国津々浦々の民たちは、これに依って住所と年齢と生業を届け出なければなら

なかった。当然のことながら浮浪者や流民というものは無くなるわけで、いかなる男女も民としての納税の義務を負わなければならなかった。これまた巷の民には頗《すこぶ》る窮屈な法令と言うほかなかった。良民も窮屈であったが、盗賊や無頼《ぶらい》の徒には一層窮屈であった。

こうしたことはすべて鎌足が中心になって、何年がかりかで慎重に起草し、何回も練りに練った法令であったが、それが鎌足の死後、発表になったのである。

この戸籍に関する発表があった後、幾許《いくばく》もなくして、修築なった高安城に莫大《ばくだい》な量の穀《もみ》や塩が運び込まれたという噂《うわさ》が流れた。一朝事あった際の兵糧《ひようろう》であるということであったが、民たちは、最早《もはや》それに対する非難を今までのように公然とは口にすることはできなかった。また長門《ながと》にも筑紫《つくし》にも城を築くという発表があったが、これに対する不平も不満も大きい民の声とはならなかった。

続いて三月に、朝廷では近江の都から程遠からぬ山御井《やまのみい》の泉の傍《かたわら》に神々を祀《まつ》って、幣帛《へいはく》を捧《ささ》げ祝詞《のりと》を上げた。これは毎年のように行われることで、今年は山御井という特定の場所が選ばれたということに過ぎなかったが、人々には何かなし異常なものに感じられた。今年は春早々から容易ならぬことが次々に発表になったが、これからも亦《また》驚天動地の施政方針が矢つぎ早やに発表になって行くに違いない。民たちはそうした思いを固めなければならなかった。

　併し、その後何事も起こらず、長い冬は終わって、いつか世は春になっていた。民たちは明るい陽光の散っている巷々《ちまたちまた》を、貴人や役人と行き逢《あ》う度に頭を下げて、道を譲って歩いて行った。

　四月も終わろうという日の夜半に、法隆寺から出火して、一宇《いちう》残らず灰になった。法隆寺の出火は半年前にもあり、その時も幾つかの堂宇が火に包まれたが、こんどの火災で全伽藍《がらん》が灰になってしまったのである。伽藍という伽藍が焼け落ちた頃を見計らったように、雷鳴がとどろき豪雨が見舞った。巷ではこの法隆寺の火災を諷《ふう》する童謡《わざうた》が歌われた。必ずしも法隆寺の火災を諷しているようには思われなかったが、役人たちはこれを取り締まるのに躍起になった。子供たちは集団をなして合唱しては、役人の姿を見ると、蜘蛛《くも》の子を散らすように四方に逃げた。

　この年の後半は、何事もなく過ぎた。人々は驚天動地の出来事があるに違いないと思い込んでいたがその期待は裏切られた。強《し》いて事件らしいものを拾えば阿曇連頬垂《あずみのむらじつらたり》が友好使節として新羅《しらぎ》に派せられたぐらいのことであった。頬垂は、先きに新羅から使節を派せられて来たことに対する返礼ということをその表向きの使命としていたが、それ許《ばか》りではなかった。その後の新羅と唐がいかなる関係にあるか、半島の情勢を打診するということが、言うまでもなく、その使命の主なるものであった。

年改まると、天智天皇の十年である。宮中の新年の賀宴は二日に行われ、筑紫の任を解かれた蘇我赤兄と巨勢人臣《こせのひとのおみ》の二人が、群臣を代表して、天皇の前に進み出て、新年の賀を奏した。赤兄と人臣が賀正奏上の代表者になったことは、一般には鎌足亡きあとの臣下の序列を、それとなく明らかにしたものと見られた。

五日に中臣金連《なかとみのかねのむらじ》によって厳かに神事が執り行われ、その直後、こんどははっきりした形で重臣たちの序列の発表があった。

大友皇子が太政大臣に、蘇我赤兄が左大臣に、中臣金連が右大臣に、蘇我果安臣《はたやすのおみ》、巨勢人臣、紀大人臣《きのうしのおみ》がそれぞれ御史大夫《ぎよしたいふ》に任ぜられた。並みいる朝臣武臣たちは身を固くして、一声も発しなかった。すべては彼等が心のどこかで予想していたことが行われたのであり、その意味では別段驚くべきことではなかったが、やはりそうであったかという感慨だけはあった。その感慨が彼等を妙に物憂《ものう》く、しんとした思いにさせていた。

廟堂《びようどう》において、最も上の場所に坐るのは大友皇子であり、蘇我赤兄と中臣金連が左右から、それを補佐している。あらゆることはこの三人に依って決められるであろう。そしてこの三人の相談役として、蘇我果安臣、巨勢人臣、紀大人臣の三人が控えている。

並みいる者は身を固くして面を上げなかったが、それは天皇に一番近いところに座を持っている大海人皇子の存在を意識していたからである。大海人皇子は皇弟でもあり、実質的に東宮でもある筈《はず》であったが、このように重臣たちの廟堂における序列と地位がはっきりしてしまうと、大海人皇子の席は妙に浮き上がったものに感じられた。殊《こと》に天皇の第一皇子である大友皇子が太政大臣を拝したということは、大海人皇子の東宮という地位が、ふいに背後に、限りなく遠く押しのけられてしまった恰好《かっこう》であった。

こうしたことは民たちには無関係なことであったが、それでもその日のうちに廟堂に重きをなす人々の名が、巷のあちこちで囁《ささや》かれた。あすからの自分たちの暮らし向きが、急に、これらの人々に依って変えられてしまうのではないかという思いを持った。いかに変わるか、誰にも見当は付かなかったが、よくなると言う者もあったし、悪くなると言う者もあった。

それからまた、民たちは民たちで敏感な触角を持っていた。翌六日、朝廷において冠位、法度《ほうど》のことを天皇に代わって発表したのは、大友皇子であるとか、いや大海人皇子であるとか、そんなことがいろいろに取沙汰《とりざた》された。それから間もなく、罪人たちの大赦の発表があった。罪人たちの罪がゆるされるということで、いかにこんどの廟堂における人事が大きい意味を持つものであるかということを、民たちは思い知らされた形であった。それにしても、民たちはふいに施政の第一線に躍り出た大友皇子という天皇の第一皇子については、ほとんど知るところはなかった。大友皇子は仁徳の厚い聖天子の風格を持つ皇子だとする考えもあれば、その出生の家柄《いえがら》についてとやかく言う者もあった。

さらにこうした廟堂の人事を追いかけるようにして、半島の帰化人たちはそれぞれ高い官位が授けられ、その職分が明らかにされた。

この廟堂の人事は、額田女王にも顔色を変えさせるだけのものを持っていた。額田はこの発表のあった日、神事に仕えて、宮殿に伺候《しこう》していたが、殆《ほとん》ど立っていられぬほどの強い衝撃を受けた。

前に、筑紫赴任の挨拶《あいさつ》に来た蘇我赤兄が口を極めて大友皇子を称《たた》えるのを聞いたことがあったが、その時漠然《ばくぜん》と感じた不安は、いまはっきりした形を持って現れて来たのであった。

——それはいかがなものでございましょう。

若し曾《かつ》てのように額田が天皇の寵《ちょう》を得ており、そしてこの事を前以《まえもっ》て知ることができたならば、額田はこのように口に出して言ったに違いなかった。どうしても、このようなことがあってはならぬという思いであった。

額田はその発表があってから何日間も、大海人皇子の心の内を慮って、悲しみと不安で心を戦《おのの》かせた。額田は自分が一番よく大海人皇子の人となりを知っていると思った。それと同様に天智天皇の人となりをも知っていた。火と水であった。天皇が火であるなら大海人皇子は水であり、天皇が水であるなら大海人皇子は火であった。片方が熱すれば片方が冷え、片方が冷えれば片方が熱するに違いなかった。そういう見方をすれば、現在天皇は火であり、大海人皇子は水であった。

額田は大海人皇子に会って、こんどの人事から受けたに違いない打撃を慰めてやりたかった。併し、考えてみれば、大友皇子が政治の前面に押し出されて来たことは事実であったが、そのために自他共に許していた東宮としての大海人皇子の地位が揺いだわけでも、危くなったわけでもなかった。ただ大友皇子がふいに大きな存在として押し出されて来たために、大海人皇子の地位が、人々の眼に浮き上がって見えるだけのことであった。大友皇子は天智天皇が寵愛している第一皇子であり、大海人皇子は長く辛苦を共にして来た実弟であった。将来、天皇は己《おの》が後継者として、大海人皇子を排して、大友皇子を選ぶのではないか、少なくともそういう下心があってのこんどの人事ではないか、誰もがそう考えたがった。誰にもそういう考えを起こさせるようなものがあることは確かであった。

併し、いかにそういう考えを起こさせるものがあるにしても、あくまでそれは臆測《おくそく》の範囲を出ないことであって、天智天皇は全く異なった考えを持っているのかも知れないのである。ただ問題はそういう臆測をさせるようなものが、こんどの人事にはあるということであった。

人々の誰もがそのような臆測をするくらいであるから、当の本人である大海人皇子はいかなる考えを持つであろうか。額田にはそれが怖《おそ》ろしく思われた。烈しい気性の大海人皇子のことであるから、いきなり自分の地位が押しのけられ、いっさいの発言を禁じられたように受け取って、怒りを心頭に発しているのではないかと思われた。

額田は大海人皇子に会って、そうした心の打撃をも慰め、その上でこんどのことが少しも決定的なことではなく、天皇のお考えは全く別のところにあるかも知れないということを、自分の口から大海人皇子に伝えたかった。併し、いざ大海人皇子に会おうとすると、なかなかその機会はなかった。現在は皇子といかなる特殊な関係も持っていなかった。招かれでもしない限り、自分の方からその館に出向いて行くわけには行かなかった。

三月のある日、唐国の水量《みずはかり》が王宮の一室で公開された。このほど唐国から帰って来た黄書造本実《きふみのみやつこほんじち》が将来して来て朝廷に献じた品であった。額田もその水量なるものを見に王宮の一室に出向いて行ったが、そこで思いがけず大海人皇子と顔を合わせることができた。

その場には大勢の男女が居たが、額田は大海人皇子に挨拶をした時、

「大きな楓《かえで》の木の植わっておりますお庭に、珍しい鳥が来て、群《むらが》っております」

と言った。それに対して、大海人皇子はいかなる反応も示さなかったが、額田は自分が口に出した大楓のある庭に行って、そこで大海人皇子の来るのを待っていた。

暫《しばら》くすると、果たして大海人皇子はやって来た。

「珍しいことがあるものだな。額田の方から呼び出しがかかるとは」

大海人皇子は言って、さもおかしそうに笑った。

「大方、慰めてでもくれる所存であろう」

「お慰めするつもりでおりましたが、いまお顔を拝しましたら、そのような気持はなくなりました」

額田は言った。その言葉の通りだった。大海人皇子の表情にはいささかの暗さもなかった。慰めるべき何ものも持っていない皇子の顔であった。

「近く汝《なんじ》の館《やかた》に赴く」

「いえ、それは」

「ならぬと言うのか」

大海人皇子はいつものように烈しい眼をして見せたが、あとは表情を改めて、

「余を慰めるより十市皇女を慰めてやるがいい。汝が生んだ姫だけあって、なかなか難しいところがあるようだ」

と言った。大海人皇子の言うことはよく判らなかったが、十市皇女と大友皇子との間がよく行っていないことを、暗にほのめかされたような、そんなその時の気持であった。

二

天智天皇の十年は、春から夏、夏から秋へと、比較的平穏に過ぎて行った。この年の初めの廟堂《びょうどう》の人事の発表によって、この年は何か一騒動持ち上がるのではないかと

いった不安が誰の気持にもあったが、いっこうにそのようなことはなかった。

大きい事件と言えば半島において百済《くだら》の旧領が次々に新羅《しらぎ》のものとなって行きつつあるぐらいのことであった。これに対して、近江《おうみ》朝廷はいかなる手も打たなかった。半島において新羅ひとりが強大になって行くことは、やはり一つの脅威であり、決して望ましいことではなかったが、これに対して唐がいかなる出方をするかも判《わか》っておらず、この国としてはいかなる対策の樹《た》てようもなかった。いかなる事態が起こってもいいように、せいぜい海辺の防備を固くするくらいのことで、皇族の栗隈王《くるくまのおおきみ》が筑紫率《つくしのかみ》になったのも、こうした政策の一つの現れであった。

何事もなく秋を迎えたが、秋の深まる頃《ころ》になってから、突然大きな事件が起こった。それは天智天皇が重い病患に倒れられたことである。

天皇の病気は固く秘せられ、その病状は朝臣たちにも発表されなかったが、額田《ぬかた》はその病が容易ならぬものであることに気付いていた。額田は天皇の病気快癒《かいゆ》を毎日のように神に祈った。何かなしに王宮にはただならぬ空気が漂い、人の出入りも烈《はげ》しく、僧侶《そうりよ》に依る祈禱《きとう》も毎日のように行われていた。祈禱という祈禱はすべて行うようにということであった。額田はひと目だけでも天皇に謁《えつ》し、病床にある天皇を見舞いたかったが、それは叶《かな》わぬことであった。

十月にはいると、織物の百仏が完成し、それが西殿に安置されて、最初の供養《くよう》が行われた。これも天智天皇の病気と無関係なことではなかった。また袈裟《けさ》や、金の鉢《はち》や、各種の異国の香などが飛鳥《あすか》の法興寺《ほうこうじ》に寄進された。そして法興寺の本尊の前で寄進の法要が盛大に行われるということで、大勢の僧侶たちが近江の都から出て行った。これも亦《また》天皇の病気と無関係なことではなかった。

この頃になると、天皇の病患が重いということは巷《ちまた》にも伝わっていた。徒《いたず》らに騒ぎ立てる者もあれば、その平癒《へいゆ》を神仏に祈る者もあった。民は民で、一人の貴人の病患に無関心ではいられなかった。それが容易ならぬ事件であるということだけは判った。

額田はずっと館には帰らなかった。朝から晩まで神事に奉仕していた。天皇に、若《も》しものことがあったら、自分も生きてはいられぬような思いの中に毎日を送っていた。

ある夜、額田は神に供える水を汲《く》むために、王城内にある泉の畔《ほと》りに立った。その時、星が長く尾を引いて西方に流れるのを見た。以前蒲生野《がもうの》遊猟の夜に、同じように流星を眼にしたが、その時は幾つかの星が飛び、こんどは一つであった。

額田は烈しい不安な思いに捉《とら》われた。その夜は深夜まで神事に奉仕し、暁近くなってから仮睡をとるために身を横たえた。併《しか》し、眠れなかった。

額田は夜が明けてから、王宮内の寝所に帰った。寝所に帰る途中、二回誰何《すいか》された。

武装した兵たちが、到るところに屯《たむろ》していた。こうしたことはこれまでにないことであった。寝所にはいると、身動きできないほどの疲れ方で、体の節々が痛むのを感じた。額田は何日かぶりで寝衣に着替えて寝台の上で眠った。

眼覚めたのは午刻《ひる》過ぎだった。侍女がやって来て、

「今日は朝から御病室に重臣の方々がお集まりになっておりましたが、先きほどそれぞれお引き取りになった模様でございます」

と言った。額田ははっとした。

「では、御病状でも」

額田が顔色を変えると、

「そのような御様子ではございません。御気色《みけしき》はいつになくお宜《よろ》しいと承《うけたまわ》っております。何か重大なお打ち合わせでもあるらしく、これから大海人皇子《おおあまのみこ》さまが御病室におはいりになる御様子でございます。そのようなお使いが皇子さまのお館に派せられたとただいま承りました」

「大海人皇子さまが！」

額田は思わず立ち上がっていた。胸の動悸《どうき》が烈しくなっていた。不吉な予感が四方から額田を押し包んで来た。併し、考えてみると、その不吉な予感には何の根拠もな

かった。若しあるとすれば、昨夜半、流星を見たことと、今朝、王宮内の庭に武装兵が配されているのを見たことぐらいである。それにしても、そうしたことと大海人皇子とを結びつけて考えるのはおかしなことであった。

併し、額田は不安だった。大海人皇子の身辺に何か異常なことが起るのではないか。何の理由もないことではあるが、しきりにそのような思いが、額田を押し包んで来た。ここ一カ月程、額田は天皇の身の上許《ばか》りを心配して、大海人皇子のことなどはついぞ思い出したこともなかったのであるが、ふいに今侍女の口から大海人皇子の名を聞くと、こんどは大海人皇子のことから思いを他に逸《そ》らせることはできなくなっていた。

額田は長い間、部屋の中を歩き廻っていた。侍女がまたやって来て言った。

「大海人皇子さまが御病室におはいりになったそうでございます」

「どうして、そなたは――」

額田は言いかけてやめた。額田は平生天皇の病室への出入りなどについて、さして関心を持ったり、注意を払ったりしない侍女が、どうして今日はこのようにそうしたことに神経質になっているのであろうかと、それが不思議に思われ、そのことを質《ただ》そうと思ったのである。が、それを途中で思いとどまったのは、自分が不安を感じているように、侍女も亦《また》不安を感じているのではないかと思ったからである。それを質すのが怖かった。あるいは、自分を襲っている不安の実体を侍女は知っているかも知れなかった。考えてみれば、額田は天皇の病室を取り巻いて、朝臣たちの間にいかなる動きがあるか、そうしたことは全く知らなかった。神に仕えて許《ばか》りいた。苦しい時間が続いた。いつも一日が早く過ぎるのに驚かされていたが、この日は時間の経《た》つのが遅く思われた。

夕刻に侍女がやって来た。

「大海人皇子さまは？」

額田は訊《き》いた。

「まだ御病室からお出にならぬ御様子でございます」

侍女は答えた。更に苦しい時間は続いた。額田は神に仕えるために己が部屋を出なければならぬと思った。その時間は迫っていた。額田は服装を改めて、庭へ降り立った。その時、暮色が立ちこめ始めている庭の向こうを、数人の人々が過ぎて行くのを見た。

額田のところからは、その一団の人たちが誰であるかは判らなかったが、額田は足早やに、その方へ歩いて行った。二つの築山《つきやま》を廻ったところで、額田は追いついた。

額田が声をかける前に、一団の人々は足を留めた。やはり額田が思ったように、大海人皇子とその侍臣たちであった。

大海人がいかなる言葉を口に出したか判らなかったが、大海人をそこに残して、他の者はそのまま歩き去って行った。

「皇子さま！」

額田は声を出すと一緒に、烈しい感動に身を任せた。嗚咽《おえつ》になりそうな思いであった。この感動の正体も亦、額田には判っていなかった。漠然《ばくぜん》と長い時間、大海人皇子の身辺に変事があるのではないかという予感に怯《おび》やかされていたが、いま大海人皇子の無事な姿を見て、ああよかったという思いが、額田をその場にくたくたと坐らせてしまいそうであった。

「皇子さま！」

再び額田が言った時、

「額田とも、別れなければならぬ。こんどこそ本当に別れねばならぬ」

大海人皇子は言った。額田にはその意味が判らなかった。再び不安が額田を取り巻き始めた。

「それは、いかなることでございましょう」

「大海人は、天皇の御快癒を仏に祈るために出家して、吉野にはいることにした。いまそのことをお伝えして退出したところだ。この大海人の望みは、もちろん、お諾《き》き届けになると思う」

「出家あそばして、吉野へ」

「いかにも」

いかなる経緯でそのようなことになったのか、その間の事情は判らなかったが、出家して吉野へはいるということは、何もかも棄《す》ててしまうことであった。天皇の後継者としての地位も、政治への発言の権利も、いっさいを棄ててしまうことであった。

「そう決心した以上、すぐ都を発《た》つ。額田には、これで会えぬであろう。こんど余に代わって大友皇子《おおとものみこ》が東宮の席に坐ることであろう。このことは額田にとっても、額田が生んだ十市皇女《とおちのひめみこ》にとっても悪いことではあるまい。十市皇女は東宮妃になる」

それから、

「余に代わって、十市皇女によろしく申し聞かせて貰《もら》いたい。十市皇女がこの世で、女として仕えなければならぬのは、大友皇子である。大友皇子だけである。母の真似《まね》をして、二人の男を持ったりしてはいけぬ」

最後の言葉は、笑いに紛らせて言った。

「十市皇女さまに、何かそのような」

「よくは知らぬ。そうした噂《うわさ》はある。噂になるくらいだから、何事かあるか知らぬ。母親の血を受け継いでいるからな」

こんども亦、最後の言葉は、冗談に紛らわした言い方だった。

「では」

大海人皇子は去ろうとした。

「皇子さま！」

額田が声をかけると、

「この期《ご》になって、いやに優しいな。尼になって余と一緒に吉野へはいるか」

大海人皇子は、その言葉を残して、いきなり歩き出した。

「皇子さま！」

額田はその場に立ちつくしていた。大海人皇子は振り返らなかった。額田は大海人皇子の地面を叩《たた》く沓《くつ》の音を聞いていた。若い日に、難波《なにわ》の半造りの王宮の台地で、執《しつ》拗《よう》に自分を追いかけ廻したあの沓の音と同じ沓の音であった。

大海人皇子の出家のことは、翌日の王宮内に大きい波紋を投げかけた。事の意外に驚く者もあれば、予期されなかったことではないと、そういう受け取り方をする者もあった。これはこれで大事件には違いなかったが、一度小康を得た天皇の病患が、再び案ずべき状態になったことで、王宮内はまたものものしい空気に包まれた。大海人皇子の事件は、そのためにどこかに吹き飛んでしまった恰好《かっこう》であった。

二、三日すると、天皇の御病状がやや快方へ向かったということが伝えられた。そうすると、病室を取り巻いていた重く暗い空気の中に、極く僅《わず》かではあるが、明るさが射《さ》し込んで来、再び大海人皇子の出家問題が人々の口の端《は》に上った。

大海人皇子は内裏《だいり》の仏殿の南の廻廊で剃髪《ていはつ》し、天皇から贈られた袈裟《けさ》を纏《まと》ったということ、そして大勢の朝臣たちに送られて、吉野に向けて発ったが、供廻りの者は極く僅かだったということ、それから妃たちの多くは近江に留まり、鸕《う》野皇女《ののひめみこ》がひとり皇子のお供をしたということ、そうしたことが、いろいろな言い方で囁《ささや》かれた。

この頃になって、こんどの事件について、額田は額田なりの見方ができるようになっていた。噂では大海人皇子はあの日天皇から後事を託されたのであるが、それを辞して受けず、皇后 倭姫王《やまとのひめおおきみ》こそその地位に立つべきであり、大友皇子がそれを補佐して諸政を執り行うべきであると主張したということであった。そして同時に自分が仏門にはいる考えをはっきりさせたと言う。額田には、この噂は恐らく真実に近いものであろうと思われた。ただそうした事態の中で、いかにしても、大海人皇子の出家のことが、唐突に不自然に感じられ、人々は口にこそ出さないが、そこに何か陰謀めいたものでもあったのではないかという見方をしているようであった。額田は、併《しか》し、そうは思わなかった。陰謀めいたものがあろうと、なかろうと、大海人皇子は若《も》しそれに立ち向かう気になれば立ち向かって行くだろう。大海人皇子はそうしたこととは別に、天皇の亡《な》きあとの混乱を、自分がいないということに依《よ》って防ごうとしたのである。大海人皇子は自分の生命の危険を感じて、それを避けるために、都を出て行ったのではない。若しかしたら起こらないとも限らぬ国の混乱を防ぐために、あのような態度をとったのである。

額田はこのように考えていた。

十一月にはいると、近江の宮殿には重々しい空気が漂い始めた。その重々しい空気の立ち込めている廻廊を、朝臣も武臣も女官たちも顔を伏せて、これ以上静かな歩き方はないといった歩き方で歩いた。人の動きはなべてひそやかではあったが、それでいてどこか慌《あわただ》しいものがあった。

十一月の終わりのある日、さきに完成した織物の仏を西殿に安置し、その前に重臣たちが集まった。重臣たちが集まると、その度に王宮の中は、天皇の御病状に変化があったのではないかといった不安な空気に包まれた。人々は息をひそめ、聞き耳をたて、必要以外の言葉は口から出さなかった。この日も同じことであった。併し、西殿内の重臣たちの動静は、誰がそこに居合わせたか知らないが、その夕刻には、王宮内のすべての人々に伝えられた。あちこちで、そのことが囁かれていた。それに依ると、西殿に集まったのは、大友皇子、蘇我赤兄《そがのあかえ》、中臣金連《なかとみのかねのむらじ》、蘇我果安臣《はたやすのおみ》、巨勢人臣《こせのひとのおみ》、紀大人臣《きのうしのおみ》の面々で、まず大友皇子が手に香炉を取って、

——六人心を同じくして、天皇の詔《みことのり》に叛《そむ》かないこと、いまここ、御仏の前に誓おう。若し、違《たが》うことあれば、天罰を被《こうむ》ることになるだろう。

と宣誓をした。そして次にこんどは蘇我赤兄が香炉を取って、

——わたしたち五人の臣は、大友皇子に随《したが》って、天皇の詔に違わざらんことを、いまここで誓い合おう。

と言い、それからまたそれぞれが厳かに宣誓を取り交わしたということであった。

このようなことがあった夜、天皇の御容態が思わしくないということで、朝臣も武臣も、重だった者はみな徹宵《てつしょう》宮殿に詰めることになった。額田女王《ぬかたのおおきみ》も亦、病室近い一部屋に、他の女官たちといっしょに詰めていた。しんと魂の冷え上がるような静かな夜であった。読経《どきょう》の声だけが遠くに聞こえている。夜更《ふ》けた頃、

「雨が烈《はげ》しく降り出したようでございます」

と、女官の一人が言った。なるほど、それまで静かだった戸外に雨の音が聞こえている。王宮の屋根を叩いている雨の音である。やがてその雨の音は烈しくなった。木でもはじけるような、そんな音である。何となく不審な気がして、額田が腰を上げようとした時、

――火事だ！

という出火を告げる声が聞こえた。いっせいにみな立ち上がった。雨の音ではなくて、館の柱や屋根が焼けはじける音であったのである。廻廊へ出てみると、焔《ほのお》の光で庭先きが明るくなっていた。大蔵の建物から出火し、別棟《べつむね》の宮殿の一部に火が移ったということで、人々は庭に出てその方へ走った。

宮殿の一部を焼いただけで、この火事はおさまったが、人々の心には何とも言えず暗いものが走った。火気のないところからの出火であったので、この場合も亦放火とみなければならなかった。

天智天皇が崩《かむあが》りましましたのは、月が変わって間もない十二月の三日であった。額田女王は、その前夜、何とも言えぬ悲しい夢を見た。天皇は枕許《まくらもと》にお立ちになり、ずいぶん長いこと汝《なんじ》に会っていないが、ついに別れの言葉もかけず、旅に出なければな

らぬ、ただそのようなことを仰《おお》せになった。天皇の姿が消えると同時に、額田は床の上に起き上がった。そしてすぐ衣服を改め、暁方《あけがた》になるのを待った。額田が生涯《しょうがい》で持った最も悲しく苦しい時間であった。前々からこの時のあるのは覚悟していたが、いざその時になってみると、身をどのように処していいか判らなかった。額田は死を考えていた。死以外に自分のとるべき態度はないと思った。

朝になると、果たして悲しい報《しら》せが朝臣の一人によって伝えられて来た。妃たち、皇子、皇女たち、それから重臣たちが次々に悲しみの漂っている部屋に吸い込まれて行った。額田も亦その部屋の一隅《いちぐう》に坐った。

妃たちは、誰も彼も、涙に濡《ぬ》れた面を伏せていた。時々、思い出したように低い嗚《お》咽《えつ》が、あちこちから聞こえた。額田はゆうべからずっと死の思いに取り憑《つ》かれていたが、その思いから離れることができたのは、それぞれ身も世もないほどの悲しみに包まれている妃たちの姿を見たからであった。妃たちの悲歎《ひたん》にくれている姿を見ていると、その人たちをさしおいて、自分だけが天皇のお供をしていいものであろうかという思いに捉《とら》われた。これはこれで、死を考えるよりもっと悲しい思いであった。

それから何日か、悲しい事許《ばか》りが続いた。陵《みささぎ》は山科《やましな》の鏡山の地に定められ、十二日、そこに天皇の霊は眠った。大葬の執り行われた夜、妃たちは、天皇の居られなくなった妙にがらんとした感じの王宮の一室に集まった。何日か打ち続いた仏事や神事のために、誰も彼も疲れ果てていたが、その疲れた妃たちを、新しい悲しみが包んでいた。

この席で天皇の霊に捧げる挽歌《ばんか》の発表があった。

先きに皇后の御歌が、役人の一人によって詠《よ》み上げられた。

青旗《あをはた》の
木幡《こはた》の上を
かよふとは
目には見れども
ただに逢《あ》はぬかも

山科の木幡の地のあたりを、大君の霊は天《あま》がけっていらっしゃる。そのお姿はいまありありとこうしている私の眼に見えるけれど、直接お逢いすることができないとは、何と悲しいことでしょう。

この歌が詠み上げられると同時に、到るところから嗚咽する声が起こった。

次にもう一首、皇后の御歌が披露《ひろう》された。

人はよし
思ひ止《や》むとも
玉鬘《たまかづら》
影に見えつつ
忘らえぬかも

ほかの方《かた》は思い休まることがありましょうとも、私の場合は、その面影《おもかげ》が眼に浮かんでは消え、浮かんでは消え、どうしても忘れることはできないのです。

これも亦《また》、新しい悲しさで一座を満たした。更に続いて、もう一首、皇后の歌が詠み上げられた。

いさなとり　近江の海を
沖放《さ》けて　漕《こ》ぎ来る船
辺《へ》附きて　漕ぎ来る船

沖つ櫂《かい》　いたくなはねそ
へつ櫂　いたくなはねそ
若草の　つまの　思ふ鳥立つ

ああ、近江の海で、沖の方を漕いで来る船よ。岸近くを漕いで来る船よ。沖の船は沖の船で、岸近い船は岸近い船で、共に漕ぐ櫂でひどく水をはねないで下さい。亡《な》き夫天皇がお好きだった鳥が飛び立ってしまいますから。

額田は深く頭を垂れたまま、皇后倭姫王の歌に籠《こ》められた悲しみの情に打たれていた。余人が企てて及ばぬみごとな歌であった。

大勢の妃たちの歌も次々に発表されていった。

うつせみし　神にたへねば
さかり居て　朝歎く君
はなり居て　吾が恋ふる君
玉ならば　手にまき持ちて
衣《きぬ》ならば　ぬぐ時もなく

吾が恋ふる　君ぞきその夜
夢に見えつる

この歌には署名はなかった。妃たちの一人が作った歌であることは確かであったが、その名は秘せられていた。この現世にいま生きている私は、神になられた大君と御一緒に居ることはできなくなりました。幽明境《さかい》を異にして、遠く離れていて、毎朝のように私の歎き思う君、私の恋い慕う君、玉であるなら手にまいて、衣ならば脱ぐ時もなく、常に肌身《はだみ》はなさずいましょうものを。その君にゆうべ夢の中でお逢いいたしました。

額田は思わずあたりを見廻した。同じような悲しみの歌ではあったが、額田にそのようなことをさせずにはおかぬものを、その歌の心は持っていた。嫉《ねた》ましいほど、天皇と作者の親しさが、巧まずして誇りかに、美しく、悲しく詠《うた》われてあった。

ささ浪の
大山守《おほやまもり》は
誰《た》がためか

山に標結《しめゆ》ふ
君もあらなくに

署名は石川夫人とだけあった。姪娘《めいのいらつめ》である。美しい近江国、ささなみ附近の大山守は、いったい誰のために山にしるしを立てるのでありましょうか。大皇はお亡くなりになってしまったのに。これも素朴《そぼく》で、素直ないい歌であった。
やがて、額田の歌が詠み上げられた。

かからむと
かねて知りせば
大御船《おほみふね》
泊《は》てしとまりに
標結《しめゆ》はましを

このようなことがあろうと、かねて知っていたのでしたら、天皇の御船の泊まった港にしめを張って、御船をとどめたことでありましょうのに。

額田は自分の歌が、役人の一人によって詠み上げられているのを聞いていた。歌は、これまでの歌と同じように、二回繰り返して詠われていた。

その間、額田が眼に浮かべていたものは、刻一刻高まって来つつある黒い潮の面であった。〝熟田津《にぎたづ》に船乗りせむと月待てば潮もかなひぬ今は榜《こ》ぎ出でな〟と嘗《かつ》て詠ったあの熟田津の海であった。今にして思えば、あの出征の船旅は、額田にとっては生涯の最も仕合わせな一時期であった。斉明《さいめい》女帝の崩御、半島の敗戦と、容易ならぬ事件はあのあとに次々に続いて起こって来たが、あの熟田津の泊まりに於《お》ては、まだそのような暗い影はどこにも感じられなかった。天智天皇もお若く、半島出兵へすべてを賭《か》けて、毎日毎日忙しく過しておられた。その天皇のお心になり代わって、額田は出陣の船を詠ったのであった。大御船をあのまま、あの熟田津の港にとめておいて、しめを張り廻《めぐ》らすことができたら、――そんな思いの中に額田ははいっていたのである。

額田は歌が詠まれ終わった時、顔を上げた。この場合も嗚咽があちこちで起こっていた。併し、額田はこの歌の心が判《わか》るのは、亡き天皇だけであるという確信を持っていた。聞く者の心に悲しみがはいるなら、それはそれでよかった。が、本当にこの歌の心が判るのは、亡き天皇おひとりなのである。

こう思った時、額田は烈しい悲しみに襲われた。殆《ほとん》どその場に居たたまれぬほどであったが、額田は必死にその悲しみに堪えていた。死をすら棄ててしまったのである。どうしてこの悲しみぐらいに堪えられぬであろうかと思った。額田は悲しみに取り乱した姿を、大勢の妃たちに見せてはならなかったのである。天皇亡きいま、このような妃たちに対する闘いは、これが最後のものであろうと思われた。これからは誰も知らぬ、こうした額田だけの闘いもなくなってしまうのである。そう思うと、またそれが新しい悲しみを誘った。

悲しみのうちに慌しく年は改まった。近江朝では、若い大友皇子を中心に、重臣たちが政《まつりごと》を摂《と》っていた。いずれ大友皇子が皇位を踏むことは明らかなことであったが、どういうものか、それに関するいかなる発表もなかった。巷《ちまた》では、大友皇子が御位に即《つ》くことが延びていることに対して、いろいろと取沙汰《とりざた》されていた。五人の重臣たちは毎日のように集まって何事かを議しているが、容易に意見は纏《まと》まらないとか、重臣たちは二派に分かれてしまい、その間に立って、大友皇子は難渋しておられるとか、そのようなことが言われた。

それから、また、巷では大海人皇子の名が囁《ささや》かれるようになっていた。大海人皇子が吉野にはいってから、大海人皇子という名は朝廷においても、巷においても、禁句であって、誰もその名を口にすることは憚《はばか》っていたが、それが半ば公然と人の口の端《は》にのぼるようになっていた。ことに巷ではやがて大海人皇子が近江に帰って来て皇位に即くことになるだろう、いまその交渉が行われている最中であるとか、そんなことが、まことしやかに伝えられた。

また、この頃奇妙な童謡《わざうた》が子供たちの間に流行した。

み吉野の　吉野の鮎《あゆ》　鮎こそは
島傍《へ》も良き　え苦しゑ
水葱《なぎ》の下　芹《せり》の下
吾は苦しゑ

吉野川に住む鮎は岸のそばに居て、きれいな水の中に住んで結構なことだが、わたしたちは水葱のもとや、芹のもとで毎日働いていて、苦しいことだ。苦しくて堪まらぬことだ。

これは百姓の生活の苦しさを歌った歌で、はやり出した初めのうちは、誰もその歌の意味について、かれこれ言う者はなかったが、あまりそれがはやり出すと、〝吉野の鮎〟というところが、それを聞く者には異様に聞こえるようになった。そして吉野の鮎というのは、大海人皇子のことであり、大海人皇子が帰って来さえすれば、苦しい百姓の生活もよくなるのだ、そんな意味を持った歌として受け取られるようになった。

子供たちは巷の路地路地で無心に歌っていたが、子供たちがそれを歌うと、それを歌うのをとめる大人もあり、却《かえ》って一緒になって声を張り上げて歌う大人もあった。

額田が天皇崩御の痛手からどうにか立ち上がれるようになったのは、長い冬が終って湖の水の色にも春の気配が感じられて来る頃であった。額田はやがて朝廷の勤めから身をひき、亡き天皇の御陵近くに居を構えて、そこで余生を送ろうと考えていた。そして、その時期を大友皇子が即位する時に当てていた。天皇があのように已が亡きあとのことに気をつかっておられたので、そうしたことが何もかも片付いてから、自分の身の振り方を決めるべきであるという額田の気持だった。併し、どういうものか、大友皇子の即位に関しては、依然として何の発表も行われなかった。何となく動揺している人心を安定させるためにも、一日も早くその発表があるべきであると思われたが、いっこうにそのような気配は見えなかった。

三

山科陵《やましなのみささぎ》の本格的造営が始められるという発表があったのは、五月にはいってからであった。噂《うわさ》では曾《かつ》てないほど大きな陵を造る計画で、その工事に要する人員は夥《おびただ》しい数に上るだろうと言われた。

近江《おうみ》の民たちは、陵が近江に近いところから、賦役《ふえき》は免れないものとして、寄ると触るとその話題で持ちきった。明るい話題ではなかった。併《しか》し、こうしたことは間もなくやんだ。近江朝廷では、美濃《みの》、尾張《おわり》二国の国司に命じて、山科陵造営の人夫たちを徴せしめることにしたということが伝えられ、それが巷《ちまた》の噂となった。近江の民たちは賦役から免れたことでほっとした。

この頃《ころ》から都には人の動きが目立って来た。朝臣も、武臣も、何となく落ち着きなく、王宮へはいって行ったり、そこから出て来たりした。毎日のように重大な発表があることで呼び集められたが、結局のところはいかなる発表も行われなかった。重臣たちの間で何事かが議せられていることは事実であったが、結論というものは出ないらしく、そんなことで徒《いたず》らに人心を刺戟《しげき》していた。

五月の終わりに、額田《ぬかた》は侍女数人を連れて、輿《こし》で湖畔の道を蒲生野《がもうの》の方向に向かった。天智天皇七年の蒲生野遊猟の時より四年経《た》っていた。あの行装美々しかった蒲生野遊猟は五月の初めであり、いまは五月の終わりであった。夏の陽光はその時よりずっと烈《はげ》しくなっていたが、湖上を吹き渡って来る風はむしろ涼しく肌《はだ》に快かった。

額田にとっては、去年の暮の悲しみの日以来初めての外出と言ってよかった。天皇生前の盛んなる催しを偲《しの》びたくもあったし、あの楽しかった日の天皇のお姿をもう一度瞼《まぶた》の上に蘇《よみがえ》らせたくもあった。そんなつもりでの遠出であった。

併し、この遠出は途中で打ち切らねばならなかった。道が都を離れて原野の中にはいって行くと間もなく、額田たちは行手に異様なものを見た。初めはそれが何であるか判《わか》らなかったが、近付いて行って見ると、武装した一群の兵たちであった。見晴るかす平原を、兵たちの集団が埋めている。

額田たちはいま来た道を引き返し始めたが、すぐ背後から追って来た何騎かの騎馬武者に捉《とら》えられて詰問された。誰が見ても額田たちは宮廷の女官以外の何者でもなかったので、すぐ釈放されたが、浴びせられた言葉はめったに耳にしない荒々しいものであった。

「兵たちは合戦を前にして気が立っている。用もないのにこんなところをうろつくと、満足な体では帰れぬぞ。とっとと失《う》せるがよかろう」

額田たちは湖畔の道を引き返したが、こんども亦《また》途中で兵の集団に遮《さえぎ》られた。前の兵団とは違ってどこかへ移動しつつある兵団であった。これも亦長槍《ちょうそう》を携えたり、旌《せい》旗《き》を背負ったりしていて、戦線に向かう出動兵士としか見えなかった。この方は明らかに平原を突切って南を目指していた。

額田たちは、湖畔の蘆《あし》の中にひそみ匿《かく》れるようにして、兵団の通過を待った。兵団の移動がとぎれると、蘆の中から出たが、何程も行かないうちに、また蘆の中にひそまねばならなかった。

額田たちが都に辿《たど》り着いたのは暮れ方であった。額田たちがこの日湖畔の平原で見たものはただ事ではなかった。戦場へ向かう兵の進発であるか、合戦に備えての兵の移動であった。

この日を境にして、その翌日から、額田の眼には王宮内も、巷々の様相も全く異なったものとして映った。湖の色も、湖を取り巻く山々の色ももはや平静なものではなかった。別段これまでと変わったところはなく、巷々は寧《むし》ろひっそりとしているくらいであったが、そこには眼に見えぬ怖《おそ》ろしいものが無数に張り廻《めぐ》らされている感じであった。

果たして、間もなく巷には不気味な噂が流れ始めた。吉野と合戦が行われるらしいとか、既に吉野を取り巻いて、要処要処には兵が配されてしまったとか、吉野は吉野で兵を集めつつあるとか、そういった物騒な噂だった。こうした噂が流れ出すと、急に都大路は騒然たる様相を呈して来た。都で生計を立てていた民たちが、世帯道具を車に積んだり、馬の背に載せたりして、どこかへ移り始めたからである。六月の初めから中旬へかけて、巷はそうした男女で混乱を極め、それを制止する役人たちの姿も見られたが、全く無力であった。役人たちは役人たちで、やはり落ち着きを失い、右往左往している感じだった。

王宮内も亦例外ではなかった。ここでは毎日のように重臣たちの会議が開かれ、その会議の模様が、あれこれ、まことしやかに侍女たちの間にまで伝えられた。誰と誰とは吉野方であるとか、誰と誰とはすでに都から姿を消しているとか、そういった噂もあった。併し、都からすでに姿を消してしまったと噂されている人物がまた姿を現したりして、真相というものは全くつかめなかった。

六月の下旬にはいると、豪雨が幾晩か続いた。昼間は曇り空が拡がっているだけで雨は落ちなかったが、夜になると、決まって車軸を流すような烈しい雨が、湖面をも、湖畔の山野をも叩《たた》いた。

そして烈しい雨があがって、久しぶりで青空が顔を覗《のぞ》かせた日、吉野の挙兵が伝えられた。大海人皇子《おおあまのみこ》は既に吉野を出、途中兵を集めて近江を目指しているというのである。こんどは単なる噂ではなかった。伝令の騎馬武者は次々に都にはいって来た。王宮内は蜂《はち》の巣をつついたようになり、その日一日、戦線へ向かう武将たちの出入りが目立った。武将たちはみな武具を着けており、その挙措動作は荒々しく、時折、朝臣たちとの間に烈しい口論が行われるのが見られた。

この日、吉野挙兵の噂を耳にして間もなく、額田は十市皇女《とおちのひめみこ》に会うために、その館に赴いて行った。湖面を一望のもとに見渡せる広間の一隅《いちぐう》に、十市皇女は席をとっていた。そして、その傍に大友皇子との間にもうけた葛野王《かどののおおきみ》が侍女の手に抱かれていた。十市皇女は侍女と葛野王を別室に移らせると、

「ようこそ」

と、額田の方に会釈《えしやく》した。そして、湖の方へ顔を向け、額田が話し出すのを待っているといった静かな表情であった。額田は自分の女《むすめ》である十市皇女がこの時のように美しく落ち着いて見えたことはなかった。

「この度のこと、ご存じでございましょうか」

額田は言った。

「存じております」

十市皇女は言って、

「ゆうべすでに高市皇子《たけちのみこ》さまはこの近江の都をお出になりました」

額田には、その言葉の意味がすぐには理解できなかった。

「都をお出になったということは？」

「吉野に赴いて、父皇子さまのお手ともなり、お足ともなるつもりでございましょう」

額田は黙っていた。高市皇子としては、なるほど、このようなことになったら、自分の父である大海人皇子の許《もと》に走るのが当然であるかも知れなかった。誰も彼もがそれぞれの立場によって、こんどの合戦に向かう姿勢は異なっていた。

「ゆうべこの館をお脱け出しになる時、お別れに来て下さいました。わたしも大海人皇子さまの女でございますが、わたしは父皇子さまをお援《たす》けできない立場にある。どうぞ、わたしの分までお働きになるように、――そう申し上げました。合戦は吉野方の敗亡に終わるという見方をなさっておられました。わたしもそう思います。いくら兵を挙げても、父皇子さまのお集めになれる兵力は知れたものでございましょう。高市皇子さまは父皇子さまの御馬前に死ぬためにいらしたのです」

額田はこんども亦黙っていた。十市皇女の一語一語が額を打って来るのが感じられた。十市皇女は高市皇子とこのような別れ方をしなければならぬ自分の立場を悲しみ、それを多少の恨みを籠《こ》めて額田に訴えているに違いなかった。口には出さなかったが、十市皇女は言いたいに違いなかった。

――母であるあなたが大友皇子さまの妃となるようにおっしゃったので、わたしはそのようにいたしました。でも、本当は高市皇子さまのことを忘れることができないのです。母であるあなたに全部責任があるとは申しませんが、併し、あなたの言葉ですべては決まってしまったのです。――その高市皇子さまとも、もうお別れしてしまいました。あんなにわたしのことを思っていて下さった高市皇子さまと再びお会いすることはできないのです。

額田は湖の方に視線を投げた。幾夜か続いた豪雨のために、湖面はまだ波立っていて、白い波頭があちこちで砕けている。額田は口を開いた。

「大友皇子さまの妃であることをお忘れにならぬように、――こう伝えて貰《もら》いたいと、吉野においりになる時、父皇子さまは仰《おお》せになりました」

額田は言った。

「承知しております。でも、わたしがついておりませんでも、大友皇子さまはお勝ちになりましょう」

十市皇女は言った。聞きずてならぬ言葉であった。夫たる大友皇子は勝つに違いないから、自分はここに留まっている必要はない。それより高市皇子と同じように、父の大海人皇子の許に走り、そこで父皇子や高市皇子と運命を共にしたい、——何となくそんなことでも言っているように聞こえた。

額田は急にひとりになって考えなければならぬことがあるような思いに襲われた。考えなければならぬことは、この日の湖面の波のように、あとからあとから押し寄せて来ている。

額田は十市皇女の許を辞した。十市皇女の部屋だけが静かで、一歩外に出ると混乱は王宮の隅《すみ》から隅までを埋めていた。額田は己が部屋に戻《もど》ると、長い間ひとりになっていた。額田は十市皇女とは異なって、吉野方が敗れるとはどうしても思えなかった。兵事にかけては何の知識も持っていないので、合戦の勝敗についてはいかなる見透《みとお》しもできなかったが、併し、どうしても吉野方が敗れようとは思われなかった。敗れるなら寧《むし》ろ、吉野挙兵を聞いただけで、いまこの混乱に襲われている近江朝廷の方ではないか、なんとなくそういう気持がしてならなかった。大友皇子と大海人皇子を較《くら》べただけで、既に勝敗ははっきりしているように思われる。

額田は、近江朝廷が敗れるのではないかと思った時、不思議なことだが心にある落ち着きを覚えた。いかなる運命が見舞って来ようと、天智天皇がお造りになった都から離れることはできないし、天智天皇がお住まいになった王宮から離れることもできない。それからまた、天智天皇があれほどお心にかけられた大友皇子のお傍《そば》から離れることもできないのである。

額田はたとえ女官たちが立ち退《の》きを命じられても、自分だけはここに踏み留まっていなければならぬと思った。こうした己が進退が決まってしまうと、改めてもう一度、十市皇女のことが頭に浮かんで来た。ああ、十市皇女だけは、どうにかして彼女の思うようにさせてやりたいと思った。母としての額田の気持であった。

なるほど十市皇女は大友皇子の妃であった。そして皇子との間には葛野王までもうけている。ふいに額田は蒼白《そうはく》になった。ここに留まっている限り、十市皇女の持つ運命は、はっきりしていた。若《も》し近江朝廷が亡《ほろ》びる場合は、近江朝廷に殉《じゅん》じなければならぬのである。

額田は思った。十市皇女にとっては、父皇子と夫皇子との闘いであった。十市皇女がどう思おうと、額田がどう思おうと、勝敗の帰趨《きすう》は全く判らないのである。いま十市皇女は、吉野方が敗れるという判断の上に立って、その上で父皇子と高市皇子とに殉じたいと望んでいるのである。額田は血の気を失った顔で、同じことを繰り返し繰り返し考えていた。どこにも出口のない苦しい思いであった。

近江朝廷が混乱を極めながら、吉野挙兵に対して兵を動かそうとしていた時、大海人皇子は雷光のような進軍を続けていたのである。吉野を出陣した時は、僅《わず》か二十人ほどの舎人《とねり》が付き随《したが》っているだけで軍勢とは言えないものであった。舎人のほかには鸕野皇女《うののひめみこ》と女子供たちだけである。それが行く先きざきで徐々にふくれ上がり、神が乗り移ったような神速果敢な兵団と化しつつあった。後年、人麻呂《ひとまろ》は歌っている。

ととのふる　鼓の音は
いかづちの　音と聞くまで
吹きなせる　小角《くだ》の音も
敵《あた》見たる　虎《とら》かほゆると
もろ人の　おびゆるまでに
捧げたる　旗の靡《なび》きは
冬ごもり　春さり来れば……

まさにこのような進撃であったのである。

吉野挙兵が伝えられた翌日の夜になって、初めて高市皇子が館を抜け出して吉野方に馳《は》せ参じたことが大きな騒ぎになり、皇子に付き随った朝臣たちの顔振れも判明した。民大火《たみのおおひ》、赤染徳足《あかそめのとこたり》、大蔵広隅《おおくらのひろすみ》、坂上国麻呂《さかのうえのくにまろ》、古市黒麻呂《ふるいちのくろまろ》、竹田大徳《たけだのだいとく》、胆香瓦安倍《いかごのあべ》といった人たちであった。そうした脱出組をあしざまに言う者もあったが、それを耳にして、なんの反応も示さない者もあった。反応を示さない連中は、混乱の中にいかなる判断もくだせなくなっているか、あるいは自分もそうすべきではなかったかと考えている連中であった。併し、いかなる考えを持とうと、今となっては、近江の宮に留まる以外仕方ない運命が、この王宮に居る人たちを取り巻いていた。

混乱の中に三日目を迎えた。飛鳥《あすか》の旧都の留守の司《つかさ》であった高坂王《たかさかのおおきみ》からの伝令が、この頃になって都にはいって来た。いかに大和《やまと》から近江に到る一帯の地が、吉野挙兵によって混乱を極め、動揺しているかが判《わか》るというものであった。農民たちは山に逃げ込んだり、家財をどこかに運んだりすることに忙しく、その間を兵とも賊とも判らぬ集団が西に東に動いているということであった。高坂王の使者はそうした地帯を通過するのに二日二晩を要していたのである。

この日は高坂王の使者のほかに、各地方からの伝令が都にはいって来た。なかには途中の駅家駅家が焚かれていると伝える者もあった。王宮内の朝臣たちは、そうした報告に息をひそめ固唾《かたず》をのみ、つまらぬことに一喜一憂した。

その翌日になると、鈴鹿《すずか》の山道がすでに吉野方の兵によって押えられてしまったという報告がはいった。国司の三宅石床《みやけのいわとこ》等が吉野方の陣営に加わったとみるほかはなかった。この報告は、王宮内に居る者尽《ことごと》くを愕然《がくぜん》とさせた。誰もが鈴鹿の山道まで攻撃軍が迫っているという思いを持った。これに続いて、こんどは美濃の兵たちによって不破《ふわ》の口が塞《ふさ》がれたという報《しら》せがはいり、それと前後して、伊賀の国司も、伊勢の国司も兵を率いて吉野方の陣営に加わる情勢にあるという報告があった。

そうしている時、幼い大津皇子《おおつのみこ》が吉野方に加わるために、いつの間にか都を出たらしいという噂《うわさ》が立った。噂が立って初めて判ったことであるが、王宮の中にも、館にも、大津皇子の姿は見出せなかった。そしてその夜になってから、大津皇了の脱出はきのうのうちのことであり、まだ十歳の少年皇子である大津皇子を奉じたのは大分恵尺《おおきだのえさか》、難波三綱《なにわのみつな》、山辺安麻呂《やまのべのやすまろ》、小墾田猪手《おはりだのいて》といった面々で、そのほかかなり大勢の朝臣、武臣たちが大津皇子と行を共にしたということであった。いずれもこんどのことある以前から、大海人皇子と親しかった人たちで、このような挙に出ることは当然であると言えば当然なことであった。

その翌日あたりから、王宮内の混乱は、濁った水が澄んでいくように、次第に収まって行った。近江朝廷から離れて行く者はみんな離れて行ってしまい、あとには近江の都と運命を共にしようといった人々だけが残っていた。と言って、自分から望んでそういう態度をとった者許《ばか》りとも言えなかった。初めは大友皇子と大海人皇子とを較《くら》べて、いずれの陣営に加わるべきか、その帰趨に迷った者たちも多かったが、何となく進退を決めかねているうちに、運命は彼等をこの湖畔の王宮に閉じこめてしまったのである。

これまでは、大津皇子の場合のように脱出しようとすれば脱出の機会がないわけでもなかったのであるが、いまとなっては、もうその機会は取り上げられてしまっていた。好むと好まないに拘《かかわ》らず、吉野方と闘う以外仕方がなかったのである。

近江朝廷では毎日のように軍議の評定《ひょうじょう》が開かれていた。併し、何となく後手《ごて》に後手にと廻るといった恰好《かっこう》で、事は尽く志と反した。東国にも、兵を起こすための使者は派せられていたが、誰が考えても、時期すでに遅しとしなければならなかった。東国に向かった忍坂大麻呂《おしさかのおおまろ》や書薬《ふみのくすり》等は不破の山中で敵軍に捕えられ、同じように東国に向かおうとしていた韋《い》那磐鍬《なのいわすき》は、どうにか捕えられることだけは免れたが、這々《ほうほう》の体《てい》で都に逃げ返って来なければならなかった。

それから近江朝にとって大きい打撃だったのは、尾張国司小子部鉏鉤《ちいさこべのさひち》が二万の軍勢を率いて、近江にはいるという報告があり、その来着を一日遅しと待ち構えていたのであるが、いつまで経《た》っても、そのような気配はなかった。そして、それどころか、それに代わって意外な消息が伝えられて来た。それは尾張の兵たちが吉野方の一翼として、戦線の要処要処に配されているということであった。

こうして吉野挙兵からいつか十日あまりの日が経っていた。近江朝廷の人々には、朝が来て、すぐ夜になってしまう一日の時間の経つ早さが信じられなかった。一日一日はあっという間に過ぎて行った。

慌《あわただ》しく月は変わった。毎日のようにぎらぎらした夏の陽《ひ》が湖面を嘗《な》め、夕方になると白いうろこ雲が空を覆《おお》った。湖上を渡って来る風には、すでに秋の気がこめられてあったが、誰もそうしたことには気付かなかった。

近江の朝廷も、この間、毎日のように混乱を重ねていたわけではなかった。攻勢に出るべきを守勢に立たせられてしまったというところはあったが、大軍は近江の都周辺に集められていた。吉野方の兵力に較べると、まだはるかに近江方の兵力の方が強大であった。ただ近江一帯の地が三方から吉野方の軍勢に大きく囲まれてしまっていることが、作戦の上では不利であった。近江から他国へ出る要処要処は尽く吉野方の軍勢の押えるところとなってしまっている。

戦機は漸《ようや》く熟して、近江方の山部王《やまべのおおきみ》、蘇我果安等は数万の大軍を率いて不破に向かうべく都を出て行った。また壱伎韓国《いきのからくに》、田辺小隅《たなべのおすみ》等もそれぞれ兵団を率いて、吉野方が布陣している近江周辺の地に向かった。

近江方にとっては最初の作戦だった。兵力から考えて、よもや不利な立場に立つことがあろうとは思われなかった。併《しか》し、何日経っても、捷報《しょうほう》は都にはいって来なかった。そして次々に伝えられて来るのは、武将たちの討死の報せであった。境部薬《さかいべのくすり》、秦友足《はだのともたり》といった頼みにしていた武将たちも還《かえ》らず、山部王も死に、蘇我果安も死んだ。山部王と果安の死は討死ではなかった。いかなる理由でそのようなことになったかは判らなかったが、事もあろうに山部王は果安に斬《き》られ、それによって引き起こされた混乱と、打ち続く敗戦の果てに果安の方は自刃《じじん》していた。

大友皇子の命によって、王宮内に居る女人たちが大広間に集められたのは、近江が戦場になろうとしている七月の半ばであった。皇后倭姫王《やまとのひめおおきみ》、姪娘《めいのいらつめ》、橘娘《たちばなのいらつめ》、常陸娘《ひたちのいらつめ》、色夫《しこぶ》古娘《このいらつめ》、黒媛娘《くろひめのいらつめ》、道君《みちのきみ》伊羅都売《いらつめ》、伊賀采女《いがのうねめ》宅子娘《やかこのいらつめ》といった亡《な》き天智天皇の妃であった女人たちは、ひと固まりになって席をとっていた。何となく倭姫王を奉ずるようなそんな座のとり方であった。と言って、こんどの合戦に対して、これらの女人たちが必ずしも同じ立場にあるとは言えなかった。亡き天皇の妃であったという点では同じであったが、橘娘、色夫古娘はそれぞれこんどの攻撃軍の総帥《そうすい》である大海人皇子の許《もと》に己《おの》が女《むすめ》を妃として送っており、天皇亡き今の場合は、近江方の勝利を念ずるのが自然であるか、吉野方の勝利を念ずるのが自然であるか、事情は複雑であった。

天智天皇の妃たちの中で、一番特殊な立場にあるのは、何と言っても、大友皇子の母である伊賀采女宅子娘であった。天智天皇の晩年に思いがけぬ恐ろしいほどの幸運が彼女を見舞ったが、その恐ろしいほどの幸運がいまは別のものに変わりかねない状態にあった。宅子娘だけはひたすら近江軍の勝利を念じなければならぬ立場にあった。これだけははっきりしていた。それだけに宅子娘は他の妃たちの視線を冷たい矢として受けているに違いなかった。宅子娘は生来控え目なおとなしい性格で、いかなる場合も他の妃たちの陰に自分を置いて来たが、いまはそれが一層甚《はなは》だしくなり、こんどの事件の責任はすべて自分にあるかのように、身を固くして血の気のない顔を深く俯《うつ》向《む》け続けていた。ひたすら近江方の勝利を念じなければならぬ立場にあると言えば、近江方の重臣蘇我赤兄《そがのあかえ》を父に持つ常陸娘も同じであった。天智天皇との間にもうけたまだ幼い山辺皇女《やまのべのひめみこ》を横に坐らせて、たとえどんな時代が来ようと、この姫だけは手離すまいと思い込んでいるように見えた。八人の亡き天皇の妃たちの中では、この常陸娘だけが目立って若かった。

こうした天智天皇の妃たちの一団とやや間隔をあけて、大海人皇子の妃たちも亦《また》ひと固まりになっていた。二つの女人たちの集団ははっきりと異なったたたずまいを持っていた。大海人皇子の妃たちは、はっきり言うと今や囚《とら》われ人の立場にあった。人質であった。大海人皇子が吉野にはいる時、彼女たちも同行を願ったに違いなかったが、それは許されず、彼女たちを代表するといった恰好《かっこう》で、鸕野皇女《うののひめみこ》ひとりが大海人皇子と行を共にしたのである。大江皇女、新田部皇女《にいたべのひめみこ》、五百重娘《いおえのいらつめ》、大蕤娘《おおぬのいらつめ》、尼子《あまこの》娘《いらつめ》、榖媛娘《かじひめのいらつめ》、そしてそれぞれが幼い皇子、皇女たちを身近に引き寄せている。この中で多少特殊な立場にあるのは近江から脱出し、吉野方の陣営に走った高市皇子《たけちのみこ》の母である尼子娘であった。高市皇子が現在精鋭を率いて攻撃軍の第一線で活躍していることは、この近江の王宮にまで伝わっていた。大津皇子も近江から脱出していたが、この方は母の大田皇女がすでに数年前に身罷《みまか》っており、大津皇子の姉である十二歳の大来皇女《おおくのひめみこ》が、母のない皇女として、ひとり淋《さび》しそうにこの集団の中にはいっていた。

弟の大津皇子と行を共にすべきであったが、皇女であるため許されなかったのである。

この天智天皇の妃たちと、大海人皇子の妃たちの、二つの集団から離れて、何となくそれに向かい合うような形で、十市皇女《とおちのひめみこ》が座を占めており、そのただひとりの附人のように、その傍に額田は坐っていた。額田はこれまでこのような席に姿を見せたことはなかったが、今日の場合は異例であった。王宮内のすべての女人たちに召集令がくだったので、はっきりと十市皇女の母としての自分を一座の女人たちに示したのであった。それからまた十市皇女が大友皇子の妃として特殊な立場にあり、明らかに今やそれは孤独以外の何ものでもない席であったので、額田は彼女に付き随ってやらねばいられない気持であった。

額田の眼には一座で十市皇女が一番落ち着いているように見えた。吉野挙兵から今日までの間に、十市皇女の心の中をいろいろな感情が荒れ狂ったに違いなかったが、併し、荒れ狂うだけ荒れ狂った果てに、運命に殉ずる気持が彼女の心の中に居坐ったのである。額田の気持も亦《また》落ち着いてきた。十市皇女の運命が、額田自身の運命であった。

こうした三つの座を取り囲むように、女官や侍女たちが席をとり、そしてその周辺に少数の朝臣たちが座を占めた。

やがて大友皇子が姿を現し、十市皇女の上手の席に就くと、

「合戦の勝敗というものは、人間には予測できない。天が知っているだけである。明日余は出陣する。勝敗はいっきに決まるだろう。勝てば大海人皇子の首級を頂戴《ちょうだい》する。敗ければ余の首級が大海人皇子の陣営に運ばれることになるだろう。兵火は恐らく、この、王宮には及ばないだろう。城でもなければ砦《とりで》でもない。ここにたてこもる意味もないし、ここを焼く意味も考えられぬ。案ぜられるのは、混乱がここを見舞うことであるが、それを防ぐに足る兵たちはここに配しておく。兵火が鎮《しず》まったら、人それぞれの立場で、幸運に見舞われる者もあろうし、悲運に見舞われる者もあろう。が、ここに居る者は尽《ことごと》く、己を見舞う運命に従順であって貰《もら》いたい。自分の手で自分の運命をねじ曲げるような行為には出て貰いたくない。こんどの争乱には、ここに居る女人たちの誰一人も責任は持っていない。余が言うことはこれだけである。この王宮内で、兵火鎮まるのを待って貰いたい。それも、もう長いことではない。旬日を経ずして、再び世は平穏になるだろう」

大友皇子はそれだけ言うと、すぐ席を立った。一座では誰も声を発する者はなかった。大友皇子が立つと、十市皇女が立って随った。妃として当然なことであったが、額田にはそうした十市皇女の姿が凛々《りり》しくも、また悲しくも見えた。

翌日、大友皇子は王宮を出、全軍を率いて、瀬田に向かった。朝臣も、武臣も尽くの者が随った。瀬田に陣容を張って、吉野方の主力との対戦をいっきに決戦に持って行こうとする作戦であった。

王宮の女人たちは、出陣して行く大友皇子を王宮の門まで見送った。天智天皇の妃たちも、大海人皇子の妃たちも見送った。武具を身に着けた大友皇子は、体格が大きいだけに、ひときわ目立って立派に見えた。

大友皇子を見送ってから、十市皇女は傍《かたわら》の額田女王に囁《ささや》くように言った。

「皇子さまがきのうおっしゃった言い方を真似《まね》ると、いまわたしが何を考えているか、誰も知っておりません。わたし以外では天が知るだけ、いつか、きっと、わたしは天の咎《とが》めを受けましょう」

額田ははっとしたが、それを耳に入れなかったように、ゆっくりと顔を仰向けた。一片の雲もなく、青く澄んだ空が海のように拡がっている。国を二つに割った争乱の中にいつか秋の気が忍びよりつつあった。

大友皇子は瀬田川西方に陣し、附近一帯の原野を近江朝廷軍の旌旗《せいき》で埋めた。これに対して、吉野方では、近江東部に転戦して連戦連勝破竹の勢を見せている村国男依《むらくにのおより》等が、数万の軍を率いて、瀬田川の東岸に陣した。戦端が切って落とされたのは七月二十二日である。『日本書紀』は次のように記している。

——旗幟野をかくし、埃塵《あいじん》天につらなる。鉦鼓《しょうこ》のおと、数十里に聞こゆ。列弩《れつど》みだれ発して、矢の下ること雨の如《ごと》し。

湖畔の王宮にも、その日一日中、合戦の雄叫《おたけ》びと兵鼓の音が聞こえた。風向きの加減でついそこで合戦が行われているようにも、戦場が次第次第に遠くに離れて行くようにも聞こえた。戦況は全く判《わか》らなかった。王宮の門は固く閉ざされ、かなりの数の兵が門という門を固めていて、その采配《さいはい》は何人かの朝臣たちがとっていた。犬の子一匹、この王城にははいれなかった。

近江の王宮がこの日ほどひっそりとしたことはなかった。大勢の妃たちは何人かの侍女たちにかしずかれながら、それぞれ己が居室に閉じ籠《こも》っていた。いかなる運命がやって来るか、その運命の近付いて来るのに耳を傾けている恰好であった。

蘇我赤兄を父に持つ大蕤娘と常陸娘が一つの部屋にはいっていた。共に父の運命を気遣う共通の立場に居たが、大蕤娘は大海人皇子の妃であり、常陸娘は亡き天皇の妃であった。同じようにひっそりと坐ってはいたが、時折面《おもて》を上げるその表情には多少の違いがあった。

　大友皇子の母である宅子娘だけが、時折廻廊に出た。放心した歩き方で廻廊を歩いた。合戦の雄叫びは彼女を居ても立ってもいられなくしていたのである。この宅子娘だけがただ一人の正真正銘の大友皇子の味方であった。この宅子娘には気丈な老いた侍女が二人、影が形に添うように付き従っていた。他の妃たちは、亡き天皇の妃であれ、大海人皇子の妃であれ、それぞれ皇子か皇女を持っていた。どんな運命が見舞おうと、皇子や皇女のために生きなければならぬと考えることができたが、宅子娘の場合は違っていた。大友皇子の生命が彼女自身の生命でもあるに違いなかった。侍女たちは万一のことを警戒して宅子娘に配せられていたのである。

　合戦の雄叫びと兵鼓の響きは、夕方まで聞こえ、夕暮と一緒に鎮まった。一日は早く暮れた。戦況は全く不明であった。この無力な女人たちだけが閉じこめられている王宮には、いかなる使者も派せられて来なかった。

　この夜、額田は十市皇女と同じ部屋に臥《ふ》した。額田は殆《ほとん》ど十市皇女に言葉をかけなかった。十市皇女の口から出るいかなる言葉も耳にするのも怖かったからである。十市皇女が何を考えているかは、彼女自身が言ったように、確かに大だけが知っていることであった。そしてそれは天だけが知っていればいいことで、額田は自分の知るべきことではないと思っていた。

寝苦しい一夜が明けると、白っぽい暁方の光と共に、再び合戦の雄叫びが風に乗って聞こえて来たが、それはきのうほど烈《はげ》しいものではなかった。次第に間遠になり、微《かす》かになって行った。午刻《ひる》を過ぎると、あとは全く雄叫びも兵鼓の響きも聞こえず、静かな初秋の陽《ひ》が湖畔の王宮を包んでいた。湖面は一枚の青い布でも拡げたように凪《な》いでおり、時折、渡り鳥の群れが空の高処《たかみ》を湖西から湖東へと渡った。

夜が来た。湖畔に沿った何百カ所かの地点で火が焚《た》かれているのが王宮の庭先きから見えた。夥《おびただ》しい数の火の隊列であった。湖畔の明るいのに引きかえ、湖心一帯の闇《やみ》は深く、王宮の丘から見るとそれは異様な妖《あや》しい眺《なが》めであった。

深夜、急に王宮は騒がしくなった。間もなく二人の朝臣が額田と十市皇女の部屋へやって来た。顔見知りの朝臣であった。

「合戦はわが近江方に利なく、昨夕刻までに大勢は決まり、大友皇子は本日午刻頃、山前《やまざき》の地で御自刃あそばされました。お痛わしいことでございます」

それだけ言って、背後へ退いた。その時気付いたのであるが、部屋の外には武具を着けた数人の武人が頭を垂れていたが、やがてその中の一人が顔を上げた。

「大海人皇子さまの御使者として参りました。大友皇子さまの御不運をお悔み申し上げますと共に、妃さまにはくれぐれも御短慮なことありませぬように、御父皇子さまからの御伝言でございます」

その言葉からでも判るように、明らかに吉野方の武人であった。

額田は立ち上がると、十市皇女の体を背後から支えてやった。いつ倒れるか判らないほど危うく見えたからである。やがて十市皇女の口から呟《つぶや》くような低い声が洩《も》れた。

「父皇子さまにお伝え願いとうございます。わたしの生命は天のお裁きに任せております。天のお裁きがない筈《はず》はありません。そのお裁きがあるまで、わたしは御不幸だった大友皇子さまの御子、葛野王《かどののおおきみ》さまのために生きることにいたしましょう」

この十市皇女の言葉の意味は、額田には理解できたが、額田以外の誰にも理解できる筈のものではなかった。この言葉を受け取る大海人皇子でさえ例外ではなかった。武装した男たちは十市皇女の不思議な言葉を復唱するように、自分の口から出し、その上で部屋から退出して行った。

その夜のうちに、王宮内の妃たちには大勢の侍女が配された。殊《こと》に宅子娘や常陸娘、大蕤娘の居室には万一のことを警戒して、侍女たちのほかに侍臣たちまでが詰めた。

この王宮には、合戦の模様が伝わらなかったように、戦後の収拾についても一切伝わらなかった。妃や皇子や皇女たちは、不思議に静かで、どこかに空虚なところのあることの年の秋を、みんなぼんやりと湖畔の王宮で送った。宅子娘は居室に籠ったまま、侍女以外いっさい誰とも顔を合わせなかった。

合戦から一カ月経《た》った八月末になって、近江方の重だった者八人が斬《き》られた。右大臣中臣金《なかとみのかね》を初め、いずれもこんどの事変に主導的役割を果たした朝臣たちであった。左大臣蘇我赤兄、大納言巨勢比等《こせのひと》の刑は流刑であった。さぞ近江方から大勢の斬罪者《ざんざいしゃ》が出るものと一般には思われていたが、そうした予想に反して、事変による犠牲者は最小限度にくいとめられたのであった。

こうしたことが湖畔の王宮で、それぞれ己が居室に籠って、互いに顔を合わせることもなく過している女人たちに伝わったのは、更に一カ月ほど経ってからであった。このために王宮内にはいささかの動揺も起こらなかった。打撃を受けたとすれば、蘇我赤兄を父に持つ二人の妃たちであったが、併《しか》し斬罪でなくて、流刑であったことで、彼女たちは寧《むし》ろほっとしたのではなかったかと想像された。こうした蘇我赤兄に対する措置は、大海人皇子のその一族に対する配慮があってのことに思われた。

またこの事変に対する収拾は都の民にもいかなる動揺も与えなかった。国を二つに割った争乱は、巷《ちまた》の男女たちにはすでに過ぎ去った悪夢であるに過ぎなかった。それより新しい現実が彼等を押し倒し、渦巻《うずま》き流れていた。

大海人皇子が争乱の間本宮を置いた不破《ふわ》を発し、大和の岡本宮に落ち着いたのは九月の中頃であった。そしてそれと一緒に、その岡本宮の南に新しい宮造りの工は起こされていた。近江の都はすでに棄《す》てられてしまっていたのである。争乱によって都から逃げ出した民たちは、戦火鎮《しず》まると、こんどは大和に引き移って行かねばならなかった。一度近江の都に戻《もど》り、その上で大和へ向かう者もあれば、避難先さから直ちに大和へ移って行く者もあった。

戦乱で荒れに荒れた近江の都とその周辺の地は、そのまま打ち棄てられ、日一日、人々はそこから姿を消して行きつつあった。今や都は暴風雨のあった翌朝の渚《なぎさ》に似ていた。水が引くように人々は居なくなり、あとには無人の家や館だけが取りちらかったままで残された。

十一月にはいると寒風が毎日のように人の居ない大路を吹きぬけて行き、白いものが舞い始めた頃《ころ》から、浮浪者や夜盗が無人の家や館を住処《すみどころ》とした。湖畔の王宮の女人たちは、都がいかなる変わり方をしているか、誰も知らなかった。彼女たちはすっかり忘れられてしまったように、そこに置かれていた。王宮は大勢の武人たちによって警固されていたが、大和からはいかなる沙汰《さた》もなかった。

十二月にはいって、初めて王宮の門は開かれた。亡き天智天皇の妃たちと、皇子、皇女たち、それに付き随う侍女たちの一団が、それぞれ輿《こし》に乗って、大和へ向かった。それから何日かを置いて、こんどは大海人皇子の妃たちの一団が、同じようにして、湖畔の王宮から出て行った。十市皇女もこの一団の中に配されていた。

更に何日かして、最後の輿の集団が王宮の門を出た。あとにはもう役人や兵が屯《たむろ》しているだけで、湖畔の王宮は、すっかり無人の館になる筈《はず》であった。額田はこの最後にこの王宮を引き揚げて行く一団の中にはいっていた。この前の二回の引き揚げの時は、天候に恵まれ、静かに冬陽《ふゆび》の散っている日に当たっていたが、この日は暁方から白いものが舞っている寒い日であった。雪はいったん歇《や》んだが、輿の隊列が王宮の門を出る頃から、再び雪は落ち始めていた。こやみなく舞っている雪片の落ち方から見て、この冬初めての本格的な降雪になるのではないかと思われた。額田は輿の垂れをめくって、近江の都に別れを告げた。都大路はすでに荒れ、いかにも狐狸《こり》でも棲《す》みそうな無人の辻々《つじつじ》を刻一刻雪が白く覆《おお》いつつあった。

額田にとっては、この湖畔の都と別れるきょうという日は特別な日であった。この都を離れた瞬間から、もう額田は額田でなくなる筈であった。もう神の声も聞くことはできないし、その神の声を神に代わって詠《うた》うこともできなかった。額田が長く身に着けて来た特殊なものは、亡き天皇が営まれたこの湖畔の都に置いて行かねばならなかったからである。

都を出て、湖岸の道を進み出した頃から、雪片は重たっぽくはだらはだらに暗灰色の空から落ち出した。雪に烟《けむ》って湖面の眺望《ちょうぼう》は利《き》かなかった。初めて中大兄皇子に召された日も雪の日であったが、丁度それと同じような雪の日に、額田は天皇の御霊《みたま》と別れて行くのであった。

翌年二月、大海人皇子は新しく営まれた飛鳥《あす》浄御原宮《かきよみはらのみや》において帝位に即《つ》いた。天武天皇である。

天武天皇の三年、亡き天智天皇の山科陵《やましなのみささぎ》の造築成った時、額田は勅を拝して歌を作った。

やすみしし　わご大君の
かしこきや　御陵《みはか》仕ふる
山科の　鏡の山に
夜はも　夜のことごと

昼はも　日のことごと
哭《ね》のみを　泣きつつありてや
百磯城《ももしき》の　大宮人《おほみやびと》は　去《ゆ》き別れなむ

畏《おそ》れ多いわが大君の御陵を営む山科の鏡山に、夜は夜中、昼は昼中、大宮人たちは御陵造営の成ったいま、ただひたすら泣きに泣いて、別れて行ったことでありましょう。こういう意味の歌であったが、時の人たちの間では、額田のこの歌に嘗《かつ》ての溢《あふ》れるようなもののないことが囁《ささや》かれた。

この歌を最後にして、額田の消息は史書から消えている。僅《わず》かに晩年の額田が、天武天皇の第六皇子である弓削皇子《ゆげのみこ》との間に交わした贈答歌が『万葉集』に収められているが、額田が飛鳥の新しい都において、いかなる立場で、いかなる生活を持ったかは不明である。

そうした額田にとって、恐らく堪え難いほど悲しかったであろうと思われる事件が起こったのは、天武天皇の七年の四月である。斎宮《いつきのみや》において神祇《じんぎ》を祀《まつ》るための行幸があって、まさに鹵簿《ろぼ》が発しようとしている時、俄《にわ》かに王宮において、十市皇女は病を発して薨《こう》じた。このためにこの日の行幸はとりやめになった。余りにも突然の他界であったので、皇女は自ら命を断ったのではないかという見方が一部ではされた。この十市皇女の死を悼《いた》んだ高市皇子《たけちのみこ》の歌が『万葉集』によって今日に伝えられている。

三諸《みもろ》の神の
神杉《かみすぎ》
夢《いめ》にだに
見むとすれども
いねぬ夜ぞ多き

三輪山の神杉を見るように、あの今は亡《な》い美しい人にせめて夢の中で会いたいと思うが、悲しみで眠れない夜が多くて会うことはできない。

三輪山の
山べまそゆふ
短かゆふ
かくのみゆゑに

長くと思ひき

三輪山の山辺に生えた苧《からむし》からとれる木綿は短いが、そのように十市皇女の生命も短かった。せめてもう少し長くあったらと思ったのに。

山吹の
立ちよそひたる
山清水《やましみづ》
汲《く》みに行かめど
道の知らなく

山吹の花の咲きかかっている山の清水よ、そこへ行けば亡き皇女が居ると思うのであるが、そこへ行く道が判らない。

高市皇子の亡き十市皇女に対する切々たる気持の窺《うかが》える歌である。この二人がいかなる形において結ばれていたかは知るよしもないが、二人の関係が通りいっぺんのものでないことだけは、高市皇子の三首の歌がはっきりと示している。十市皇女が亡くなった時、額田は四十代の半ばに達していた。額田に代わって宮廷歌人として柿本《かきのもとの》人麻呂《ひとまろ》の活躍が漸《ようや》く華やかに大きくなろうとしている頃のことである。

解説

山本健吉

一

『万葉集』を初めて読む読者は、巻一の冒頭近いあたりで、額田王《ぬかたのおおきみ》という一個のあでやかな存在に、まず瞠目《どうもく》させられる。その歌の匂《にお》いたつような艶麗《えんれい》さから、その佳人の色香を思い、また中大兄皇子《なかのおおえのみこ》と大海人皇子《おおあまのみこ》という、古代の二人の英雄像のかたわらに、運命に翻弄《ほんろう》される一人のかよわい女性像を描き出して、歴史と文学のはざまに思いのままの想像を馳《は》せることができる。

近世になって新しい万葉学が興ってから、額田王の存在が徐々に学者たちの注目を惹《ひ》いてきたようである。正史には「天武紀」に、「天皇、初め鏡王の女《むすめ》額田姫王を娶《め》して、十市皇女《とをちのひめみこ》を生む」という記事があるだけなのに、『万葉集』には十二首の長短歌が録されていて、読む者にまことに鮮明艶麗な印象を残すのだ。中でも伴信友《ばんのぶとも》は『長等《ながら》の山風』において、額田王と天智・天武両帝の間に恋の三角関係を想定し、あの大和《やまと》三山の嬬《つま》争いの歌や、蒲生野《がもうの》の唱和の歌の裏にそのような史実のあることを見、ひいてはそこに壬申《じんしん》の乱の原因までを推測するに至っている。このような推論は、考証史家としての信友の本領を発揮したものというべく、近代の万葉学者や歌人たちも、おおかた信友の推理の方向に従って、二人の兄弟皇子の間にあって身の置きどころに苦悩する悲劇のヒロインとして、彼女の肖像を描いている。言いかえれば、天皇（天智）と皇太弟（大海人）と二人の愛情のあいだに揺れ動いて、身は天皇の後宮にありながら、心は激しく皇太弟を慕っている女心をそこに想定しているのである。

今日ではさすがにそこまでロマンチックに考えている学者は少ないであろう。額田女王の人物像について、新しい考察を加えた人たちには、尾山篤一郎・折口信夫《しのぶ》・谷馨《かおる》・神田秀夫の諸氏がある。その中で額田女王の采女《うねめ》的・巫女《みこ》的性格に焦点を当てたのは、折口信夫で、その説をも取り入れながら女王についての詳細な研究を展開したのは、谷馨氏であった。井上氏のこの作品は、この折口・谷的方向に沿って額田女王の像を組み立てている。もちろん氏は小説家だから、史実を離れて作者の空想は天翔《あまが》けっているが、氏の描き出す額田女王像には、世のつねの男女の生活倫理では律しがたい、采女的存在であるがゆえに取らねばならなかった宿命がただよっている。

二

井上氏は額田女王について、次のように書いている。彼女は神事に奉仕することを任務としている女官で、歌才に恵まれ、時には天皇の命により、天皇に代わって歌を詠《よ》むこともある。その時は、単に人間としての天皇の心の内部にはいるばかりでなく、いつも神の声を聞き、神の言葉を天皇の言葉として表現する。そういう特殊な霊力を持ち、神と人間との仲介者で、天皇の代弁者でもある。

彼女は初め、大海人皇子の逞《たくま》しい腕に抱かれる。だが、極く自然に心は心、体は体、それぞれ別ものでなければならなかった。でなければ、神の声を聞く自分とその誇りとを守ることが出来ない。彼女は自分が普通の女になることを固く禁じているのである。

このような特殊な女として彼女を規定することによって、彼女と二皇子との奇妙な三角関係に一つの緊張状態を与える。彼女は中大兄皇子の手にも抱かれる。彼女は中大兄の性格を火と見、大海人の性格を水と見る。彼女は満開の梅林において大海人の腕に抱かれ、ある冷たい雪の夜、中大兄の腕に抱かれる。彼女は大海人よりも中大兄の方に、本当は惹《ひ》かれているようだ。(この点で、学者たちの、大海人を二枚目役に、中大兄を敵役《かたきやく》に仕立てる通説の逆を行っている）だが、彼女は中大兄に抱かれても、中大兄に自分の心は与えない。いや、与えまいと決心している。それが神の声を聞く者の当然のあり方なのだ。

　これは采女と称する後宮の女官の職能から出発して、井上氏が小説家らしい想像を馳せて、額田女王の心の中を推し量ったものである。采女と言っても、後世の零落した姿を想《おも》い描いてはいけない。むしろ宮廷に仕える高級巫女である。後宮の職員は、后《きさき》や皇女から、天皇の飯饌《はんせん》のことを掌《つかさど》る采女に至るまで、すべて神事の職にたずさわっている。大化二年に、諸国の郡領以上の姉妹や子女（養子女をも含めて）の中で容姿端麗なものを出させて采女とした。郡領とは国司の下僚であるが、昔の国造《くにのみやつこ》の子孫が郡領に任ぜられたので、律令官僚制度の中に組みこまれてはいても、古い氏姓《うじかばね》制の要素を濃厚に残していた。中央から派遣された国司と違って、郡司は古くからその土地に居ついている豪族だから、その子女はその国の至上神（国魂《くにたま》）に仕える最高の巫女、またはその資格を持つものである。大和宮廷で言えば、伊勢に仕える斎女王に当る。その小型のものである。神の意志を問い、それを君主に伝えて、彼の身に一国を支配する力の根源をつけさせる。

　額田女王は『万葉集』には額田王、『日本書紀』には額田姫王と書かれていて、いずれにしても皇族のような印象を受ける。だがこれには諸説があって、地方の豪族で王を称した者もあったから、彼女の父の鏡王は近江《おうみ》の豪族ではなかったかという説もある。すると彼女は、宮廷に采女として進ぜられた古《いにしえ》の国造家の子女であるとも言えるわけである。元弘三年の書写という『薬師寺縁起』に、天武天皇に寵《ちょう》せられた額田姫王・尼子姫《あまこのいらつめ》・欙媛娘《かじひめのいらつめ》の三人を「三采女」と書いてあることに、谷馨氏が注目している。谷氏は姫王の所生は尊いので、これは誤った所伝だとは言っているが、彼女の作歌を通して推察される宮廷生活は、まことに「采女的なるもの」に充《み》ちている、と言っている。「采女的なるもの」とは、神事にたずさわる女に見られる一切の特徴を言う。神に仕える女として、特殊な霊力を持ち、祭事に伴う歌舞に巧みで、さらにまた祭事の延長としての饗宴《きょうえん》を女あるじとして宰領し、すこぶる即興の才があり、社交性に富む。才色兼備の額田女王が思いのままに自分の個性を伸長しうる場が、神秘な雰囲気《ふんいき》のただよう宮廷祭儀の場《にわ》であった。

三

額田女王のイメージには、まことに華麗な色気がある。それは何よりもまず、蒲生野での唱和の歌の印象から来ている。同時にそれは、「采女的なるもの」の本来具有している性質でもあった。

　采女は地方の国造家から宮廷へ貢《こう》され、天皇に近侍して主として御饌《ぎょせん》に奉仕したが、その臨時の寵幸《ちょうこう》を受けることも、暗黙のうちにその職掌として考えられていた。後世で言えば「お手がつく」ということになるが、そのこと自身は拒みえないことであるとともに、それは飽くまで臨時のもので、原則的なものではなかった。額田女王は宮廷にあって、中大兄や大海人の寵を受けているが、それは彼女が主上たるべき人（中大兄）または主上の名代たるべき人（大海人）に対しては、その寵を拒みえない立場にあったことを思わせる。しかも、『日本書紀』の天智紀七年に、妃《ひ》・夫人《ぶにん》・嬪《ひん》等の名を挙げた中に額田姫王の名がないのは、寵幸を受けたとしてもそれは臨時のことに過ぎなかったからである。

　井上氏の作品の中で、大海人皇子が女王に言う。「中大兄皇子が求めなければ別だが、求めれば、ふらふら靡《なび》いて行くだろう。生まれ付き、そういうところがある」と。女王は確かに自分にはそういうところがあると思う。求められればふらふら靡いて行くのが、彼女の宿命である。しかも彼女は神の御妻《みめ》なのだから、人間の誰にも、体はともかく心を与えることはない。折口信夫の言葉によれば、彼女自身も「特殊生活と日常生活との交錯」、すなわち神との交わりと人との交わりとの混淆《こんこう》によって、独特の生き方を見せるに至っている。そのことに焦点を当てて、彼女を一篇の歴史物語のヒロインとして生かそうとしたのが、井上氏のこの作品なのだ。そしてその目標は、ほぼ円満に達成されている。

四

この小説は、歌物語でもある。額田女王の代表的な歌をはじめ、有間皇子・斉明天皇・中大兄皇子・大海人皇子・高市皇子などの歌がちりばめられ、それが正史に記録された事柄《ことがら》を背景に、灯のようにあたりを照らし出している。額田女王の宿命、あるいは性格というべきものも、その歌によって正しく照らし出されると言ってよい。井上氏が小説の中で、額田女王の歌の解釈に力を入れているのも、それが彼女の肖像を描くための大事な眼目だからである。むしろそのことは、井上氏の発想の由来を物語っているのではないか。氏はまず額田女王の歌に魅せられて、彼女を小説に書くことを思い立った。その歌によって想い描くイメージが、言わばこの小説のモチーフだ。その意味で、彼女の歌の解釈こそ、この作品の根幹をなすものである。

斉明天皇を奉じての西征の途次、中大兄は伊予の熟田津《にきたづ》の行宮《かりみや》にしばらく滞在したが、いざ船団が筑紫《つくし》へ発航しようという時、月の出を待って神に出陣を告げる儀式が厳かに営まれる。難波《なにわ》出発の前、この儀式を月の美しい夜に行うことを皇子にすすめたのは、彼女であった。その理由を問われて、「その時の凜々《りり》しい皇子さまのお姿を拝したいからでございます」と答えたのは、物語の上である。この月明の出陣に、彼女に作歌するようにとの詔《みことのり》が下る。彼女は今なら皇子の心の中にはいり込み、皇子に代わって出陣の心情を歌に綴《つづ》ろうと思い念ずる。

熟田津に船乗りせむと月待てば潮もかなひぬ今は榜《こ》ぎ出でな

彼女は皇子の心になりきっている自分を感じている。女帝の命で作った歌だから、調べは女のそれだが、盛られている心は中大兄以外の誰のものでもない。全船団がいっせいに潮の上を動き始めている光景を、幻覚として彼女は見ている。彼女は自分が作った歌の中に全身で没入し、皇子の心の中にすっぽりとはいっている自分を感じている。「額田はどうして自分が中大兄皇子になりきることができたか、判《わか》らなかった。ただ、額田は、自分をそうさせたものが、愛とは違うものであることを信じていた。絶対にこれだけは信じなければならぬといった強さで、そう信じていた。自分は中大兄の心を借りて、神の声を詠《うた》ったのである。愛などというものと無縁であればこそ神の声を聞けたのである。船団出動の幻覚が消えた時、なぜか額田の頰《ほお》を涙が落ちた。」

(月明)

彼女の心裡《しんり》における、神に仕えることから来る特殊の論理と、女であることの日常の論理と、あるいは晴《はれ》の意識と褻《け》の意識との交錯が、ここでは語られている。額田女王の歌は、単なる彼女の「私」の心の表現としてでなく、神の祭の場《にわ》に立っての「私」を超えた、より大いなるものに倚《よ》りかかっての表現たりえているその大きさが、最大の魅力だ。そして井上氏の描き出す額田女王のイメージも、そのような二要素の交錯混淆の上に到達した一種荘厳な華麗さだったのである。

この熟田津の章が、この作品のクライマックスとも言えよう。その後筑紫にあって、中大兄は額田に、半島の作戦が成功した暁、戦捷《せんしょう》の歌を作って貰《もら》いたい、その時は、民全体の心の中にはいって詠って貰いたいと言う。彼女はその至難の要請をどうしたら果せるか、その手がかりはまるで考えられなかったが、もしそうすることが出来たら何というすばらしいことであろうと思う。だが、その戦捷の歌はついに作られない。半島遠征の日本の軍船は、白村江《はくすきのえ》（錦江の河口）で唐・新羅《しらぎ》の水軍と戦い、壊滅したからである。

五

第二のクライマックスとして、蒲生野の遊猟のおりの唱和がある。

茜《あかね》さす紫野行きしめ野行き野守は見ずや君が袖《そで》振る　額田女王

紫草《むらさき》のにほへる妹《いも》を憎くあらば人妻ゆゑに吾《われ》恋ひめやも　大海人皇子

井上氏はこの唱和を、天智天皇の眼をかすめて秘《ひそ》かに交わし合った歌だという、多くの人たちのロマンチックな受取り方を、さすがに却《しりぞ》けている。この日都へ帰って、王宮で催された宴席で披露《ひろう》された歌とする。そして大胆な恋歌として人々を驚かせはしたが、不思議に深刻なものとしては受取られなかったし、額田と大海人とが企《たくら》んで、座興として戯《たわむ》れに恋歌をやりとりしているとしか思われなかった、と書いている。そしてこの二首の歌によって、宴席はいっそう浮き浮きと楽しく明るいものになった、という。それと同時に、作者は大海人の歌を聴いて額田女王が思いめぐらしたその心の中の委曲を語り出す。彼女が解いたこの歌の心は、非常に面白いもので、これまで如何《いか》なる国文学者も歌人も、そういう解釈を下したことはない。

「大海人皇子は天智天皇に聞かせると共に、額田にも聞かせるために、この歌を作っていた。そういう意味では怖《おそ》ろしい程よくできた歌であった。人妻ゆえにと詠っているることで、相手が天智天皇の女性であるという見方をはっきりと示しており、はっきりと示すことにおいて天皇をたてているわけで、そしてまたそういう女性でも自分は恋さずにはいられないと詠うことで、所詮《しょせん》たわむれの歌に過ぎないという性格を巧みに出していた。」

「……額田には大海人の烈《はげ》しい眼が感じられた。多くの人は私のこの歌をたわむれの歌として受け取るだろう、併《しか》し、たわむれを装った中にちゃんと本心もはいっていることは、あなただけには解っている筈《はず》だ。そういう大海人の声が額田には聞こえて来るようであった。」（近江の海）

このように解くことで、これまでの国文学者のような、あまりに安易に彼女を悲恋の女王に仕立ててしまう感傷的解釈から遠く脱け出ている。しかしまた、それゆえにこそ、底の方ではいっそう烈しい心で対《む》かい合って立っている二人の貴人の様相を思って、彼女はその怖ろしさに身ぶるいするのである。壬申《じんしん》の乱は、すぐ眼の前に迫っている。

私はこの歴史小説を解説しようとして、作品を離れて額田女王の肖像に触れることが多かった。それはこの作品を読む読者が、それを知っておいた方がこの作品の世界にはいりやすいと思ったからである。そのことが作者の額田女王に付与した肖像に、いくぶんでも近づく手がかりとなるだろう。そして、歴史の「自然」の上にどのような逸脱――「歴史離れ」を作者は企てたか、その機微を察知することも出来るだろう。

在来の彼女の悲劇的肖像――より正しくは新派悲劇的肖像――を拒否して、その果てにより本質的な、古代の女の悲しみの肖像がここに描き出されている。信友の『長等の山風』以来、さまざまの額田女王像が書かれてきたが、井上氏のこの作品は、小説の形によって造型された額田の肖像として、したがってまた最も奔放に想像世界裡に、その人物の古代的な魅力を極限的に生かしきった額田像として、その存在を主張しているのである。

（昭和四十七年九月、文芸評論家）

この作品は昭和四十四年十二月毎日新聞社より刊行された。

額《ぬか》田《たの》女王《おおきみ》

新潮文庫　い-7-19

昭和四十七年十月三十日　発　　行
平成二十二年四月二十日　七十三刷改版
令和　四　年十二月二十五日　八　十　刷

著　者　井《いの》上《うえ》靖《やすし》

発行者　佐藤隆信
発行所　株式会社　新潮社
郵便番号　一六二―八七一一
東京都新宿区矢来町七一
電話　編集部(〇三)三二六六―五四四〇
　　　読者係(〇三)三二六六―五一一一
http://www.shinchosha.co.jp

価格はカバーに表示してあります。

乱丁・落丁本は、ご面倒ですが小社読者係宛ご送付ください。送料小社負担にてお取替えいたします。

印刷・株式会社光邦　製本・株式会社植木製本所

ISBN978-4-10-106319-5 C0193